I MILLENNIUM-SERIEN ER TIDLIGERE UDGIVET

Stieg Larsson:
Mænd der hader kvinder, 2005
Pigen der legede med ilden, 2006
Luftkastellet der blev sprængt, 2007

David Lagercrantz:
Det der ikke slår os ihjel, 2015

Millennium

DAVID
LAGERCRANTZ

Manden der søgte sin skygge

Oversat af Agnete Dorph Stjernfelt

Modtryk

MANDEN DER SØGTE SIN SKYGGE
Oversat fra svensk efter: MANNEN SOM SÖKTE SIN SKUGGA

First published by Norstedts, Sweden in 2017
Published by agreement with Norstedts Agency
Omslag: Henrik Koitzsch
Tryk: GGP Media GmbH, Pößneck
1. udgave, 1. oplag 2017

ISBN 978-87-7146-814-4

www.modtryk.dk

Prolog

"Den der dragetatovering, jeg har altid haft lyst til at spørge: Hvorfor er den så vigtig for dig?" sagde Holger Palmgren. Han sad i sin kørestol i besøgslokalet.

"Det er noget med min mor."

"Agneta?"

"Jeg var lille, seks år måske. Jeg stak af hjemmefra."

"Det tror jeg godt, jeg kan huske. Det var noget med en kvinde, som kom på besøg, ikke? Hun havde en slags mærke."

"Det så ud, som om det var brændt ind i hendes hals."

"Som efter en drage?"

Del 1

DRAGEN

12. juni - 20. juni

Sten Sture den Ældre lod denne statue rejse i 1489 til minde om sin sejr over den danske konge i slaget ved Brunkeberg.

På statuen – som står i Storkyrkan i Stockholm – sidder ridderen Sankt Georg på en hest med løftet sværd. Under ham ligger en døende drage. Ved siden af står en kvinde i burgundisk dragt.

Kvinden forestiller jomfruen, som ridderen redder i dramaet, og hun menes at være modelleret efter Sten Sture den Ældres hustru, Ingeborg Åkesdotter. Jomfruen ser mærkelig uberørt ud.

KAPITEL 1

Den 12. juni

LISBETH SALANDER VAR på vej fra træningslokalet og brusebadet, da hun blev passet op på gangen af vagtchefen, Alvar Olsen. Vagtchefen ævlede løs om et eller andet. Han virkede ophidset og gestikulerede vildt og viftede med nogle papirer. Men Lisbeth hørte ikke et ord af, hvad han sagde. Klokken var 19.30.

19.30 var det værste tidspunkt på Flodberga. Det dundrende godstog drønede forbi udenfor, væggene rystede, der lød raslen af nøgler, og der lugtede af sved og parfume. Klokken 19.30 var det farligste tidspunkt i fængslet. Det var dér, i ly af larmen fra jernbanen og i den almindelige uro, der opstod, lige inden fængselsdørene blev lukket, at de værste overgreb fandt sted. Lisbeth Salander lod altid blikket vandre frem og tilbage over afdelingen på denne tid, og det var næppe noget tilfælde, at hun netop nu fik øje på Faria Kazi.

Faria Kazi stammede fra Bangladesh. Hun var ung og smuk, og hun sad i sin celle, lige til venstre for dem. Selvom Lisbeth derfra, hvor hun stod, ikke kunne se andet end hendes ansigt, var der ingen tvivl om, at hun fik nogle gevaldige lussinger. Hovedet røg frem og tilbage, og selvom slagene ikke var overdrevent hårde, var der noget rituelt og vanemæssigt over det. Hvad det end var, der foregik, så var det ikke af nyere dato. Det fremgik tydeligt af både overgrebet og reaktionen. Selv på afstand fornemmede man, at volden var en hverdagsforeteelse, der havde nedbrudt enhver modstandskraft.

Faria Kazi forsøgte end ikke at standse slagene, og der var ingen overraskelse i blikket, kun en tavs, dump angst. Hun levede med volden. Lisbeth kunne se det blot ved at studere hendes ansigt, og det passede også med, hvad hun havde noteret sig i løbet af disse uger i fængslet.

"Dér," sagde hun og pegede ind mod Farias celle.

Men da Alvar Olsen vendte sig om, var det hele allerede forbi. Lisbeth smuttede ind i sin egen celle og lukkede døren. Udenfor hørtes stemmer og dæmpet latter, og så godstoget, som skrumlede og skramlede og bare blev ved og ved i det uendelige. Foran sig havde hun den skinnende vask, den smalle seng, boghylden og skrivebordet med sine kvantemekaniske udregninger. Skulle hun fortsætte med dem – med sine forsøg på at finde en teori, som kunne forene kvantemekanik og tyngdekraft? Hun så ned på sin hånd. Der var noget i den.

Det var de papirer, Alvar lige havde stået og viftet med, og så blev hun trods alt lidt nysgerrig. Men det var bare pjat, en intelligenstest med to kaffepletter på omslaget. Hun fnøs.

Hun kunne ikke udstå at blive målt og vejet, så hun slap papirerne og lod dem falde ned på betongulvet, hvor de spredte sig som en vifte. Så glemte hun alt om dem og tænkte igen på Faria Kazi. Lisbeth havde aldrig set, hvem det var, der slog hende. Men hun vidste det. For selvom Lisbeth til at begynde med ikke havde interesseret sig for stemningen herinde, var hun alligevel modstræbende blevet inddraget i fængselslivet og havde skridt for skridt afkodet de synlige og usynlige tegn og forstået, hvem der i realiteten styrede afdelingen.

Afdelingen hed B eller bare Sikringen. Den blev anset for at være den sikreste på anstalten, og for en overfladisk betragtning kunne det nok også godt virke sådan. Intet andet sted i fængslet var der så mange vagter og kontroller og rehabiliteringsprogrammer. Men den, der så nærmere efter, ville opdage, at der var noget galt herinde. Vagterne spillede barske og autoritære og sågar medfølende. Men i virkeligheden var de feje kujoner, som havde mistet grebet og overladt magten til fjenden, til mafiosoen Benito Andersson og hendes slæng.

Benito holdt ganske vist lav profil i dagtimerne og optrådte nærmest som mønsterfange. Men når fangerne efter den tidlige middag trænede eller modtog familiebesøg, så overtog hun stedet, og hendes terrorvælde var på intet tidspunkt større end nu, lige inden dørene blev låst for natten. Fangerne bevægede sig rundt mellem cellerne, og der blev hvisket både trusler og løfter, og Benitos slæng var på den ene side og ofrene på den anden.

DET VAR NATURLIGVIS en stor skandale, at Lisbeth Salander befandt sig her eller overhovedet var i fængsel. Men omstændighederne havde ikke været på hendes side, og hun havde ærlig talt ikke kæmpet imod med nogen større overbevisning. Hun syntes mest af alt, at det var en idiotisk parentes, og i starten tænkte hun, at hun sådan set lige så godt kunne sidde i spjældet som alle mulige andre steder.

Hun var blevet idømt to måneders fængsel for grov uagtsomhed i forbindelse med dramaet efter mordet på professor Frans Balder, da hun på egen hånd havde skjult en otteårig autistisk dreng og nægtet at samarbejde med politiet, eftersom hun med rette mente, at der var en læk i efterforskningen. Der var sådan set ingen, der anfægtede, at hun havde gjort en fantastisk indsats og reddet barnets liv. Alligevel kørte chefanklager Richard Ekström på med stor patos, og retten lod sig til sidst overbevise, selvom en af domsmændene var uenig, og selvom Lisbeths advokat, Annika Giannini, gjorde et fremragende stykke arbejde. Men eftersom Annika ikke fik megen hjælp af Lisbeth selv, havde hun ikke en chance.

Lisbeth tav surt under hele retssagen og nægtede at appellere. Hun ville bare have hele hurlumhejet overstået og havnede også præcis som forventet på den åbne anstalt Björngärda Gård, hvor hun fik stor frihed. Senere kom der oplysninger om, at hun var i fare – ikke helt uventet med tanke på, hvem det var, hun havde lagt sig ud med – og derfor blev hun overflyttet til Sikringen her på Flodberga.

Det var ikke så ejendommeligt, som det lød. Lisbeth blev ganske vist anbragt sammen med landets værste kvindelige forbrydere, men hun havde ikke selv noget imod det. Hun var til stadighed omgivet af vagter, og det passede, at der ikke havde været rapporteret om nogen overgreb eller voldelige forhold på afdelingen i flere år. Personalet kunne endda fremvise en ret imponerende statistik over indsatte, der blev rehabiliteret, selvom den statistik helt og holdent stammede fra perioden før Benito Anderssons ankomst.

Lisbeth stødte allerede fra begyndelsen på en del provokationer; men det var heller ikke specielt overraskende. Hun var en højt profileret fange, kendt fra medierne og fra rygter og sladder i underverdenen. Det var ikke mere end et par dage siden, Benito selv havde stukket hende en seddel med ordene: *Ven eller fjende?* Men Lisbeth havde smidt sedlen ud efter et minut (det tog hende 58 sekunder at tage sig sammen til at læse den).

Hun interesserede sig ikke for magtkampe og alliancer. Hun koncentrerede sig om at se og lære, og lige nu havde hun lært mere end nok. Hun stirrede tomt på sin boghylde med de afhandlinger om kvantefeltteori, hun havde bestilt, inden hun skulle i fængsel. I skabet til venstre lå der to sæt af anstaltens tøj med mærket KF (som i KRIMINALFORSORGEN) på brystet og noget undertøj og to par gummisko. Der var ingenting på væggene, ikke engang et fotografi eller den mindste påmindelse om livet uden for murene. Indretningen interesserede hende lige så lidt her som hjemme på Fiskargatan.

Nu begyndte man at låse celledørene ude på gangen, og normalt var det en befrielse for hende. Når der blev tyst og stille på afdelingen, plejede Lisbeth at fordybe sig i sin matematik – i sine anstrengelser for at forene kvantemekanikken med relativitetsteorien – og glemme alt omkring sig. Men i aften føltes det anderledes. Hun var irriteret, og det skyldtes ikke kun overgrebet mod Faria Kazi og al korruptionen herinde.

Det skyldtes Holger Palmgrens besøg seks dage tidligere – hendes gamle formynder fra den tid, da retssamfundet ikke mente, at hun kunne klare sig selv. Besøget havde været et drama i sig selv. Holger forlod ellers aldrig sit hjem, og han var helt afhængig af de mennesker, der passede og plejede ham hjemme i lejligheden på Liljeholmen. Men han havde insisteret på at komme og var blevet kørt med handicaptransport og rullet ind i fængslet i kørestol, stønnende og prustende i en iltmaske. Men det havde alligevel været fint. Holger og hun talte om gamle dage, og Holger blev sentimental og rørt. Der var bare én ting, der havde generet Lisbeth. Holger fortalte, at han havde haft besøg af en kvinde ved navn Maj-Britt Torell, som havde været sekretær på Sankt Stefans børnepsykiatriske klinik, hvor Lisbeth havde været indlagt som barn. Kvinden havde læst om Lisbeth i aviserne og givet ham en del papirer, som hun mente måske kunne være af interesse. Men ifølge Holger var det bare den samme gamle historie om, hvordan Lisbeth blev spændt fast i spændetrøje på klinikken og behandlet helt forfærdeligt. "Ikke noget du behøver se," sagde han. Men dokumenterne måtte alligevel have indeholdt i det mindste noget nyt, for da Holger spurgte om dragetatoveringen, og Lisbeth fortalte om damen med det flammende modermærke, havde han sagt:

"Kom hun ikke fra Registret?"

"Hvad?"

"Registret for Studier af Genetik og Miljø i Uppsala? Jeg syntes, jeg læste noget om det."

"Det må have været i de nye papirer," sagde hun.

"Tror du?" svarede han. "Eller også roder jeg bare rundt i det."

Måske rodede han bare rundt i det. Holger var blevet gammel. Alligevel var ordene blevet hængende i Lisbeths hoved. De havde forfulgt hende, da hun slog til boksebolden i træningssalen om eftermiddagen, i keramikværkstedet om formiddagen, og de forfulgte hende nu, da hun stod i sin celle og stirrede ned i gulvet igen.

IQ-testen, som lå spredt ud som en vifte dernede på gulvet, syntes pludselig at have ændret karakter. Den virkede pludselig ikke helt så ligegyldig længere, men snarere som en slags forlængelse af det, Holger og hun havde talt om, og et kort øjeblik undrede Lisbeth sig over hvorfor. Men så huskede hun, at kvinden med modermærket også havde givet hende forskellige tests. Det var endt med larm og ballade og til sidst med, at hun var flygtet ud i natten i en alder af kun seks år.

Alligevel var det ikke hverken flugten eller disse tests, der var det afgørende i erindringen. Det var den mistanke, som allerede var begyndt at røre på sig inden i hende, om at der var noget grundlæggende, hun ikke havde forstået om sin barndom, og hun indså, at hun måtte finde ud af noget mere.

Inden længe ville hun ganske vist atter være ude i friheden igen og kunne gøre, som hun ville. Men hun vidste også, at hun havde en klemme på vagtchefen, Alvar Olsen. Det var ikke første gang, han vendte ryggen til overgreb. Den afdeling, han havde ansvaret for, og som endnu blev betragtet som Kriminalforsorgens stolthed, var i moralsk forfald, og Lisbeth spekulerede derfor på, om ikke Alvar Olsen skulle få lov at hjælpe hende med at få det, som ingen måtte have herinde – en internetopkobling.

Hun lyttede efter lydene ude på gangen og hørte både venlige ord og eder og forbandelser. Døre smækkede, og nøgler raslede, og skridt forsvandt i det fjerne. Så blev der stille. Kun ventilatoren snurrede – selvom den ganske vist ikke virkede. Der var kvælende og uudholdeligt. Lisbeth Salander så ned på gulvet med testen og tænkte på Faria Kazi og Benito og Alvar Olsen og på damen med det flammende modermærke på halsen.

Hun bøjede sig ned og samlede papirerne op, satte sig ved skrivebordet og kradsede i al hast svarene ned. Da hun var færdig, ringede hun på det sølvfarvede samtaleanlæg ved siden af ståldøren. Alvar Olsen svarede tøvende og nervøst. Hun sagde, at hun var nødt til at tale med ham straks.

"Det er vigtigt," understregede hun.

KAPITEL 2

Den 12. juni

ALVAR OLSEN VILLE hjem. Han ville væk. Men først skulle han passe sit job, ordne en masse papirarbejde – og så selvfølgelig ringe og sige godnat til sin niårige datter, Vilda. Det var som sædvanlig hans moster Kerstin, der passede pigen, og som sædvanlig havde Kerstin fået besked på at låse sikkerhedslåsen derhjemme.

Alvar havde været chef for sikringsafdelingen på Flodberga i tolv år, og han havde længe været stolt af sit arbejde og anset sig selv for at være den rigtige til opgaven. Alvar Olsen havde som ung reddet sin stærkt alkoholiserede mors liv og fået hende på ret kurs igen. Han havde altid været et passioneret menneske, som stod på de udsattes side, og det var derfor ikke overraskende, at han søgte ind i Kriminalforsorgen og tidligt skaffede sig et velfunderet, godt ry. Men i dag var der ikke meget tilbage af hans gamle idealisme.

Det første grundskud fik den allerede, da hans kone efterlod ham alene med datteren og flyttede til Åre sammen med sin tidligere chef. Det var imidlertid Benito, der endegyldigt berøvede ham hans illusioner. Alvar plejede at sige, at der findes noget godt i enhver forbryder. Men der fandtes intet godt i Benito, og der var ellers mange, der havde søgt – kærester, venner, advokater, terapeuter, retspsykiatere og sågar et par præster. Benito hed egentlig Beatrice. Hun havde selv opkaldt sig efter en vis italiensk fascist og havde et tatoveret hagekors på halsen, karseklippet hår og et usundt blegt ansigt. Og dog var hun ikke noget hæsligt syn.

Trods sin bryderagtige fysik udstrålede hun en vis ynde, og ikke så få blev fascineret af hendes grandiose fremtræden. De fleste blev dog bare bange. Rygtet ville vide, at Benito havde myrdet tre mennesker med nogle knive, som hun kaldte Kris eller Keris, og som blev omtalt så ofte, at de var blevet en del af den truende, trykkede stemning på anstalten. Gang på gang blev det understreget, at det værste der kunne ske på afdelingen var, at Benito sagde, at hun rettede sin kniv mod én, for så var man dødsdømt eller så godt som død. Det var selvfølgelig noget pliddderpladder, eftersom knivene befandt sig på sikker afstand af fængslet; men det tyngede atmosfæren. Disse myteomspundne knive samt Benitos truende udstråling spredte skræk og rædsel på gangene, og det hele var så skammeligt og pinagtigt. Alvar havde simpelthen kastet håndklædet i ringen.

Han burde have kunnet klare hende. Alvar var 1,92 høj, vejede 88 kilo, havde muskler af stål og havde allerede som teenager tævet de svin og drukmåse, der ville i lag med hans mor. Men han havde et svagt punkt. Han var enlig far, og for godt et år siden havde Benito opsøgt ham ude i haven og hvisket en vejbeskrivelse ind i hans øre – en skræmmende præcis beskrivelse af hver eneste sti og trappe, Alvar hver morgen passerede, når han afleverede sin datter i 3. a på Fridhemsskolan i Örebro.

"Min kniv peger mod din datter," havde hun sagt, og det var nok.

Alvar mistede grebet om afdelingen, og forfaldet bredte sig nedad i hierarkiet. Han tvivlede ikke et sekund på, at nogle af kollegerne, som for eksempel det skvat til Fred Strömmer, var korrupte. Den værste tid på året var altid nu om sommeren, når fængslet var fuldt af inkompetente og forskræmte vikarer, og den iltfattige luft i gangene gjorde irritationen og spændingerne endnu værre. Alvar havde ikke tal på de gange, han var vågnet op og havde svoret at få sat skik på det hele; men han magtede det ikke, og det hjalp heller ikke, at anstaltens direktør, Rikard Fager, var en stor idiot. Rikard Fager var kun interesseret i facaden, og facaden tog sig stadig strålende ud, uanset hvor råddent det hele stod til bag den.

Hver eftermiddag blev Alvar på ny lammet af Benitos blik, og i overensstemmelse med tyranniets psykologi blev han svagere, for hver gang han veg. Det var, som om alting skred for ham, og det værste af det hele var, at han ikke havde evnet at beskytte Faria Kazi.

Faria var dømt for at have myrdet sin storebror ved at skubbe ham ud ad et vindue i Stockholm-forstaden Sickla. Men der var intet aggressivt eller voldeligt i hendes natur. For det meste sad hun i sin celle og læste eller græd, og at hun overhovedet var havnet på sikringsanstalten, skyldtes, at hun både var suicidal og truet udefra. Hun var et knust menneske, som alle, også samfundet, havde svigtet. Hun havde ikke nogen virkelig barsk udstråling at klare sig med på fængselsgangene, ikke noget stålsat blik, der aftvang respekt, kun en skrøbelig skønhed, som fik plageånder og sadister til at flokkes om hende, og Alvar hadede sig selv for, at han ikke gjorde noget ved det.

Det eneste konstruktive, han havde forsøgt sig med her på det seneste, var at engagere sig i den nye pige, Lisbeth Salander. Det var nu heller ikke så let. Lisbeth Salander var en strid strigle, og der gik lige så mange rygter om hende som om Benito. Der var dem, der beundrede Salander, og andre, der mente, at hun var en opblæst lort, og så var der dem, der følte deres plads i hierarkiet truet. Hele Benitos krop – hver eneste muskel i hende – syntes at forberede sig til en magtkamp, og Alvar tvivlede ikke et sekund på, at hun via sine kontakter uden for murene samlede information om Salander, præcis som hun havde gjort om ham og alle andre på afdelingen.

Og dog var der ikke sket noget, selv ikke da Lisbeth trods sin høje sikringsklassifikation var blevet sluppet løs i haven og keramikværkstedet. Hun var elendig til keramik. Hendes vaser var det værste, han havde set, og hun var heller ikke særlig social. Hun sagde stort set ingenting. Det virkede, som om hun levede i sin egen verden, og hun reagerede hverken på de blikke, bemærkninger, puf eller knubs, Benito i det skjulte udsatte hende for. Lisbeth rystede det bare af sig som støv eller fugleklatter, og den eneste, hun holdt nøje opsyn med, var Faria Kazi.

Lisbeth holdt øje med hende, og formentlig havde hun allerede forstået alvoren. Måske ville det føre til en konfrontation. Han vidste det ikke. Men det foruroligede ham.

Alvar Olsen var trods al modgang stolt over de individuelle programmer, han havde udarbejdet for hver eneste indsat. Ingen blev bare automatisk sat i arbejde. Hver fange fik sit eget skema, udarbejdet ud fra deres særlige situation og behov. Visse indsatte studerede fuldtids eller deltids. Andre fulgte rehabiliteringsprogrammer og talte med psykologer og socialrådgivere og fik erhvervsvejledning. Lisbeth Salander burde, ud fra papirerne at dømme, få mulighed for at komplettere sin skolegang eller i det mindste få råd desangående. Hun havde ikke gået i gymnasiet. Hun havde ikke engang afsluttet folkeskolen, og bortset fra en kort ansættelse i et sikkerhedsfirma virkede det ikke, som om hun overhovedet nogensinde havde arbejdet. Hun havde haft problemer med myndighederne gang på gang, selvom hun ikke var blevet idømt fængselsstraf før nu. Det ville være så nemt bare at affærdige hende som en taber; men det var naturligvis ikke hele billedet. Ifølge aviserne var hun en slags actionhelt, og så var der hele hendes fremtræden, og først og fremmest var der en begivenhed, som havde ætset sig ind i ham.

Den begivenhed var det eneste positivt overraskende, der var sket på afdelingen det seneste års tid. Det var for nogle dage siden i spisesalen efter den tidlige middag klokken fem. Det regnede udenfor. Fangerne havde taget af bordet og vasket op og gjort rent, og Alvar sad alene tilbage på en stol ved siden af opvaskebordet. Egentlig havde han ikke noget at gøre der. Han spiste sammen med personalet i en anden del af fængslet, og spisesalen var de indsattes eget ansvar. De såkaldte selvforvaltere Josefin og Tine – som begge var Benitos allierede – havde deres eget budget og bestilte varer og lavede mad, holdt orden og sørgede for, at der var mad nok til alle. Det gav status. Maden gav magt i spjældet, sådan havde det altid været, og det var uundgåeligt, at visse, såsom Benito, fik mere, og andre fik mindre. Derfor holdt Alvar øje med køkkenet. Afdelingens eneste kniv befandt sig også i køkkenet. Kniven var ikke skarp, og den var fastgjort med en stålwire. Men den kunne stadig gøre skade, og han holdt øje med den ud ad øjenkrogen, mens han samtidig forsøgte at læse lektier.

Alvar ville væk fra Flodberga. Han ville have et bedre job. Men for en fyr som ham, der aldrig havde studeret eller arbejdet andre steder end i fængsler, var der ikke så meget at vælge imellem. Han havde derfor taget et korrespondancekursus i virksomhedsøkonomi, og mens duften af kartoffelklatkager og syltetøj stadig hang i luften, læste han om, hvordan aktieoptioner prissættes på finansmarkedet, selvom han helt ærligt ikke begreb meget af det og overhovedet ikke kunne finde ud af opgaverne i lærebogen. I det samme kom Lisbeth Salander ind for at få mere at spise.

Hun så ned i gulvet og virkede sur og åndsfraværende, og eftersom Alvar ikke ville ydmyge sig igen og gøre endnu et mislykket forsøg på at få kontakt, fortsatte han med sine udregninger. Han viskede ud og kludrede i det, og det irriterede hende tydeligvis. Hun kom nærmere og gloede på ham, og pludselig blev han forlegen. Han blev tit forlegen, når hun stirrede på ham, og han skulle lige til at rejse sig og gå, da Salander tog hans blyant og skrev nogle tal i hans bog.

"Black-Scholes-ligninger er noget overvurderet lort, når markedet er så ustabilt," sagde hun og gik uden at ænse, at han kaldte på hende.

Hun gik bare, som om han ikke eksisterede længere, og det tog ham nogen tid at forstå, hvad det var, der var sket. Først da han sad ved sin computer sent samme aften, indså han, at hun ikke bare på et øjeblik havde besvaret hans opgaver rigtigt. Hun havde også med naturlig autoritet kritiseret en Nobelprisbelønnet model for prissætning af aktieoptioner. For ham, som ellers kun oplevede nederlag og fornedring på afdelingen, blev det til noget stort. Han drømte om, at det var begyndelsen på en kontakt mellem dem, eller endda et vendepunkt i hendes liv, hvor hun omsider ville indse omfanget af sin begavelse.

Han grundede længe over, hvad hans næste skridt burde være. Hvordan skulle han motivere hende yderligere? Til sidst fik han en idé. Han ville lade hende tage en IQ-test. Han havde masser af gamle tests og skemaer liggende på sit kontor på grund af alle de retspsykiatere, som havde været der og forsøgt at afgøre graden af psykopati og aleksitymi og narcissisme og alt, hvad de nu ellers mente, Benito led af.

Alvar havde selv taget flere af disse tests, og han tænkte, at en kvinde, som så ubesværet løste matematiske problemer, rimeligvis ville kunne klare intelligenstesten godt. Måske ville det kunne gøre en forskel for hende? Han havde derfor ventet på hende ude i gangen lige før, da han mente, der var en god anledning. Han syntes ovenikøbet, at han fornemmede en ny åbenhed i hendes ansigt og indledte med at give hende en kompliment. Han bildte sig ind, at han fik kontakt.

Hun tog imod testen. Men så skete der noget. Toget skramlede forbi derude. Hun blev anspændt, og blikket formørkedes, og så begyndte han at hakke og stamme og lod hende gå. Bagefter gav han sine kolleger ordre til at sørge for at låse cellerne. Selv gik han ind på sit kontor, som lå på den anden side af fangernes cellegang bag en massiv glasdør, i den såkaldte administrationsafdeling. Alvar var den eneste blandt personalet, der havde sit eget kontor. Der var et vindue ud mod gården og stålhegnet og den grå betonmur. Rummet var ikke meget større end cellerne og heller ikke meget hyggeligere. Men til forskel fra cellerne var der en computer med internetopkobling samt et par monitorer, som viste overvågningsbilleder fra afdelingen, og så nogle pyntegenstande, som skulle gøre rummet hyggeligere.

Nu var klokken 19.45. Celledørene var låst. Toget var forsvundet mod Stockholm, og kollegerne sad i personalerummet og sludrede. Selv skrev han lidt i sin dagbog om dagligdagen på afdelingen. Det blev han ikke i bedre humør af, for han var ikke helt ærlig i dagbogen længere. Han så op på opslagstavlens fotos af datteren Vilda og hans egen mor, som nu havde været død i fire år.

Udenfor lå haven som en oase i det golde fængselslandskab, og der var ikke en sky på himlen. Han så på sit armbåndsur igen. Det var på tide at ringe hjem til Vilda og sige "godnat og sov godt, lille skat". Han løftede røret, men længere kom han ikke. Samtaleanlægget bippede. Han så på displayet og så, at det var rum nummer syv, der ringede, Lisbeth Salanders celle. Han blev nervøs og nysgerrig, for alle indsatte vidste, at de ikke måtte forstyrre personalet unødigt, og Lisbeth havde aldrig tidligere brugt samtaleanlægget. Hun fremstod ikke ligefrem som nogen brokrøv. Kunne der være sket noget?

"Hvad er der?" spurgte han.

"Du skal komme. Det er vigtigt."

"Hvad er det, som er så vigtigt?"

"Du gav mig den her IQ-test, ikke?"

"Netop, jeg tænkte, at du nok var en pige, som burde kunne klare sådan en helt pænt."

"Det er sikkert rigtigt. Vil du ikke se mine svar igennem nu?"

Alvar så atter på uret. Hun kunne vel for fanden ikke allerede være færdig med testen?

"Lad os bare gøre det i morgen," sagde han. "Så kan du gennemgå dine svar lidt grundigere."

"Men det er jo snyd," fortsatte hun. "Så kan jeg jo bruge hele natten."

"Okay, jeg kommer," sagde han.

Han vidste ikke rigtig, hvorfor han sagde det, og han spekulerede straks på, om det var forhastet. På den anden side ville han sikkert fortryde det, hvis han ikke gik derhen. Han havde jo så inderligt håbet, at hun ville finde testen interessant, og at det kunne blive indledningen til noget andet og mere.

Han bøjede sig ned og tog et papir med de rigtige svar fra skrivebordsskuffen længst nede til højre. Så rettede han lidt på tøjet og gik ud og åbnede slusedøren til sikringsafdelingen med nøglekortet og sin personlige kode. Han gik hen ad gangen og kiggede op mod de gule lamper og de sorte overvågningskameraer i loftet, mens han fingererede ved sit bælte. Bæltet indeholdt hans peberspray, knippel, nøgleknippe, telefon og så den grå alarm.

Han var måske en uforbederlig idealist, men han var ikke naiv. Der var ikke råd til naivitet i Kriminalforsorgen. Tilsyneladende ydmyge og usikre fanger kunne manipulere rundt med én, så Alvar var altid på vagt, og jo tættere han kom på cellen, jo mere urolig blev han. Måske burde han have taget en kollega med sig, sådan som reglementet foreskrev.

Hvor intelligent Lisbeth Salander end var, kunne hun ikke have løst opgaverne så hurtigt. Hun måtte have en skjult dagsorden, det blev han stadigt mere overbevist om. Han åbnede glughullet til hendes celle og kiggede mistænksomt ind. Lisbeth stod stille ved sit skrivebord derinde og smilede til ham – eller noget der lignede – og han følte sig forsigtigt optimistisk igen.

"Okay, jeg kommer ind. Hold afstand."

"Naturligvis."

"Godt."

Han låste op, forberedt på lidt af hvert, men der skete ikke noget. Salander blev stående på stedet.

"Hvordan går det?" sagde han.

"Fint," svarede hun. "Interessant test. Kan du selv tjekke den?"

"Jeg har de rigtige svar her," sagde han og viftede med sin facitliste.

Hun tav, og han tilføjede:

"I betragtning af hvor hurtigt du har lavet den, må du ikke blive skuffet, hvis resultatet ikke er så godt."

Han forsøgte at smile bredt. Hun fortrak læberne igen; men denne gang var han ikke helt så rolig ved situationen. Han følte sig gransket og brød sig ikke om det dunkle lys i hendes blik. Havde hun noget i ærmet? Det ville ikke et sekund overraske ham, hvis hun rugede over en eller anden infernalsk plan derinde bag det mørke blik. På den anden side var hun lille og mager. Han var større, bevæbnet og trænet til at håndtere kritiske situationer. Hvor farligt kunne det være?

Han tog tøvende imod testen og smilede stift til hende. Derefter skimmede han svarene, mens han holdt Salander under opsigt. Det var sikkert helt okay. Hun så bare spørgende på ham, som om hun ville sige: Er jeg god eller hvad?

Hun skrev i hvert fald ikke pænt, bogstaverne hoppede og dansede, som om de var kradset ned i al hast. Han gennemgik langsomt hendes svar og sammenlignede med facitlisten, alt imens han stadig holdt øje med hende ud ad øjenkrogen. Først konstaterede han bare, at det meste så ud til at være rigtigt besvaret; men lidt efter lidt tabte han både næse og mund. Selv de sværeste spørgsmål til slut havde hun svaret rigtigt på, og det havde han aldrig nogensinde før hørt om nogen, der havde. Resultatet var helt enestående, og han skulle lige til at sige noget overstrømmende, da han pludselig ikke kunne få vejret længere.

KAPITEL 3

Den 12. juni

LISBETH SALANDER betragtede Alvar Olsen nøje. Han var tydeligvis agtpågivende, og han var høj og veltrænet og udstyret med både knippel, peberspray og alarm i bæltet. Han ville sikkert hellere dø af skam end lade sig overmande. Men hun vidste også, at han havde sine svagheder.

Han havde de samme svagheder som andre mænd, og så bar han på en skyld. Han var en mand, der skammede sig, og det kunne udnyttes. Hun havde tænkt sig at slå ham og presse ham. Alvar Olsen skulle få, hvad han fortjente. Derfor granskede hun hans øjne og mave. Maven var ikke noget ideelt mål. Den var alt for hård og muskuløs, et skide vaskebræt. Men selv den slags maver har sine sårbare øjeblikke, og hun ventede og fik til slut sin belønning. Alvar gispede af forbløffelse eller overraskelse.

Hans krop var ikke længere nærværende og anspændt, og netop som han åndede ud, slog Lisbeth ham i solar plexus. Hun slog hårdt og sikkert, to gange, og derefter sigtede hun mod det punkt, som hendes boksetræner Obinze havde udpeget for hende og hamrede til dér med en vild, brutal energi.

Hun forstod med det samme, at det var lykkedes hende at slå skulderen af led. Alvar knækkede stønnende sammen. Han kunne end ikke skrige, og det var tydeligt, at han kæmpede for overhovedet at holde sig på benene. Det lykkedes ham et sekund eller to. Så opgav han. Han væltede om på siden og ramte betongulvet med en dump lyd. Lisbeth trådte et skridt frem. Hun måtte sikre sig, at han ikke gjorde nogen dumheder med hænderne.

"Stille," formanede hun ham.

Det var helt unødvendigt. Alvar kunne ikke få et ord frem. Han hev efter vejret, skulderen dunkede af smerte, og lyset flimrede for hans øjne.

"Hvis du er sød og artig og ikke rører ved dit bælte, så slipper du nu," sagde Salander og tog IQ-testen ud af hånden på ham. I det samme syntes Alvar, at han hørte noget i det fjerne.

Var det et fjernsyn, der var tændt i nabocellen, eller nogle kolleger, der også var gået ind på afdelingen, og som snakkede ude på gangen? Umuligt at afgøre. Han var alt for omtåget. Han overvejede, om han ikke trods alt skulle gøre et eller andet eller bare råbe om hjælp. Men han kunne ikke samle sig, smerten overdøvede hans tanker. Salander flød ud for hans blik, og han var bange og forvirret. Måske fingererede han alligevel ved alarmen, mere som en refleks end som en bevidst handling. Men han nåede aldrig at gøre noget. Hun ramte ham i maven igen, og han krøb sammen i fosterstilling og stønnede igen.

"Der ser du," sagde Salander dæmpet. "Det er en skidt idé. Men ved du hvad? Jeg kan faktisk slet ikke lide at slå dig. Var du ikke en rigtig helt engang for længe siden? Mors lille hjælper eller sådan noget. Jeg hørte noget om det. Nu er hele stedet her et helvede, og lige for lidt siden lod du Faria Kazi i stikken igen. Jeg bliver nødt til at advare dig, hvad det angår. Jeg bryder mig ikke om det."

Han vidste ikke, hvad han skulle svare.

"Den pige har været udsat for nok. Det skal der sættes en stopper for," fortsatte hun, og Alvar nikkede uden helt at vide hvorfor.

"Strålende. Så er vi jo enige," fortsatte hun. "Har du læst om mig i aviserne?"

Han nikkede igen og holdt nu hænderne på sikker afstand af bæltet.

"Godt, så ved du også, at jeg ikke viger tilbage for noget. Ingenting. Men måske kan vi slå en handel af, du og jeg."

"Hvad?" hvæsede han.

"Jeg hjælper dig med at få sat skik på stedet her og sørger for, at Benito og hendes håndlangere overhovedet ikke kommer i nærheden af Faria Kazi, og du ... du låner mig en computer."

“Aldrig! Du har ...” stønnede han “... overfaldet mig. Det ser sort ud for dig.”

“Det ser skidt ud for *dig*,” sagde hun. “Folk bliver mobbet og mishandlet herinde, og du løfter ikke en finger. Forstår du overhovedet, hvilken skandale det her er? En lille Mussolini har krammet på Kriminalforsorgens stolthed!”

“Men ...” forsøgte han.

“Ikke noget *men*. Jeg hjælper dig med at få styr på det, men først skal du vise mig hen til en computer med netadgang.”

“Umuligt,” sagde han og forsøgte at lyde brysk. “Der er kameraer overalt i gangen. Du er færdig.”

“Så er vi færdige begge to, og det er helt fint med mig,” svarede hun, og Alvar kom til at tænke på Mikael Blomkvist.

Mikael Blomkvist havde allerede besøgt Salander flere gange, mens hun havde siddet der, og Alvar ønskede på ingen måde, at Blomkvist skulle lufte hans snavsetøj offentligt. Så hvad skulle han gøre? Han kunne ikke tænke klart og endnu mindre overskue sandsynligheden for, at en historie om Benitos hærgen på afdelingen ville kunne blive trykt og bevises. Han havde alt for ondt til at tænke rationelt, så i stedet rørte han ved sin skulder og sin mave og sagde uden rigtig at vide, hvad han mente:

“Jeg kan ikke garantere noget.”

“Det kan jeg heller ikke, så det går lige op. Rejs dig op!”

“Vi møder sikkert en eller anden fra personalet på administrationsgangen,” sagde han.

“Så lader du, som om vi har en eller anden studieøvelse, du og jeg. Vi har jo allerede lagt så fint ud med IQ-testen.”

Han rejste sig og ravede. Elpæren i loftet snurrede over ham som en lygtemand, et stjerneskud. Han havde kvalme og udbrød:

“Vent lidt, jeg ...”

Hun rettede lidt på hans ryg og klappede på ham, som om hun ville børste et hår væk. Så slog hun ham igen. Han blev rædselsslagen. Men denne gang var det ikke noget slemt slag. Tværtimod. Hun satte hans skulder på plads, og den værste smerte slap taget i ham.

"Så går vi," sagde hun.

Han overvejede at råbe om hjælp og trykke på alarmen. Han overvejede at slå hende med kniplen og sprøjte hende med pebersprayen, men han gik bare. Han gik ud på gangen sammen med Lisbeth Salander, som om der ikke var sket noget, og åbnede slusedøren med sit nøglekort og sin kode og håbede, at de ikke ville støde på nogen. Men selvfølgelig stødte de på Harriet, hans sleske kollega, som var så åleglat, at han end ikke vidste, hvis side hun var på, Benitos eller ordensmagtens. Nogle gange tænkte han, at det var begge dele, at hun bare holdt med den side, der lige for tiden gav hende de bedste muligheder.

"Hej," forsøgte Alvar.

Harriet havde håret samlet i en hestehale og så stram ud omkring munden og øjnene. Den tid, da han havde fundet hende attraktiv, føltes fjern.

"Hvor er I på vej hen?" spurgte hun. Alvar indså, at uanset hvor meget chef han var, så havde han intet at stille op imod Harriets spørgende blik, og han mumlede:

"Vi skal ... Vi ville ..."

Der dukkede ikke andet op i hans hoved end det der med studieøvelsen, og han forstod trods alt, at det ikke duede.

"... ringe til Salanders advokat," fortsatte han.

Alvar fornemmede, at hun ikke troede på ham, og han var sikkert også både bleg og lidt omtåget i blikket. Allerhelst ville han bare synke sammen på gulvet igen og råbe om hjælp. I stedet sagde han med uventet autoritet:

"Advokaten flyver til Jakarta i morgen tidlig."

Han anede ikke, hvor han fik det med Jakarta fra. Han forstod bare, at det var tilstrækkeligt konkret og aparte til at kunne gå for at være sandt.

"Okay, forstået," sagde Harriet med et tonefald, som passede sig bedre for en underordnet, og så forlod hun dem. Da de var sikre på, at hun var væk, fortsatte de hen mod hans kontor.

Hans kontor var helligt område. Døren var altid lukket, og ingen indsatte fik lov at komme der, og da slet ikke for at telefonere. Men det var der, de skulle hen, og med lidt held eller uheld havde drengene på overvågningscentralen allerede set, at de var gået over til personalesiden, efter at dørene var blevet lukket, og så ville der sikkert komme folk ned lige om lidt og spørge, hvad der foregik. Uanset hvad ville det ende skidt. Han måtte gøre noget. Han fingerede ved sit bælte. Men alligevel slog han ikke alarm. Han skammede sig for meget, og måske var han også ufrivilligt fascineret. Hvad var det, hun ville?

Han låste op og lukkede hende ind, og pludselig blev han klar over, hvor håbløst der så ud derinde. Hvor var det egentlig ynkeligt – specielt efter at være blevet kaldt mors dreng – at have store billeder af sin mor på opslagstavlen, fotografier som endda var større end dem af Vilda. Han burde have taget dem ned for længe siden, ryddet op, sagt op og aldrig mere haft noget med kriminelle at gøre. Men her stod han. Han lukkede døren, mens Lisbeth Salander betragtede ham med et mørkt, beslutsomt blik.

"Jeg har et problem," sagde hun.

"Og hvad er det?"

"Det er dig."

"Hvad er problemet med mig?"

"Hvis jeg sender dig ud, slår du alarm. Men hvis du bliver, ser du, hvad jeg laver, og det er heller ikke så godt."

"Er det noget kriminelt?" spurgte han.

"Det er det nok," svarede hun, og så måtte han have gjort noget igen, eller også var hun virkelig stjernepsykopat.

Hun slog ham i solar plexus for tredje eller fjerde gang, og endnu en gang sank han sammen og hev efter vejret, mens han rustede sig til nye slag. Men der skete ikke andet, end at Salander bøjede sig ned og med en lynhurtig bevægelse tog hans bælte af ham og lagde det på skrivebordet. Han rettede sig op trods smerterne og stirrede truende på hende.

Det var, som om de ville kaste sig over hinanden og begynde at slås. Men hun afvæbnede ham endnu en gang ved at kaste et blik på hans opslagstavle.

"Er det din mor på billederne der? Hende du reddede?"

Han svarede ikke. Han overvejede stadig at kaste sig over hende.

"Er det din mor?" gentog hun, og han nikkede.

"Er hun død?"

"Ja."

"Men hun er vigtig?"

"Det er hun."

"Så vil du også forstå mig. Jeg har brug for informationer, og du skal lade mig finde dem."

"Hvorfor skulle jeg gøre det?"

"Fordi du allerede har ladet det hele gå alt for vidt herinde. Til gengæld skal jeg hjælpe dig med at knække Benito."

"Hun er aldeles hensynsløs."

"Det er jeg også."

Måske havde hun en pointe. Han havde allerede ladet det gå for langt. Han havde sluppet hende herind og havde løjet og bluffet. Han havde ikke meget at miste længere, og da hun bad om hans kodeord til computeren, gav han hende det. Han så på hendes hænder. Han stirrede fortryllet på dem. De bevægede sig lynhurtigt hen over tastaturet, og til at begynde med skete der ikke noget specielt. Hun skimmede bare forskellige hjemmesider fra Uppsala, Akademiska Sjukhusets hjemmeside og universitetets.

Hun blev ved i evige tider og søgte tilsyneladende planløst rundt, og først da hun stødte på noget, der virkede lidt gammeldags og forældet, ved navn Institut for Medicinsk Genetik, standsede hun op og trykkede et par kommandoer ind. Så slukkedes skærmen. Den blev helt sort, og et kort øjeblik sad hun helt stille uden at røre sig. Hun åndede tungt og holdt tøvende hænderne hævet over tastaturet, som en pianist der forbereder sig på at spille et svært stykke.

Så hamrede hun noget ned med forbløffende fart, lange rækker af hvide tal og bogstaver på den sorte skærm, og derefter begyndte computeren selv at skrive. Tegnene væltede frem, uforståelige programkoder og kommandoer. Han forstod kun enkelte ord: *connecting database, search, query* og *response*, og så det foruroligende: *Bypassing security*. Hun ventede utålmodigt et øjeblik, mens hun trommede med fingrene i bordet. "Pis!" udbrød hun så. Der var dukket et vindue op: *ACCESS DENIED*. Hun forsøgte igen, og så skete der pludselig noget, en bølgebevægelse, en bevægelse indad og så et glimt af farver. Nu stod der med lysende grønne bogstaver: *ACCESS GRANTED*, og snart begyndte der at ske ting og sager, som Alvar end ikke havde troet mulige. Hun blev suget ind som gennem et ormehul og kom ud i cyberverdener, som syntes at tilhøre en anden tid, langt før internettet.

Hun flagrede forbi gamle indscannede dokumenter og lister, hvor en lang række navne var skrevet med skrivemaskine eller kuglepen. Under dem var der kolonner med tal og notater – resultater, tænkte han, af tests og evalueringer. Nogle af dokumenterne var hemmeligstemplede. Han så hendes eget navn og andres, og en række udtalelser. Det var, som om hun havde forvandlet computeren til et slags slangeagtigt væsen, som lydløst bevægede sig gennem længst glemte arkiver og lukkede kælderhvælv, og hun blev ved og ved i time efter time.

Alligevel forstod han ikke, hvad det var, hun lavede. Han forstod kun, at det ikke lykkedes for hende. Det kunne han mærke på hendes kropssprog og mumlen. Efter fire og en halv time gav hun op, og han drog et lettelsens suk. Han skulle på toilettet. Han skulle hjem og afløse sin moster og se til Vilda og sove og glemme verden. Men Lisbeth bad ham om at blive siddende og holde kæft. Der var en ting til, hun skulle ordne, og igen gik skærmen i sort, og hun skrev nye kommandoer ind, og han forstod til sin skræk, at hun var på vej ind i anstaltens computersystem.

"Hold op med det," sagde han.

"Du kan ikke lide fængselsdirektøren, vel?"

"Det rager ikke dig."

"Jeg kan heller ikke lide ham," sagde hun og foretog sig noget, han ikke ville se.

Hun gik ind i Rikard Fagers mail og dokumenter og læste, og han lod hende gøre det, og det var ikke kun, fordi han hadede manden, og fordi det hele allerede var gået alt for vidt, men på grund af hendes måde at håndtere computeren på. Computeren virkede som en forlængelse af hendes krop. Hun behandlede den så virtuost, at han begyndte at fatte lid til hende. Det var måske irrationelt. Han vidste det ikke. Men han lod hende fortsætte og lave nye angreb. Der blev sort og hvidt på skærmen igen og så stod de der ord der igen: *ACCESS GRANTED*. Hvad fanden?

På skærmen foran sig så han gangen ude i sikringsafdelingen ved siden af. Gangen henlå stille i mørket, og hun blev ved med at fifle med den samme filmsekvens, som om hun forlængede den eller fik et afsnit af den til at gentage sig. Alvar lukkede øjnene og foldede hænderne og bad til, at det snart var overstået.

Klokken 01.52 rejste Lisbeth Salander sig og mumlede "tak", og uden at spørge hende om, hvad det egentlig var, hun havde lavet, fulgte han hende forbi slusedøren og ind i hendes celle, hvor han ønskede hende godnat. Derefter tog han hjem og lå søvnløs. Først hen ad morgenstunden faldt han i søvn og drømte om Benito og hendes knive.

KAPITEL 4

17. juni - 18. juni

FREDAGE VAR LISBETHDAGE.

Hver fredag besøgte Mikael Blomkvist Lisbeth Salander i fængslet. Han så frem til det, specielt nu, da han omsider havde accepteret situationen og ikke længere var rasende. Det havde taget sin tid.

Han havde været vred over anklagen og dommen og råbt op i både fjernsyn og aviser. Men da han omsider indså, at Lisbeth selv var ligeglad, begyndte han at se det med hendes øjne. For hende betød det ikke så meget. Hvis hun bare kunne få lov til at koncentrere sig om sin kvantefysik og sin træning, kunne hun for den sags skyld lige så godt befinde sig i fængslet som alle mulige andre steder, og måske betragtede hun fængselstiden som en erfaring, en læretid. Hun var sær, hvad den slags angik. Hun tog livet, som det kom, og tog det til efterretning, og ofte lo hun bare, når han bekymrede sig for hende – også da hun blev overflyttet til Flodberga.

Mikael brød sig ikke om Flodberga. Ingen brød sig om Flodberga. Det var det eneste kvindefængsel i landet i sikkerhedsklasse 1, og at Lisbeth var havnet der, skyldtes udelukkende, at Ingemar Eneroth, chefen for Kriminalforsorgen i Sverige, forsikrede, at det var det sikreste sted for hende at være i en situation, hvor både Säpo og den franske efterretningstjeneste havde opsnappet trusler mod hende, som man mente stammede fra søsteren Camilla og hendes kriminelle netværk i Rusland.

Det kunne være sandt. Det kunne også være helt i skoven. Men eftersom Lisbeth ikke havde noget imod overflytningen, blev det sådan, og nu var der under alle omstændigheder ikke meget tilbage af hendes afsoningstid. Det var trods alt helt okay. Lisbeth havde set usædvanlig kvik ud sidste fredag. Fængselsmaden var sikkert den rene helsekur i sammenligning med det lort, hun proppede sig med til hverdag.

Mikael sad på toget til Örebro med sin laptop og gennemgik *Millennium*'s sommernummer, som skulle i trykken mandag. Udenfor øste det ned. Meteorologerne havde forudsagt, at det ville blive den varmeste sommer i årevis. Men indtil videre havde himlen bare åbnet for sluserne. Dag efter dag faldt regnen, og Mikael længtes efter at flygte til sit hus i Sandhamn og hvile ud. Han havde arbejdet hårdt. Efter hans afsløring af, at førende kræfter inden for den amerikanske efterretningstjeneste NSA havde samarbejdet med den organiserede gangsterverden i Rusland for at stjæle forretningshemmeligheder over hele verden, havde *Millennium*'s økonomi været stærk. Bladet havde fået sin gamle stjernestatus tilbage. Men med fremgangen fulgte også bekymringer. Mikael og redaktionsledelsen følte sig tvunget til at videreudvikle bladet digitalt, og det var selvfølgelig godt. Det var nødvendigt i det nye medielandskab.

Men det stjal hans tid. Opdateringerne på nettet og samtalerne om strategien for de sociale medier brød hans koncentration. Han var ganske vist begyndt at rode med en række forskellige historier, men han var ikke nået i dybden med nogen af dem, og det hjalp ikke, at den person, som havde givet ham tippet om NSA, sad i fængsel. Han havde skyldfølelse.

Han kiggede ud ad togvinduet og håbede at få lov at være i fred. Det var naturligvis ren ønsketænkning. Den gamle dame ved siden af, som uophørligt forstyrrede ham med sine spørgsmål, ville gerne vide, hvor han var på vej hen. Han svarede undvigende. Som de fleste andre, som forstyrrede ham i tide og utide, mente hun det godt. Men han var glad, da han blev nødt til at afbryde samtalen og stige af i Örebro. Han skyndte sig frem gennem regnen til sin bus. Selvom Flodberga-anstalten lå latterligt tæt på banen, var der ingen station i nærheden, så han var nødt til at køre næsten tre kvarter i en gammel bus uden aircondition. Klokken var tyve minutter i seks, da han skimtede den grå betonmur lidt længere fremme.

Muren var syv meter høj, mat i farven og rillet som en enorm betonbølge, der var stivnet i et frygteligt overgreb på den vidtstrakte slette. Først langt borte ved horisonten anede man nåleskoven. Der var ingen beboelseshuse i sigte, og porten til fængslet lå så tæt på jernbanebommene, at der kun var plads til én bil ad gangen bag dem.

Mikael steg af og blev sluppet ind gennem tremmelågen. Han gik hen til vagtcentralen og låste telefon og nøgler inde i et gråt skab. Så fortsatte han igennem sikkerhedskontrollen, og som så ofte før føltes det, som om de chikanerede ham med fuldt overlæg. En tætklippet og tatoveret fyr i trediveårsalderen tog ham endda i skrævet. Desuden dukkede der en sort labrador op, en fin og glad vovse. Men Mikael vidste selvfølgelig godt, hvad det var. En narkotikahund. Troede de virkelig, at han ville smugle narko ind i spjældet?

Han holdt gode miner til slet spil og vandrede med en anden lidt højere og rarere fyr gennem de lange gange. Slusedørene åbnedes automatisk af folk i overvågningscentralen, som holdt øje med dem gennem kameraerne i loftet. Det varede lidt, inden de kom til besøgsafdelingen. Han måtte vente længe udenfor, og det var svært at sige præcis, hvornår det gik op for ham, at der var noget galt.

Det var nok allerede, da Alvar Olsen, vagtchefen, dukkede op.

Olsen havde sved på panden og virkede nervøs. Han kom med et par anstrengte høflighedsfraser, inden han lukkede Mikael ind i besøgsrummet længst nede ad gangen. Derefter var der ikke længere nogen tvivl mulig. Noget var definitivt forandret.

Lisbeth var iført anstaltens slidte, forvaskede tøj, som altid hang så underligt løst på hende. Normalt plejede hun at rejse sig op, når han kom. Nu blev hun bare siddende, og der var noget anspændt over hele hendes kropssprog. Hun havde bøjet hovedet lidt til siden, som om hun stirrede skråt forbi ham. Hun var usædvanlig stiv og svarede kun på hans spørgsmål med enstavelsesord og undgik øjenkontakt. Til sidst følte han sig nødsaget til at spørge, om der var sket noget.

"Det kommer an på, hvordan man ser på det," sagde hun. Han smilede afventende. Det var i det mindste en begyndelse.

"Ja, sig noget mere om det?"

Det ville hun ikke. "Ikke nu og ikke herinde." Så blev der stille. Uden for tremmevinduet piskede regnen ned mod gårdspladsen og muren, og han stirrede tomt på en slidt madras, som stod lænet op ad væggen.

"Skal jeg blive urolig nu?" sagde han.

"Det synes jeg," svarede hun og grinede. Det var vel ikke lige den form for humor, han havde håbet på.

Alligevel føltes det forløsende, og han lo også lidt og spurgte, om der var noget, han kunne hjælpe med. Hun tav et øjeblik, inden hun svarede: "Måske". Det overraskede ham. Lisbeth Salander plejede ikke at bede om hjælp, medmindre der var hårdt brug for det.

"Fint. Jeg vil gøre hvad som helst – sådan næsten da," sagde han.

"Næsten?"

Hun grinede igen.

"Helst ikke lovovertrædelser," svarede han. "Det er alligevel for dumt, hvis vi begge to havner herinde."

"Du må nok nøjes med et mandefængsel, Mikael."

"Hvis jeg da ikke kan charmere mig til en dispensation til Flodberga. Nå, hvad handler det så om?"

"Jeg sidder med en masse gamle navnelister," sagde hun, "og der er noget, der ikke stemmer. Der er for eksempel en fyr ved navn Leo Mannheimer."

"Leo Mannheimer?" sagde han.

"Nemlig, han er 36. Du finder ham nemt på nettet."

"Okay, det er da en begyndelse. Hvad leder jeg efter?"

Lisbeth så ud over besøgsrummet, som om det, Mikael skulle lede efter, skjulte sig dér et eller andet sted. Så vendte hun sig om og stirrede åndsfraværende på ham.

"Helt ærligt, så ved jeg det ikke."

"Skal jeg tro på det?"

"Sådan da."

"Sådan da?"

Han mærkede et sting af irritation, men fortsatte:

"Okay, du ved det ikke; men du vil have ham tjekket. Har han gjort noget specielt? Eller virker han bare sådan skummel i al almindelighed?"

"Du kender sikkert den kapitalfond, han arbejder i. Men i øvrigt tror jeg ikke, det ville skade med en lille forudsætningsløs undersøgelse."

"Hold nu op," sagde han. "Du må da give mig noget mere. Hvad var det for lister, du talte om?"

"Navnelister," sagde hun.

Det lød så kryptisk og dumt, at han et kort øjeblik troede, at det hele bare var for sjov, og at de lige om lidt ville sidde og sludre hyggeligt om løst og fast ligesom sidste fredag. I stedet rejste Lisbeth sig op og sagde til besøgsvagten, at hun ville tilbage til sin celle.

"Det må være din spøg," sagde han.

"Nej," svarede hun, og han havde lyst til at protestere og fortælle hende, hvor mange timer det tog at komme frem og tilbage, og at han da nok godt kunne finde på sjovere ting at lave fredag aften.

Men han indså straks, at det ikke nyttede noget. Så han rejste sig, gav hende et knus og sagde med en snert af faderlig autoritet, at hun skulle passe på sig selv. "Ja, måske," svarede hun. Forhåbentlig mente hun det ironisk, skønt hun virkede hensunken i andre tanker.

Han så hende blive ført bort af vagtchefen, og han brød sig ikke om den tavse målbevidsthed i hendes skridt. Modvilligt lod han sig eskortere i den modsatte retning. Han hentede sin mobil og nøglerne og spenderede en taxa tilbage til Örebro. På togturen tilbage læste han en kriminalroman af en forfatter ved navn Peter May, og som en art protest ventede han med at søge på Leo Mannheimer.

ALVAR OLSEN VAR lettet over, at Mikael Blomkvists besøg havde været så kort. Han havde været bange for, at Lisbeth skulle fortælle journalisten om Benito og sikkerhedsafdelingen, men det kunne hun næppe have nået, og det var godt. Derudover var der ikke meget at glæde sig over. Alvar havde arbejdet hårdt på at få Benito flyttet fra afdelingen. Men der skete ikke noget, og det hjalp ikke ligefrem, at flere af hans kolleger forsvarede Benito over for fængselsledelsen og forsikrede, at der ikke var brug for yderligere foranstaltninger.

Vanviddet fortsatte, og Lisbeth Salander forholdt sig indtil videre passiv. Hun gjorde stadig ikke andet end at betragte og notere. Men det føltes, som om hun var på nedtælling. Hun havde givet ham en frist på fem dage. Han havde fem dage til at ordne sagen selv og frede Faria Kazi. Derefter ville Salander gribe ind. Det var, hvad hun havde truet med. Og nu var de fem dage snart gået, og det var ikke lykkedes Alvar at gøre noget. Stemningen på afdelingen blev tværtimod bare stadigt mere anspændt og ubehagelig. Noget væmmeligt var under opbygning.

Det var, som om Benito forberedte sig på kamp. Hun dannede nye alliancer og modtog usædvanligt mange besøg, hvilket som oftest betød, at hun fik mange informationer, og først og fremmest virkede det, som om hun optrappede overgrebene og volden mod Faria Kazi. Det var sandt, at Lisbeth Salander aldrig befandt sig særlig langt borte, og det var godt, det var en hjælp. Men det tirrede Benito. Hun var irriteret på Lisbeth og hvæsede og truede, og på et tidspunkt overhørte Alvar hende i træningscentret.

"Kazi er min perkerluder," hvæsede hun. "Jeg skal fandeme nok få den brune luder ned med nakken!"

Lisbeth Salander bed tænderne sammen og stirrede ned i gulvet. Alvar vidste ikke, om det skyldtes den frist, hun havde givet ham, eller om hun følte sig magtesløs. Han hældede til det sidste. Uanset hvor cool pigebarnet var, var hun næppe stærk nok til at sætte sig op mod Benito. Benito var totalt hensynsløs og livstidsdømt og havde intet at miste, og så havde hun sine gorillaer, Tine og Greta og Josefin, og i den senere tid var Alvar blevet mere og mere bange for at se et glimt af stål i hendes hænder.

Han var konstant på nakken af personalet ved metaldetektorerne, og gang på gang lod han hendes celle gennemsøge. Men han var urolig for, at det ikke var nok. Han syntes hele tiden, han så Benito og hendes håndlangere luske med noget. Det kunne være stoffer eller knive eller bare hans egen indbildning. Han gik som på nåle, og trusselsbilledet mod Salander gjorde det ikke bedre. Hver gang alarmen gik, eller personsøgeren bippede, var han bange for, at der var sket Lisbeth noget, og han forsøgte at overtale hende til at sidde i isolationscelle. Men hun ville ikke, og han var ikke stærk nok til at gennemtvinge det mod hendes vilje. Han var ikke stærk nok til noget som helst.

Han var plaget af skyldfølelse og nervøsitet, og han kiggede sig hele tiden over skulderen. Desuden arbejdede han manisk over og gjorde Vilda ked af det og belastede forholdet til mosteren og sine naboer. Han var gennemblødt af sved. Der var ulidelig varmt og kvælende på afdelingen. Udluftningssystemet var elendigt, og han følte sig mentalt udslidt og kiggede hele tiden på uret og ventede på, at fængselsdirektør Rikard Fager skulle ringe og meddele, at Benito skulle flyttes. Men han ringede ikke, selvom Alvar for første gang helt ærligt havde fortalt ham om tingenes tilstand. Enten var Rikard Fager en endnu større idiot, end han havde troet, eller også var også han korrupt. Det var umuligt at vide. Telefonen forblev tavs.

Da celledørene blev lukket fredag aften, gik han ind på sit kontor og forsøgte at samle tankerne. Men han fik ikke lov at være i fred længe. Lisbeth Salander ringede over samtaleanlægget og ville låne hans computer igen. Han hentede hende og forsøgte endnu en gang at forstå, hvad det var, hun lavede. Men han fik ikke mange ord ud af hende. Hun var mørk i blikket. Endnu en gang kom han ikke hjem før langt ud på natten, og han havde mere end nogensinde en følelse af, at der var katastrofenedtælling i luften.

LØRDAG MORGEN læste Mikael som sædvanlig papirudgaven af *Dagens Nyheter* samt *The Guardian, New York Times, Washington Post* og *The New Yorker* på sin iPad hjemme på Bellmansgatan. Han drak cappuccino og espresso og spiste yoghurt med mysli og mellemmadder med ost og leverpostej og tog sig god tid, som han havde for vane, når han og Erika havde fået ekspederet korrekturen på *Millennium.*

Der gik nogle timer, inden han satte sig ved computeren og søgte på Leo Mannheimer. Leo Mannheimer var et navn, som indimellem, skønt ikke ofte, dukkede op i nyhedernes økonomisektioner. Han var doktor i økonomi fra Handelshögskolan i Stockholm og nu om stunder partner og analysechef i Alfred Ögrens Kapitalfond, som Mikael – som Lisbeth meget rigtigt havde gættet – udmærket godt kendte.

Det var en velanset kapitalfond for rige investorer, selvom den administrerende direktørs, Ivar Ögrens, storskrydende, prangende stil ikke helt harmonerede med virksomhedens diskrete renommé. Leo Mannheimer derimod var en raffineret, tilbageholdende mand med store, årvågne, blå øjne, krøllet hår og fyldige, lidt feminine læber. Han var naturligvis rig, men ikke på nogen overdrevent larmende måde. Ifølge de seneste skatteoplysninger havde han en formue på 83 millioner kroner, ikke dårligt, men dog beskedent i sammenligning med de rigtig rige. Det mest bemærkelsesværdige – i det mindste ved første øjekast – var, at han i en reportage i *Dagens Nyheter* for fire år siden var blevet omtalt for sin høje IQ. Resultatet stammede fra hans barndom og havde vakt opsigt dengang, stod der. Sympatisk nok nedtonede han det.

"IQ betyder intet," sagde han i interviewet. "Göring havde også en høj IQ. Man kan sagtens være en idiot alligevel," og så talte han om betydningen af empati og indlevelsesevne og alt det, som en intelligenstest ikke måler, og påpegede, at det var uværdigt, grænsende til det uhæderlige, at sætte tal på folks begavelse.

Han lød ikke ligefrem som nogen skurk. På den anden side er skurke ofte specialister i at fremstå som de rene helgener, og Mikael lod sig heller ikke imponere af, at Leo Mannheimer gav anseelige summer til velgørenhed og i det hele taget virkede både ydmyg og skarp.

Han gættede på, at det ikke var på grund af hans forbilledlige menneskelighed, at Lisbeth havde nævnt ham. Men han vidste det som sagt ikke. Det skulle være en uhildet undersøgelse, og så duede det ikke med forudindtagethed hverken til den ene eller den anden side. Hvorfor var hun så modfalden? Han stirrede ud mod Riddarfjärden og fortabte sig i sine egne tanker. For en gangs skyld regnede det ikke. Himlen åbnede sig, og det tegnede til at blive en vidunderlig morgen. Han overvejede, om han ikke skulle gå ud i byen og tage en cappuccino til nede på Kaffebar og læse sin kriminalroman færdig og blæse på Leo Mannheimer, i det mindste weekenden over. Lørdagen efter afleveringen af bladet var månedens bedste dag, egentlig den eneste dag han tillod sig at holde helt fri. På den anden side ... han havde givet sit ord, og så gik det ikke at give efter for dovenskaben.

Lisbeth havde ikke bare skaffet ham årtiets historie og sørget for, at *Millennium* havde genvundet sin status i offentligheden. Hun havde også reddet et barns liv og optrevlet en international forbryderbande, og chefanklageren Richard Ekström og domstolen var idioter. Mens Mikael fik ære og berømmelse, sad den virkelige helt i spjældet. Derfor søgte han videre på Leo Mannheimer, som Salander havde bedt ham om.

Han fandt ikke rigtig noget spændende, selvom han ret hurtigt opdagede, at han og Leo havde noget tilfælles. De havde begge to forsøgt at finde frem til sandheden om hackerangrebet mod Finance Security i Bruxelles. Ganske vist havde halvdelen af Sveriges journaliststand og hele finansmarkedet hver på sin måde været optaget af tildragelsen, så det var ikke noget opsigtsvækkende sammenfald, men alligevel ... Måske var det noget, og måske sad Leo Mannheimer inde med en eller anden indsigt eller hemmelighed om sagen.

Han havde talt med Lisbeth om sagen. Hun havde befundet sig på Gibraltar på det tidspunkt for at tage sig af sine pengesager. Det var den 9. april i år, lige inden hun skulle i fængsel, og hun virkede underligt uengageret, emnet taget i betragtning. Mikael havde tænkt, at hun ville nyde sin sidste tid i frihed uden at bekymre sig om nyhederne, selv ikke når de handlede om hacking. Men hun burde for så vidt have været interesseret, og måske – det ville han ikke udelukke – vidste hun noget om sagen. Han havde selv siddet på Götgatan den dag, da hans kollega Sofie Melker var kommet forbi og havde fortalt, at bankerne havde problemer med deres websider. Mikael kunne ikke være mere ligeglad.

Børsen så heller ikke ud til at reagere. Men så blev det bemærket, at den indenlandske aktiehandel lå lavt. Straks efter gik den helt i stå, og tusindvis af mennesker opdagede, at de ikke længere kunne se deres aktiver på nettet. Der fandtes helt enkelt ingen formuer eller placeringer i værdipapirdepoterne. En hel række pressemeddelelser blev udsendt:

Det er en teknisk fejl, som hurtigst muligt vil blive rettet. Alt er under kontrol.

Alligevel voksede uroen. Kronekursen faldt, og så pludseligt som en syndflod, en tsunami, kom der en strøm af rygter om, at skaden var så omfattende, at værdipapirbesiddelserne ikke kunne rekonstrueres. Det blev sagt, at der var en risiko for, at betydelige formuer var gået op i røg, og det hjalp ikke, at alverdens autoriteter affærdigede det som nonsens. Kurserne raslede ned. Al handel blev standset, der blev skreget i telefoner, og mailservere kollapsede. Nationalbanken blev udsat for bombetrusler. Ruder blev knust. Finansmanden Carl af Trolle sparkede så hårdt til en bronzeskulptur, at han brækkede sin højre fod.

Der skete en række begivenheder, som et forvarsel om noget, der kunne gå helt over gevind. Kort efter var det overstået. Aktiverne dukkede atter op i depoterne, og selveste nationalbankchefen, Lena Duncker, hævdede, at der aldrig havde været nogen rigtig fare på færde. Det var sikkert sandt sådan rent objektivt. Men denne gang var det ikke det objektive, selve IT-sikkerheden, der var det mest interessante. Det var vildfarelsen og panikken. Hvad havde udløst den?

Det var tydeligt, at det, som førhen kaldtes Værdipapircentralen, hvor svenskernes kapitalplaceringer blev registreret, og som i tråd med tidens trends var blevet solgt til det belgiske firma Finance Security, var blevet udsat for et overbelastningsangreb, og det viste i sig selv, hvor sårbart det finansielle system var. Men det var ikke det hele.

Der var også rygterne, hele cirkusset af påstande, henstillinger og løgne, som var strømmet ud på de sociale medier, og som allerede samme dag havde fået Mikael til at udbryde:

"Er der en eller anden satan, som vil lave et børskrak?"

I de følgende dage og uger fik hans teori støtte. Men som alle andre evnede heller ikke han at trænge til bunds i sagen. Der blev ikke fundet nogen mistænkte, og efter nogen tid lod han sagen falde. Resten af landet gjorde det samme. Børskurserne steg igen. Højkonjunkturen blomstrede. Endnu en gang var der *bull market*, og Mikael selv fandt mere påtrængende ting at beskæftige sig med – flygtningekatastrofen i Europa og terrorhandlingerne, den voksende højrepopulisme og fascisme i Europa og USA. Men nu ...

Han så Lisbeths mørke ansigt i besøgslokalet for sig og tænkte på hendes søster, Camilla, og hendes slæng af hackere og banditter og på trusselsbilledet mod Lisbeth og alt muligt andet. Derfor fortsatte han sine undersøgelser og læste et essay, Leo Mannheimer havde skrevet til tidsskriftet *Fokus*. Rent journalistisk var Mikael ikke særlig imponeret. Mannheimer sad tydeligvis ikke inde med nye informationer. Alligevel var der elementer i artiklen, som gav et godt psykologisk billede af hændelsesforløbet. Mikael bemærkede, at Mannheimer holdt en forelæsningsrække over emnet under overskriften "Markedernes hemmelige uro". Allerede næste dag, søndag, skulle han tale om emnet på Stadsgårdskajen ved et arrangement, som *Aktiespararna* stod bag.

Mikael sad lidt og studerede billederne af Mannheimer på nettet og forsøgte at se igennem facaden. Han så ikke bare en smuk mand med rene ansigtstræk. Han anede også et melankolsk strejf i øjnene, som end ikke det forskønnede billede på virksomhedens hjemmeside kunne skjule. Mannheimers udtalelser var aldrig skråsikre. Der var intet *sælg*, *køb*, *handl nu!* Der var altid et anstrøg af tvivl og usikkerhed. Det blev sagt, at han var analytisk og musikalsk og interesseret i jazz, først og fremmest i ældre såkaldt hot jazz.

Han var 36 år og havde været eneste barn af en formuende familie i Nockeby vest for Stockholm. Faderen, Herman, som havde fået ham i en alder af 45, havde været koncernchef for industrikoncernen Rosvik og senere i livet professionelt bestyrelsesmedlem og ejer af 40 procent af aktiekapitalen i netop Alfred Ögrens Kapitalfond.

Moderen, Viveka, født Hamilton, havde været hjemmegående og aktiv i Røde Kors. Hun syntes i høj grad at have levet og åndet for sønnen og hans begavelse. I de få interviews, hun havde givet, var der et elitært anstrøg. I artiklen i *Dagens Nyheter* om hans høje intelligenskvotient antydede Leo endda, at moren havde smugtrænet med ham.

"Jeg var nok lidt uretfærdigt velforberedt til de der tests," sagde han og fortalte, at han havde været en urolig elev i de små klasser, hvilket ifølge artiklens forfatter var typisk for højt begavede, understimulerede børn.

I det hele taget nedtonede Leo Mannheimer alt det rosende og smigrende, der blev sagt om ham, og det kunne måske opfattes som koket, falsk beskedenhed. Men Mikael fik snarere indtryk af noget skyldbetynget eller plaget hos ham, som om Leo ikke syntes, at han havde levet op til barndommens forventninger, selvom han næppe havde noget at skamme sig over. Hans disputats var et studie af den såkaldte IT-boble i 1999, og ligesom sin far var han blevet partner i kapitalfonden Alfred Ögren. Men det var sandt, at han aldrig havde gjort sig bemærket, hverken i negativ eller positiv retning, i hvert fald ikke så vidt Mikael kunne se, og hans formue syntes hovedsageligt at være arvet.

Det mest bemærkelsesværdige – hvis det nu var et mysterium, Mikael søgte – var, at Leo havde taget orlov et halvt år for at "rejse" fra og med januar året forinden. Bagefter var han vendt tilbage til sit arbejde og var begyndt at forelæse og indimellem endda optræde i fjernsynet – ikke som en traditionel finansanalytiker, men mere som filosof, som en gammeldags skeptiker, som ikke ville udtale sig om noget så usikkert som fremtiden. I det seneste indslag på *Dagens Industri*'s hjemmesidevideo om de stigende børskurser i maj sagde han:

"Børsen er lidt som et menneske, der netop er vågnet op af en depression. Alt det, der før var smerteligt, føles pludselig fjernt. Jeg kan bare ønske markedet lykke til."

Det var tydeligvis sarkastisk ment, som om han mente, at børsen havde hårdt brug for held og lykke. Der var et eller andet, der fik Mikael til at se videoen to gange. Var der trods alt ikke noget interessant dér? Det mente han. Det var ikke kun det poetiske eller antropomorfe i måden at udtrykke sig på. Det var øjnene. Øjnene glitrede på en gang sorgfuldt og spottende, som om Leo i virkeligheden grundede over noget helt andet. Det var muligvis en del af hans intelligens – hans evne til at tænke ad flere spor samtidig – men han ledte tanken hen på en skuespiller, som ville befri sig fra sin rolle og bryde rammerne for den.

Det gjorde ikke nødvendigvis Leo Mannheimer til en god historie, måske bare til et levende menneske. Alligevel droppede Mikael alle planer om at holde fri og nyde sommervejret, om ikke andet så for at vise Lisbeth, at han ikke bare sådan gav op. Han rejste sig ganske vist fra computeren, men satte sig så igen som en hjemsøgt sjæl. Han surfede på nettet, ryddede op i reolen og rodede rundt i køkkenet. Leo Mannheimer slap ham imidlertid ikke på noget tidspunkt. Da han ved et-tiden stod i badeværelset for at barbere sig og lettere utilfreds konsulterede badevægten (en relativt ny vane), udbrød han pludselig:

"For fanden da – Malin!"

Hvordan kunne han have misset det? Med ét indså han, hvorfor Alfred Ögrens Kapitalfond forekom ham så bekendt. Det var jo Malins gamle arbejdsplads. Malin var en tidligere elskerinde, som nu var pressechef i Udenrigsministeriet. Hun var passioneret feminist og i det hele taget en passioneret person. Hun og Mikael havde elsket og skændtes med samme intensitet, dengang hun netop var holdt op som kommunikationsdirektør hos Alfred Ögren.

Malin havde lange ben, smukke, mørke øjne og en underlig evne til at komme ind under huden på folk. Mikael trykkede hendes nummer og indså først bagefter, at det nok også handlede om, at sommeren lyste så lokkende derude, og at han havde savnet Malin mere, end han havde villet indrømme.

MALIN FRODE BRØD sig ikke om telefonopringninger om lørdagen. Hun ville have mobilen til at holde kæft og give hende et pusterum. Men det indgik i hendes jobbeskrivelse at stå til rådighed, så hun måtte bare finde sig i det og lyde professionelt veloplagt som altid. En skønne dag ville hun eksplodere.

Hun var enlig mor, eller i hvert fald så godt som. Niclas, hendes eksmand, optrådte, som om han var en helt, når han en sjælden gang imellem tog sig af sin egen søn i weekenden. Han havde netop taget imod ham med følgende afskedssalut til hende:

"Mor du dig nu, som du plejer!"

Hun gættede på, at han hentydede til hendes udenomsægteskabelige affærer hen imod afslutningen af deres ægteskab. Hun havde smilet stift tilbage, krammet sin søn Love på seks år og sagt farvel. Men bagefter vældede vreden op i hende. Hun sparkede til en tom dåse på gaden og bandede indvendig. Og så ringede telefonen, og der var vel endnu en krise et eller andet sted i verden. Der var jo hele tiden kriser rundtomkring i verden. Men nej ... det var noget meget bedre.

Det var Mikael Blomkvist, og hun følte ikke bare en stor lettelse, men også et sug af længsel i kroppen. Hun kiggede ud over Djurgården og en enlig sejlbåd, som kom sejlende over fjorden. Hun var netop nået ud på Strandvägen.

"Sikke en herlig overraskelse," sagde hun.

"Nå, det ved jeg nu ikke," svarede Mikael.

"Jo, for mig er det. Hvad laver du?"

"Arbejder."

"Er det ikke det, du altid gør? Slider i dit ansigts sved?"

"Jo, desværre."

"Jeg foretrækker dig i vandret stilling."

"Jeg er ikke uenig."

"Så læg dig ned."

"Okay."

Hun ventede et sekund eller to.

"Ligger du ned nu?"

"Naturligvis."

"Næsten uden noget tøj på?"

"Næsten."

"Løgnhals. Hvad skylder jeg æren?"

"Business, til en begyndelse."

"Bloody bore."

"Jeg ved det," sagde han. "Men jeg kan ikke rigtig slippe det der hackerangreb mod Finance Security."

"Selvfølgelig kan du ikke det. Du kan aldrig slippe noget, bortset selvfølgelig fra de kvinder, du støder på."

"Dem slipper jeg nu heller ikke så let."

"Nej, tydeligvis ikke hvis de kan bruges som kilder. Hvad kan jeg gøre for dig?"

"Jeg ser, at en af dine gamle kolleger også har analyseret sagen."

"Hvem da?"

"Leo Mannheimer."

"Leo," sagde hun.

"Hvordan er han?"

"En stilfuld fyr – og helt anderledes end dig på alle mulige andre måder også."

"Heldigt for ham."

"Meget heldigt."

"Hvordan anderledes?"

"Leo, han er ..."

Hun sank hen i sine egne tanker.

"Hvad?"

"Ja, han er for eksempel ikke sådan en blodigle som dig, der borer efter fakta og skurke. Han er en tænksom filosof."

"Vi blodigler er simple væsener."

"Du er okay, Mikael, det ved du godt," sagde hun. "Men du er mere cowboy. Du har ikke tid til vægelsind som en anden gammel Hamlet."

"Så Leo Mannheimer er en Hamlet?"

"Han burde i hvert fald ikke være havnet i finansbranchen."

"Hvad skulle han så have været?"

"Noget ved musikken. Han spiller guddommeligt på klaver. Han har absolut gehør og er utrolig begavet. Men penge morer ham ikke rigtig."

"Det er ikke så godt for en finansmand."

"Nej, ikke rigtig. Formodentlig havde han det for godt som barn.

Han har ikke den sult, der skal til. Hvorfor interesserer du dig for ham?"

"Han har spændende tanker om hackerangrebet."

"Måske. Men du vil ikke kunne finde noget snavs om ham, hvis det er det, du tror."

"Hvorfor siger du det?"

"Fordi det er mit job at have styr på de der fyre, og så helt ærligt, fordi ..."

"Ja?"

"... jeg tvivler på, at Leo er i stand til at være rigtig uhæderlig. I stedet for at fifle med sin formue eller begå andre dumheder, sidder han derhjemme og spiller på sit flygel og er melankolsk."

"Hvorfor er han så i branchen?"

"På grund af faren."

"Faren var en stor kanon."

"Det var han så afgjort. Men han var også gode venner med gamle Alfred Ögren selv og en selvoptaget idiot. Han insisterede på, at Leo skulle blive finansgeni og overtage hans egen del af Alfreds firma og selv opbygge en magtposition i svensk forretningsliv. Og Leo ... hvad skal jeg sige ..."

"Det ved jeg ikke."

"Han er lidt svag. Han lod sig overtale, og han gjorde det selvfølgelig ikke dårligt. Han gør aldrig noget dårligt. Men måske var han heller ikke brillant, ikke som han kunne have været. Han mangler lysten og *drivet*. Han sagde engang til mig, at det var, som om han manglede noget. Han bar på et sår."

"Hvordan det?"

"Et eller andet skidt fra barndommen. Men jeg kom aldrig tæt nok på Leo til at forstå det, selvom vi en kort overgang ..."

"Hvad?"

"Ikke noget. Det var bare pjat, en leg, tror jeg."

Mikael besluttede sig for ikke at bore i det.

"Han rejste væk, læste jeg," sagde han.

"Efter morens død."

"Hvordan døde hun?"

"Kræft i bugspytkirtlen."

"Ubehageligt."

"Alligevel tænkte jeg, at det ville være godt for ham."

"Hvorfor det?"

"Fordi hans forældre altid har været efter ham og forpestet hans tilværelse. Jeg håbede, at han ville gribe chancen og vriste sig fri af finansverdenen og begynde at spille klaver eller sådan noget. Forstår du, lige inden jeg holdt op hos Alfred Ögren, var det, som om Leo pludselig kastede sig ud i livet. Jeg forstod det faktisk aldrig helt. Med ét var han bare ikke længere så melankolsk. Men så ..."

"Hvad?"

"Ja, så blev han endnu mere nedtrykt end nogensinde. Det var helt hjerteskærende."

"Levede hans mor da?"

"Ja, men ikke meget længere."

"Hvor rejste han så hen?"

"Jeg ved det ikke. Jeg var ikke i firmaet længere. Men jeg drømte lidt om, at den rejse skulle være begyndelsen på hans frigørelsesproces."

"Alligevel vendte han tilbage til Alfred Ögren."

"Han havde vel ikke modet til at løsrive sig."

"Nu er han begyndt at optræde offentligt."

"Det er måske et skridt i den rigtige retning," sagde hun. "Hvad er det, der interesserer dig?"

"Han ser visse psykologiske mønstre. Sammenligner angrebet i Bruxelles med andre kendte misinformationskampagner."

"Russiske, eller hvad?"

"Han betragter det som en moderne form for krigsførelse, og det synes jeg er spændende."

"Løgnen som våben."

"Løgnen som en måde at skabe kaos og forvirring på. Løgnen som et alternativ til vold."

"Er det ikke godtgjort, at hackerangrebet blev dirigeret fra Rusland?" spurgte hun.

"Jo, men ingen ved, hvem i Rusland der står bag, og herrerne i Kreml benægter selvfølgelig det hele."

"Har du mistanke om, at det er din gamle bande? Spiders?"

"Tanken har slået mig."

"Jeg har svært ved at tro, at Leo kan hjælpe dig med det."

"Måske ikke, men jeg ville gerne ..."

Han lød pludselig ukoncentreret.

"... byde mig på et glas?" foreslog hun. "Drukne mig i smiger, komplimenter og dyre gaver. Invitere mig til Paris?"

"Hvad?"

"Paris. By i Europa. Har efter sigende et berømt tårn."

"Leo bliver interviewet på scenen i *Fotografiska*'s lokaler i morgen," fortsatte han, som om han ikke havde hørt hende. "Vil du med? Måske kan vi blive klogere?"

"Blive klogere? Hvad fanden, Mikael!? Er det, hvad du har at tilbyde en kvinde i nød?"

"Ja, lige nu er det," sagde han og lød atter distræt, hvilket bare sårede hende yderligere.

"Du er en idiot, Blomkvist!" hvæsede hun. Hun lagde på, sydende af en gammel, velkendt vrede, som på en eller anden måde hørte sammen med ham.

Men hun faldt hurtigt ned igen, skønt det ikke havde noget med Mikael at gøre, men med en erindring, et minde, som langsomt steg op til overfladen. Hun så for sig, hvordan Leo en sen nattetime sad og skrev på et sandfarvet stykke papir inde på sit kontor hos Alfred Ögren. Der var noget ved scenen, som føltes, som om den rummede et budskab, der lagde sig som en tåge over Strandvägen. Malin blev tankefuld stående på fortovet. Så travede hun ned mod Dramaten og Berns og bandede over eksmænd, gamle elskere og andre repræsentanter for hankønnet.

Mikael indså, at han havde dummet sig og overvejede, om han burde ringe op igen og undskylde og måske invitere på middag. Men det blev ved tanken. Idéerne myldrede i hovedet på ham, og i stedet for Malin ringede han til Annika Giannini, som ikke bare var hans søster, men også Lisbeths advokat. Måske vidste hun noget om, hvad Lisbeth var på jagt efter. Der var ganske vist ingen, der tog advokatens tavshedspligt så alvorligt som Annika. Men hun kunne alligevel være ganske åbenhjertig, hvis det gavnede hendes klient.

Annika tog den ikke. En halv time senere ringede hun imidlertid tilbage og bekræftede straks, at Lisbeth havde forandret sig. Det skyldtes situationen på sikkerhedsafdelingen, mente hun. Lisbeth havde fået øjnene op for stedet og havde indset, at det på ingen måde var noget sikkert sted. Annika havde derfor insisteret på, at Lisbeth skulle flyttes væk derfra, men Lisbeth ville naturligvis ikke. Der var nogle ting, hun blev nødt til at ordne, hævdede hun. Det var heller ikke hende, der var i farezonen, fremhævede hun, men andre, først og fremmest en ung kvinde ved navn Faria Kazi, som var blevet udsat for æresrelateret vold i sit hjem, og som nu også blev forfulgt i fængslet.

"Det er en interessant sag," sagde Annika. "Jeg har tænkt mig at påtage mig den også. Vi kan meget vel have en fælles interesse i den historie, Mikael."

"Hvad mener du?"

"I kan få en god historie, og jeg kan måske få lidt hjælp til researchen. Jeg har en fornemmelse af, at der er noget, der ikke stemmer."

Mikael fulgte ikke op på det. I stedet spurgte han:

"Har du hørt mere om trusselsbilledet mod Lisbeth?"

"Ikke rigtig, bortset fra at kilderne er foruroligende mange, og at der hele tiden tales om søsteren og hendes banditter i Rusland og om Svavelsjö MC."

"Hvad gør du?"

"Alt hvad jeg kan, Mikael. Hvad forestiller du dig? Jeg har sørget for, at fængslet har forstærket overvågningen af hende. Jeg ser ingen akut fare for øjeblikket. Men der er også sket noget andet, som kan have påvirket hende."

"Hvad da?"

"Gamle Holger har besøgt hende."

"Det må være din spøg."

"Nej, nej, det var et rigtigt drama. Men han insisterede på at besøge hende. Jeg tror, det var vigtigt for ham."

"Jeg fatter ikke, hvordan han klarede turen til Flodberga?"

"Jeg hjalp ham med det bureaukratiske, og Lisbeth betalte for hans kørsel frem og tilbage. Der var en sygeplejerske med i bilen. Han trillede ind i fængslet i sin kørestol."

"Blev hun oprevet over besøget?"

"Hun bliver jo ikke så let oprevet. Men Holger står hende jo nær, det ved vi begge to."

"Sagde Holger noget, som gjorde hende urolig?"

"Hvad skulle det være?"

"Noget om hendes fortid måske. Der er ingen, der kender den så godt som Holger."

"Det har hun ikke sagt noget om. Det eneste, hun virker optaget af lige for øjeblikket, er hende der Kazi."

"Kender du en person ved navn Leo Mannheimer?"

"Jeg synes, navnet lyder bekendt. Hvorfor spørger du?"

"Jeg tænkte bare på det."

"Er det Lisbeth, der har nævnt ham?"

"Jeg fortæller dig det hele senere."

"Godt, men hvis du spekulerer på, hvad Holger kan have sagt, er det vel bedst, at du selv kontakter ham," sagde Annika. "Jeg tror, Lisbeth ville sætte pris på, at du kiggede lidt til ham nu og da."

"Det skal jeg nok," sagde han.

De lagde på, og han ringede straks til Holger Palmgren. Der var optaget. Der var optaget bemærkelsesværdigt længe, og bagefter svarede han bare ikke. Mikael overvejede at tage ud til Liljeholmen med det samme og tale med ham under fire øjne. Men så tænkte han på Holgers helbred. Holger var gammel og syg og havde store smerter, han havde brug for hvile. Mikael besluttede sig for at vente og fortsatte i stedet sin planløse søgen på familien Mannheimer og Alfred Ögren. Han fandt ud af en hel del.

Det gjorde han altid, når han gravede. Men der var ikke noget, der stak ud, eller som så ud til at kunne kobles til Lisbeth eller til hackerangrebet. Så skiftede han strategi, og det skyldtes netop

Holger og den gamle mands viden om Lisbeths barndom. Mikael tænkte, at det ikke var umuligt, at Leo Mannheimer tilhørte hendes fortid på en eller anden måde, hun havde jo talt om gamle navnelister. Han søgte derfor tilbage i tiden, så langt tilbage i tiden, som nettet og databaserne nu tillod. En historie i *Upsala Nya Tidning* fangede hans interesse. Den havde fået en vis udbredelse, eftersom der samme dag var blevet udsendt et nyhedstelegram baseret på artiklen. Begivenheden var, så vidt han kunne se, ikke blevet nævnt efterfølgende, sikkert grundet menneskelige hensyn og det mildere medieklima, som stadig rådede dengang, især over for samfundets øverste lag.

Dramaet havde udspillet sig under en elgjagt i Östhammar for 25 år siden. Alfred Ögrens jagtselskab, som Leos far, Herman, tilhørte, begav sig ud i skoven efter en bedre frokost. Herrerne havde nok fået sig en tår over tørsten, men oplysningerne i artiklen var alt for summariske til, at det kunne siges med sikkerhed. Der havde angiveligt været stærkt solskin, og gruppen var af forskellige grunde blevet splittet op. Efter at man havde opsporet to elge mellem træerne, syntes stemningen at være blevet ophidset. Man begyndte at skyde, og en ældre mand ved navn Per Fält, som dengang var finanschef i Rosvikskoncernen, oplyste, at han fejlvurderede retningen og blev stresset af dyrenes hurtige bevægelser. Han skød og hørte et skrig og råb om hjælp. En ung psykolog ved navn Carl Seger, som var med i jagtselskabet, var blevet ramt i maven, lige under brystet. Han udåndede kort efter ved en lille bæk.

I politiudredningen var der intet, der tydede på, at det skulle være andet og mere end en tragisk ulykke, og endnu mindre tydede på, at Alfred Ögren eller Herman Mannheimer havde været indblandet. Alligevel kunne Mikael ikke slippe det, specielt ikke, efter at han opdagede, at også Per Fält, skytten, døde et år senere og hverken efterlod sig hustru eller børn. I en intetsigende nekrolog blev han beskrevet som en "trofast ven" og en hengiven og loyal medarbejder i Rosvikskoncernen.

Mikael så ud ad vinduet og faldt hen i tanker. Himlen mørknede over Riddarfjärden. Der var et omslag i vejret på vej, og endnu en gang begyndte den helvedes regn at styrte ned. Han rettede ryggen og masserede sine skuldre. Kunne vådeskuddet mod psykologen have noget med Leo Mannheimer at gøre?

Det var ikke til at vide. Det kunne være et vildspor eller bare en meningsløs tragedie. Alligevel forsøgte Mikael at finde oplysninger om psykologen. Han fandt ikke ret meget. Carl Seger var 32 og nyforlovet, da han døde. Året forinden var han blevet doktor ved Stockholms Universitet med en afhandling om, hvordan høresansen påvirker menneskets selvopfattelse. "Et empirisk studie," hed det.

Den var ikke publiceret på nettet, og hvad resultatet eller tesen var, fandt han ikke rigtig ud af, selvom emnet kort berørtes i andre artikler af Carl Seger, som Mikael fandt via Google Scholar. I en af artiklerne beskrev psykologen et klassisk eksperiment, som viser, hvordan testpersoner hurtigere identificerer et billede af sig selv mellem hundredvis af andre, hvis fotografiet er forskønnet. Vi genkender hurtigere os selv, hvis vi fremstår som smukkere, end vi er, og det er formodentlig evolutionært nedarvet. Det er nyttigt for os at overvurdere os selv, når vi vil parre os eller søge lederskab i flokken, men det indebærer også en fare:

"Overdreven tiltro til egen formåen udsætter os for risiko og forhindrer os i at udvikle os. Selvransagelsen spiller en afgørende rolle for vores intellektuelle modning," skrev Seger, og det var ikke ligefrem nyskabende eller originalt. Men det var i det mindste interessant, at Carl Seger henviste til studier af børn og selvtillidens betydning for deres udvikling.

Mikael rejste sig og gik ud i køkkenet og ryddede lidt op. Han bestemte sig for at blæse på alle sine planer om at holde fri og gå ind og høre Leo Mannheimer i Fotografiska den følgende dag. Han ville til bunds i historien. Længere nåede han ikke, for i det samme ringede det på døren. Han blev irriteret. Folk burde virkelig lære at ringe først. Men han gik hen og åbnede. Så blev han overfaldet.

KAPITEL 5

Den 18. juni

FARIA KAZI SAD sammenkrøbet på sengen i sin celle med armene slynget omkring knæene. Hun var 20 år, og i egne øjne var hun bare en bleg, hensygnende skygge. Men få, som mødte hende, undgik at blive charmeret af hende, og sådan havde det været, lige siden hun som fireårig kom til Sverige fra Dhaka i Bangladesh.

Faria var vokset op i et højhus i Stockholmforstaden Vallholmen sammen med fire brødre, en yngre og tre ældre. Deres far, Karim, etablerede hurtigt en række renserier og blev pænt velhavende og købte senere en lejlighed med store glasvinduer i Sickla. Barndommen var udramatisk.

Faria spillede basket og var dygtig i skolen, specielt i sprogfagene, og hun elskede at sy og at tegne mangategneserier. I teenageårene blev hendes frihed imidlertid berøvet hende bid for bid. Det hang angiveligt sammen med den første menstruation og fyrene, der piftede efter hende i kvarteret derhjemme. Alligevel var hun overbevist om, at forandringen kom udefra, som en kold østenvind. Situationen forværredes, da hendes mor, Aisha, døde af et hjertestop. Med Aisha mistede familien ikke kun en mor, men også udsynet mod verden og fornuftens stemme.

Nu bagefter i fængslet mindedes Faria, hvordan Hassan Ferdousi, imamen fra Botkyrka, en aften kom på uventet besøg hjemme hos dem i Sickla. Faria elskede imamen, og hun havde længtes efter at tale med ham. Men Hassan Ferdousi var der ikke for at hygge.

"I har misforstået islam," hørte hun ham hvæse ude fra køkkenet. "Det går galt, hvis I fortsætter sådan der, galt!"

Efter den aften troede hun det også. Der var et had og en strenghed hos de ældste brødre, Ahmed og Bashir, som føltes stadigt mere usund, og det var også dem, ikke faren, der krævede, at hun tog niqab på, om hun så bare skulle ned efter mælk henne om hjørnet. Allerhelst skulle hun bare sidde hjemme og rådne op. Hendes bror Razan var ikke lige så kategorisk eller bare interesseret i det. Han havde andre interesser, selvom han som oftest rettede sig efter Ahmed og Bashir og for det meste arbejdede for faren og havde ansvaret for skrædderopgaverne. Men han var ikke af den grund hendes ven, og også han holdt øje med hende.

Trods al overvågningen lykkedes det Faria at finde visse små åndehuller af frihed, selvom det altid krævede løgne og opfindsomhed. Hun havde stadig sin computer, og på den opdagede hun en dag, at ingen mindre end netop Hassan Ferdousi skulle diskutere religiøs kvindeundertrykkelse med en rabbiner ved navn Goldman i Kulturhuset i Stockholm. Hun havde netop taget studentereksamen på Kungsholmens Gymnasium. Det var sidst i juni. Hun havde ikke været uden for en dør i ti dage, og hun længtes efter at komme ud, med en lidenskab der var ved at kvæle hende. Det var ikke let at overtale faster Fatima. Faster Fatima var kartograf og boede alene, og hun var Farias sidste allierede i familien. Fatima forstod hendes desperation og gik til slut med til at sige, at de skulle spise middag sammen. Af en eller anden grund troede brødrene på det.

Fatima tog imod Faria i sin lejlighed i Tensta, men hun lod hende straks forsvinde ind til byen. Der kunne naturligvis ikke blive tale om de store udskejelser. Faria skulle være tilbage klokken halv ni, hvor Bashir ville hente hende. Men indtil da kunne hun være ude. Hun havde fået lov at låne en sort kjole og et par højhælede sko. Det var selvfølgelig at overdrive. Hun skulle ikke til fest. Hun skulle til en debat om religion og undertrykkelse. Men hun ville gerne være pænt klædt på. Det føltes højtideligt. Alligevel huskede hun ikke meget af diskussionen. Hun var alt for optaget af at være der og se på alle menneskene. Et par gange undervejs blev hun rørt, uden at vide hvorfor. Efter debatten var der spørgsmål fra salen. En eller anden ville vide, hvorfor det altid skulle gå ud over kvinderne, når mændene stiftede religioner. Hassan Ferdousi svarede lidt dunkelt:

"Det er dybt sørgeligt, når vi gør det største væsen af alle til redskab for vores egen smålighed."

Hun sad og tænkte over ordene, da folk omkring hende begyndte at rejse sig, og en ung mand i jeans og hvid skjorte nærmede sig hende. Hun var så uvant med at møde en fyr på sin egen alder uden at bære niqab eller hijab, at hun følte sig nøgen og udsat. Alligevel flygtede hun ikke. Hun blev siddende og skottede til ham. Han var måske 25 og ikke særlig høj eller selvsikker, men hans øjne lyste. Der var noget let over hans bevægelser, der stod i skarp kontrast til blikkets mørke tyngde, og så virkede han genert og lidt forfjamsket, hvilket føltes trygt.

"Du er fra Bangladesh, ikke?" spurgte han på bengali.

"Hvordan kunne du vide det?"

"Jeg havde det bare på fornemmelsen. Hvorfra?"

"Dhaka."

"Det er jeg også."

Han smilede så varmt, at hun ikke kunne lade være med at smile tilbage. Deres blikke mødtes. Hun mærkede et sug i brystet, og de måtte jo have sagt noget mere; men nu bagefter husker Faria det, som om de bare vandrede af sted ud på Sergels Torg og straks begyndte at tale helt uforbeholdent åbenhjertigt sammen. Endnu inden de havde nået at præsentere sig, fortalte han hende om bloggen i Dhaka. Bloggen kæmpede for ytringsfrihed og for menneskerettigheder, og det provokerede landets islamister. Skribenterne kom på dødslister, og islamisterne myrdede dem én for én. De blev slagtet med macheter, og politiet og regeringen gjorde intet. "Ingen verdens ting," sagde han. Det var derfor, han var blevet nødt til at forlade Bangladesh og sin familie. Han havde fået asyl i Sverige.

"Jeg oplevede det selv engang. Jeg stod lige ved siden af. Min trøje blev oversprøjtet med min bedste vens blod," sagde han, og selvom hun ikke helt forstod det, ikke dengang, anede hun en sorg hos ham, som var større end hendes egen, og hun fornemmede en nærhed, som det ikke burde være muligt at føle så hurtigt.

Han hed Jamal Chowdhury, og hun tog hans hånd. De spadserede hen mod Riksdagshuset, og hun havde en klump i halsen. For første gang i evigheder levede hun helt og fuldt. Men det varede ikke længe. Hun blev nervøs og så Bashirs sorte blik for sig. Allerede ved Gamla Stan brød hun op. Alligevel var det alt nok. I de følgende dage og uger flygtede hun tilbage til mindet om deres møde som til et hemmeligt skatkammer.

Derfor var det heller ikke så sært, at hun selv i fængslet klamrede sig til det, særligt nu om aftenen, hvor godstoget snart ville begynde at rasle forbi, og Benitos skridt nærmede sig, og Faria med hver fiber i sin krop vidste, at det ville blive værre end nogensinde.

ALVAR OLSEN SAD inde på sit kontor og ventede på et opkald fra fængselsdirektør Rikard Fager. Tiden gik imidlertid, uden at der skete noget. Han bandede indvendig og tænkte på Vilda. Egentlig skulle Alvar have haft fri i dag og have været til fodboldturnering i Västerås med datteren; men han havde aflyst det hele, for han turde ikke være væk fra arbejde. I stedet havde han ringet til sin moster for 117. gang, og han følte sig sådan cirka som verdens værste far. Men hvad skulle han gøre?

Hans planer om at få Benito væk fra afdelingen var løbet ud i sandet. Benito vidste alt om dem og gloede truende på ham, og hele stedet var ved at koge over. Fangerne hviskede indbyrdes som før et stort sammenstød eller et flugtforsøg, og han blev ved med at se bedende på Lisbeth Salander. Hun havde sagt, hun ville ordne situationen. Men det havde egentlig foruroliget ham lige så meget som selve grundproblematikken, og han havde krævet selv at få lov at forsøge først. Salander havde givet ham fem dage, og de fem dage var gået nu, og han havde ikke fået udvirket noget. Han var slet og ret rædselsslagen.

Kun på ét punkt havde han kunnet ånde lettet op. Han havde troet, at han ville blive genstand for en intern udredning, eftersom der måtte findes videooptagelser af, hvordan han og Salander var gået ind på hans kontor efter lukningen af celledørene og var blevet der til ud på de små timer. I dagene efter havde han været sikker på, at han når som helst kunne blive kaldt ind til ledelsen og blive udsat for belastende spørgsmål. Men der skete ingenting, og til slut kunne han ikke holde det ud længere. Han opsøgte selv overvågningscentralen i B-huset under påskud af at ville kontrollere et par episoder, der angik Beatrice Andersson. Han spolede nervøst tilbage til de relevante tidspunkter den 12. juni om aftenen og natten til den 13.

Først forstod han ingenting. Han gik tilbage igen og igen. Men hver gang lå gangen stille og øde hen, og der var ingen spor af hverken ham selv eller Salander. Der var ingen tvivl mulig, og selvom han gerne ville tro, at det bare var et usandsynligt held – at kameraerne netop da af en eller anden grund ikke havde virket – indså han, hvad der var sket. Han havde set, hvordan Salander var brudt ind i fængslets server og havde fiflet med kameraovervågningen. Hun måtte have byttet billedsekvenserne ud. Der fandtes ingen anden forklaring, og det var selvfølgelig en stor lettelse. Men det skræmte ham også. Han svor og bandede over hele situationen og tjekkede endnu en gang sin mail. Ikke et ord, ingenting! Kunne det virkelig være så svært? Det var jo bare at hente Benito og fjerne hende fra afdelingen.

Klokken var 19.15. Udenfor regnede det igen, og han burde så afgjort gå ud på afdelingen og sørge for, at der ikke skete noget slemt i Faria Kazis celle. Han burde være ude og passe Benito op og gøre hendes liv til et helvede. Men han blev siddende som paralyseret inde på sit kontor. Han så ud over rummet og fik en følelse af, at noget var forandret. Kunne Salander have rodet rundt i går, da hun var der? Det havde været nogle mærkelige timer. Hun havde endnu en gang søgt i sine gamle registre, nu efter én ved navn Daniel Brolin. I øvrigt havde Alvar forsøgt at lade være med at kigge. Han ville ikke blandes ind i noget. Men det blev han alligevel. Lisbeth havde foretaget et helt almindeligt telefonopkald over hans computer, og det var da underligt, ikke? Hun lød som en helt anden person under den samtale, venlig og forsigtig, og så spurgte hun om nogle nye dokumenter, der var dukket op. Straks efter ville hun tilbage til sin celle.

Her et døgn senere blev Alvar stadigt mere ilde til mode, og han besluttede sig for straks at gå ud på afdelingen. Han rejste sig hurtigt fra kontorstolen, men nåede ikke længere. Den interne telefon ringede. Det var fængselsdirektøren, Rikard Fager, som omsider lod høre fra sig. Rikard havde gode nyheder. Hammerforsanstalten i Härnösand var parat til at tage imod Benito allerede næste formiddag, og det var naturligvis helt fantastisk. Alligevel blev Alvar ikke helt så lettet, som han havde troet, og først forstod han ikke hvorfor. Så indså han, at godstoget allerede drønede forbi derude, og han lagde på uden et ord og styrtede ud.

Det følte som et overfald. På den anden side var det et af de bedste overfald, Mikael havde været ude for i lang tid. Malin Frode stod i døråbningen, gennemblødt af regn, med mascaraen løbende ned ad kinderne og et vildt, beslutsomt blik. Mikael vidste ikke, om hun ville overfalde ham eller flå tøjet af ham.

Det viste sig, at hun ville begge dele. Hun skubbede ham hårdt op mod væggen og greb ham om hofterne og sagde, at han skulle straffes for at være så åndssvag og så sexet, og guderne måtte vide hvad. Inden han havde nået at begribe noget af det, sad hun overskrævs på ham i sengen og kom, både en og to gange.

Bagefter lå de sammen og pustede ud. Han strøg hende over håret og sagde blide, ømme ting, præcis som han burde, og der var ikke noget i vejen med hans tonefald eller nærvær. Han havde virkelig savnet hende. Udenfor styrtede regnen ned. Sejlbådene strøg af sted på Riddarfjärden, og regnen trommede mod taget. Det var et lykkeligt øjeblik. Alligevel gled han bort i tankerne, og det fornemmede Malin naturligvis.

"Keder jeg dig allerede?" spurgte hun.

"Hvad? Nej. Jeg har savnet dig," sagde han og mente det. Men selvfølgelig havde han dårlig samvittighed. Man bør ikke synke hen i arbejdsrelaterede grublerier, lige efter at man har haft sex med en kvinde, man ikke har set i lang tid.

"Hvornår har du senest sagt et ærligt ord?"

"Jeg prøver faktisk for det meste."

"Er det Erika igen?"

"Det er nok snarere det, vi talte om i telefonen."

"Hackerangrebet?"

"Blandt andet."

"Og Leo?"

"Ja."

"Jamen, så spyt da for helvede ud! Hvorfor er du så interesseret i ham?"

"Jeg ved ikke engang, om jeg *er* interesseret i ham. Jeg forsøger bare at få ting og sager til at give mening."

"Åh, jamen så forstår jeg da pludselig alting meget bedre, Kalle Blomkvist."

"Hm, ja."

"Så der er noget, du ikke afslører, et kildeteknisk aspekt, eller hvad?" spurgte hun.

"Måske."

"Idiot!"

"Undskyld."

Hendes ansigt blev blødere, og hun fejede en hårlok væk fra øjet.

"På den anden side tænkte jeg selv på Leo efter vores samtale," sagde hun.

Hun trak dynen sammen om sig og så fuldstændig uimodståelig ud. Han spurgte:

"Hvad tænkte du så på?"

"Jeg kom i tanke om, at han havde lovet mig at fortælle, hvorfor han pludselig var så glad. Men da han så ikke var glad længere, føltes det hjerteløst at presse ham."

"Hvorfor kom du til at tænke på det?"

Hun tøvede og kiggede ud ad vinduet.

"Fordi jeg nok både var glad og bekymret over den der glæde. Den føltes lidt overspændt."

"Måske var han forelsket."

"Det spurgte jeg ham også om, men han nægtede på det bestemteste. Vi sad faktisk på Riche, og alene det var noget særligt. Leo hadede mange mennesker. Men der sad vi altså, og egentlig skulle vi snakke om, hvem der skulle efterfølge mig. Men Leo var helt umulig. Så snart jeg nævnte nogle navne, skiftede han emne og talte om kærligheden og livet og kastede sig ud i lange udredninger om sin musik. Det var ærlig talt temmelig uforståeligt og kedeligt, noget om, at han var født til at elske visse harmonier og skalaer, noget med bluesskalaer, eller hvad det nu var. Jeg hørte ikke så nøje efter. Han var så lykkelig og helt opslugt af sig selv, at jeg blev såret og gik i flæsket på ham som en idiot. 'Hvad er der sket? Fortæl mig det nu.' Men han ville ikke sige mere. Han kunne ikke, sagde han, ikke endnu. Han forklarede bare, at han omsider havde fundet hjem."

"Måske havde han fundet Gud?"

"Leo hadede alt, hvad der var religiøst."

"Hvad var det så?"

"Aner det ikke. Jeg ved bare, at det sluttede lige så brat, som det var begyndt, nogle dage senere. Luften gik af ballonen."

"Hvordan det?"

"På alle måder. Det var lige inden jul, min sidste dag hos Alfred Ögren, for omkring halvandet år siden. Det var om natten på hans kontor. Jeg havde holdt afskedsfest derhjemme, og Leo var ikke kommet. Det gjorde mig ked af det. Vi havde jo haft et særligt forhold, han og jeg."

Hun så på ham. "Du behøver ikke blive jaloux."

"Jeg bliver ikke så let jaloux."

"Jeg ved det, og jeg hader dig for det. Jeg synes godt, du kunne tage at blive jaloux indimellem, bare for at vise din gode vilje. Men vi havde altså en flirt kørende, Leo og jeg, cirka samtidig med at jeg mødte dig. Mit liv var jo helt i opløsning efter skilsmissen dengang, og det var sikkert derfor, jeg blev så berørt af hele den der nye lykke hos ham, som ligesom ikke passede til hans karakter. Hvorom alting er, så ringede jeg til ham midt om natten, og han sad stadig på kontoret. Det sårede mig bare endnu mere. Men han bad mig så inderligt om forladelse, at jeg tilgav ham, og da han spurgte, om jeg ville komme op og tage en godnatdrink, strøg jeg af sted med det samme. Jeg vidste ikke, hvad jeg ventede mig. Jeg forstod ikke, hvad han lavede der så sent. Leo var ikke ligefrem nogen arbejdsnarkoman, og det der kontor, altså, det var jo Leos fars gamle kontor, det er helt åndssvagt. Man bliver helt overvældet. Der står en Georg Haupt-kommode i hjørnet. Leo sagde indimellem, at han skammede sig over rummet. At det var en næsten uanstændig luksus. Men den her aften, da jeg trådte ind ... jeg kan næsten ikke beskrive det. Han havde en mærkelig glød i blikket, og der var noget nyt, brudt i hans stemme. Alligevel anstrengte han sig for at se glad ud. Han smilede hele tiden, men hans blik var forvildet og trist. På Haupt-kommoden stod der en tom flaske Bourgogne og to tomme vinglas. Han havde åbenbart haft besøg. Vi krammede og sagde pæne ting til hinanden og drak en halv flaske champagne og lovede at holde kontakten. Men det var tydeligt, at han tænkte på noget andet, og til sidst sagde jeg: 'Du ser ikke lykkelig ud længere.' 'Jeg er lykkelig,' svarede han. 'Jeg har bare ...' Han afsluttede ikke sætningen. Han sad længe tavs. Tømte sit champagneglas. Virkede helt bedrøvet. Sagde, at han ville foretage en stor donation."

"Til hvem?"

"Jeg har ingen anelse, og jeg overvejede, om det ikke mest var et øjeblikkeligt indfald. Det virkede, som om han straks efter blev flov over sig selv, og jeg spurgte ikke mere til det. Det føltes privat, og bagefter var det hele så akavet. Til slut rejste jeg mig, og så rejste han sig også, og vi gav hinanden et kram og kyssede lidt halvhjertet. Jeg mumlede: 'Pas godt på dig selv, Leo,' og gik ud på gangen og ventede på elevatoren. Men så blev jeg pludselig irriteret og vendte om. Hvad var det for noget forvrøvlet hemmelighedskræmmeri? Hvad var det, han havde gang i? Jeg ville vide det. Men da jeg kom tilbage – jeg mener, allerede inden jeg så ham – indså jeg, at jeg forstyrrede. Leo sad og skrev på et stykke sandfarvet papir derinde, og det var tydeligt, at han gjorde sig umage. Skuldrene sad helt oppe om ørerne, og han havde tårer i øjnene, og så havde jeg ikke hjerte til at forstyrre ham. Han så mig ikke."

"Du har ingen anelse om, hvad det handlede om?"

"Bagefter gættede jeg på, at det havde noget med hans mor at gøre. Hun døde jo få dage senere, og Leo tog orlov, som du ved, og stak af på sin lange rejse. Jeg burde sikkert have ladet høre fra mig og givet udtryk for min medfølelse. Men som du ved, blev mit eget liv et helvede. Jeg begyndte at arbejde døgnet rundt i mit nye job, og så skændtes jeg med min eksmand. Desuden knaldede jeg jo med dig hele tiden."

"Det må have været det værste af det hele."

"Unægtelig."

"Så du har ikke set Leo siden da?"

"Ikke i virkeligheden, kun et kort klip på TV. Jeg havde nok glemt ham lidt, eller måske snarere fortrængt ham. Men da du så ringede i dag ..."

Malin tøvede, som om hun søgte efter ordene.

"... dukkede den der scene fra kontoret op igen," fortsatte hun, "og så føltes den på en eller anden måde forkert. Jeg kunne ikke sætte fingeren på det. Den føltes bare som en sten i skoen, og til sidst blev jeg så irriteret, at jeg ringede til ham. Men han havde fået nyt nummer."

"Talte han nogensinde om en psykolog, der døde efter et vådeskud i Alfred Ögrens jagtselskab, da han var lille?" spurgte Mikael.

"Hvad? Nej. Hvad var det for noget?"

"Psykologen hed Carl Seger."

"Det siger mig ikke noget. Hvad skete der?"

"Carl Seger blev skudt under en elgjagt for 25 år siden i skovene ved Östhammar – antagelig ved en fejltagelse. Skytten var Rosviks økonomichef, Per Fält."

"Har du en mistanke om noget?"

"Ikke rigtigt, i hvert fald ikke endnu. Men jeg tænkte, at Carl Seger og Leo måske stod hinanden nær. Forældrene satsede jo på drengen, ikke? Øvede IQ-test med ham og den slags, og jeg læste, at Seger skrev en del om selvsikkerhedens betydning for unge menneskers udvikling, så jeg tænkte ..."

"Leo var nok mere usikker end selvsikker," afbrød Malin.

"Carl Seger skrev også om usikkerhed. Talte Leo tit om sine forældre?"

"Indimellem, modvilligt."

"Det lyder ikke godt."

"Herman og Viveka havde sikkert deres gode sider, men jeg tror, at en af Leos ulykker var, at det aldrig lykkedes ham at stå imod dem. Han fik aldrig lov til at følge sin egen vej."

"Han blev finansmand mod sin vilje, mener du?"

"Så enkelt er det vel aldrig. Noget i ham må jo have villet det. Men jeg er helt sikker på, at han drømte om at gøre sig fri, og måske er det også derfor, at jeg hele tiden vender tilbage til den der scene ved hans skrivebord. Det føltes som en afsked – ikke bare med hans mor, men også med noget større."

"Du kaldte ham en Hamlet."

"Mest som en kontrast til dig, tror jeg. Men det er nok sandt, at han hele tiden vaklede frem og tilbage med alting."

"Hamlet blev voldelig til slut."

"Ha, ja, men Leo ville aldrig ..."

"Hvad?"

Malins ansigt formørkedes, og Mikael lagde en hånd på hendes skulder.

"Hvad er der?" sagde han.

"Ikke noget."

"Ej, fortæl nu."

"Jeg så virkelig Leo helt rasende engang," sagde hun.

KLOKKEN 19.29 MÆRKEDE Faria Kazi godstogets første rystelser som et jag gennem kroppen. Der var kun 16 minutter til celledørene blev lukket. Men inden da kunne der nå at ske meget. Ingen vidste det bedre end hun. Ude på gangen raslede vagterne med deres nøgler, og der hørtes stemmer, og selvom hun ikke opfattede et ord af, hvad der blev sagt, fornemmede hun endnu en gang den der ophidselse i bruset af stemmer.

Hun vidste ikke, hvad det handlede om, kun at der var en følelse af hastværk i luften, og at der blev hvisket om, at Benito skulle overflyttes. Men intet var sikkert, end ikke om det regnede eller ej derude over jernbanen. For en time siden havde det føltes, som om der var torden i luften. Nu var godstogets rystelser og dundren det eneste, der trængte igennem fra verden udenfor.

Det var, som om murene skælvede, og folk gik frem og tilbage, men det virkede ikke, som om der skete noget alvorligt. Måske ville hun trods alt få lov at være i fred i aften alligevel. Fængselsbetjentene var mere på vagt. Alvar Olsen havde fulgt hende med blikket overalt, og det virkede, som om han var på arbejde døgnet rundt. Måske ville han beskytte hende nu til slut. Måske ville det gå godt, uanset hvad der blev hvisket om derude. Hun tænkte på sine brødre og på sin mor og på, hvordan solen havde lyst over plænerne på Vallholmen før i tiden. Men hun fik ikke lov til at drømme sig væk længe. Der hørtes klask af tøfler et stykke borte, en klaskelyd, som lød foruroligende velkendt, og nu rådede der ikke længere nogen tvivl. Der lugtede også af sød parfume. Faria Kazi fik åndenød og ønskede bare at slå hul i væggen og flygte ud langs banelegemet eller trylle sig væk. Men hun var udleveret i sin celle og sin seng. Hun var lige så sårbar, som hun havde været i Sickla, og hun forsøgte at tænke på Jamal igen. Men det hjalp selvfølgelig ikke. Der var ikke nogen trøst at hente længere. Godstoget buldrede, og skridtene nærmede sig, og parfumen stak hende allerede i næsen. Om få sekunder ville hun blive slynget ned i det samme bundløse hul som altid, og det spillede ingen rolle, hvor mange gange hun sagde til sig selv, at hendes liv allerede var ødelagt, og at hun ikke længere havde noget at miste. Hun blev alligevel skrækslagen, hver gang Benito dukkede op i døråbningen og med et indladende grin hilste fra hendes brødre.

Det var uklart, om Benito havde mødt Bashir og Ahmed eller bare stod i kontakt med dem. Men denne hilsen føltes alligevel som en dødelig trussel, og den blev altid fulgt af et ritual, hvor Benito slog hende og ragede på hende og tog hende på brysterne og mellem benene og kaldte hende perker og luder. Alligevel var det aldrig selve berøringen eller ordene, der var det værste. Det var følelsen af, at det hele bare var en optakt til noget langt værre, og indimellem forestillede hun sig, at det ville glitre af stål i Benitos hånd. Faria tænkte tit på stål herinde.

Hele Benitos ry hvilede på nogle indonesiske knive, som hun efter sigende selv havde smedet under en litani af forbandelser, og som skulle kunne dømme et menneske til døden, blot de blev rettet mod vedkommende. Myterne om knivene fulgte Benito gennem fængselsgangen som en aura, en ond glorie, og blandede sig med hendes parfume. Faria havde ofte forestillet sig, hvordan Benito gik løs på hende med dem. Og visse dage tænkte hun, at det kunne være godt det samme.

Hun lyttede ud mod afdelingen, og et kort øjeblik tændtes håbet igen. Klaprelydene derude standsede. Blev hun stoppet? Nej, fødderne satte sig i bevægelse igen, og nu havde Benito selskab. Det hørtes ikke kun på trinene. Man kunne mærke det på lugten. Parfumen blandede sig med en skarpere stank af sved og pebermyntetabletter. Det var Tine Grönlund, Benitos undersåt og livvagt, og Faria forstod, at det snarere end et pusterum var en optrapning, en eskalering. Det ville blive slemt.

Nu sås Benitos lakerede tånegle i døråbningen sammen med de blege fødder, som stak frem i plastictøflerne. Hun havde smøget skjorteærmerne op og blottet sine slangetatoveringer. Hun var svedig og sminket og kold i blikket. Men hun smilede. Ingen kunne smile så ubehageligt som hun. Bag hende kom Tine, som lukkede døren – selvom ingen andre end vagterne måtte lukke nogen døre.

"Greta og Lauren står udenfor. Så vi behøver ikke være bange for at blive forstyrret," sagde Tine.

Benito trådte hen til Faria og fingererede ved sin bukselomme. Hendes smil snerpede sig sammen til en antydning, en smal streg. Hendes blege pande fik nye rynker. En sveddråbe trængte frem på læben.

"Vi har desværre fået travlt," sagde hun. "Skiderikkerne vil overflytte mig, har du hørt det? Så vi bliver nødt til at nå frem til en beslutning nu. Vi kan godt lide dig, Faria. Du har udseendet med dig, og vi kan godt lide smukke piger. Men vi kan også godt lide dine brødre. De er kommet med et yderst generøst tilbud, og nu vil vi så gerne vide ..."

"Jeg har ingen penge," afbrød hun.

"En pige kan betale på anden vis, og vi har vores egne præferencer, vores egen valuta, ikke, Tine? Jeg har faktisk noget til dig, Faria, som vil hjælpe gevaldigt på din samarbejdsvilje."

Benito fingererede endnu en gang ved sin lomme, og nu smilede hun bredt. Der var noget isnende triumferende over dette smil.

"Hvad tror du, jeg har her?" fortsatte hun. "Hvad kan det være? Det er ikke min Keris, så hvad det angår, kan du godt slappe af. Men det er alligevel noget værdifuldt for mig."

Hun trak noget sort op af lommen, og der hørtes et metallisk klik. Faria snappede efter vejret. Det var en stilet, og hun blev så lammet af skræk, at hun ikke nåede at reagere, da Benito greb fat i hendes hår og bøjede hendes nakke bagover.

Langsomt, langsomt nærmede bladet sig hendes hals og pegede nu på hendes halspulsåre, som om Benito ville udpege det eksakte punkt til et dødbringende snit. Faria hørte nogle hvæsende, spottende ord om at sone sine synder i blod og gøre familien glad igen. Hun sansede ikke det hele. Hun mærkede bare den søde parfume i næseborene og en lugt af dårlig ånde og tobak og noget råddent og sygt. I øvrigt kunne hun ikke tænke længere, og derfor forstod hun heller ikke, hvorfor der pludselig opstod uro i rummet. Så indså hun, at døren var gået op og blevet lukket igen.

Der var endnu en person i rummet. Hvem? Først fattede Faria det ikke. Men det var Lisbeth Salander. Hun så mærkelig ud, ligesom tom og åndsfraværende, eller som om hun ikke helt vidste, hvor hun befandt sig. Det virkede ikke engang, som om hun reagerede, da Benito nærmede sig hende.

"Forstyrrer jeg?" sagde hun.

"Ja, for fanden. Hvem slap dig ind?"

"Pigerne derude. De gjorde ikke særlig meget vrøvl."

"Idioter! Kan du ikke se, hvad jeg har i hånden," hvæsede Benito og viftede med sin stilet.

Lisbeth bemærkede kniven, men uden at reagere. Hun stirrede bare stift på Benito.

"Gå så, din luder. Ellers skærer jeg dig op som en gris."

"Nej, nej, overhovedet ikke. Det får du slet ikke tid til," svarede Lisbeth.

"Nå, så det gør jeg ikke?"

Hadet strømmede gennem cellen som en flodbølge, og Benito nærmede sig Salander med kniven i hånden. Men så kom hun ikke længere. Faria nåede aldrig rigtig at opfatte, hvad der skete. Der lød et slag, og en albue svingede rundt, og derefter var det, som om Benito var braget ind i en mur. Hun blev stille, paralyseret. Så faldt hun forover mod betongulvet uden overhovedet at prøve at tage for sig med hænderne. Så blev der stille, kun godstoget dundrede stadig forbi udenfor.

KAPITEL 6

Den 18. juni

MALIN OG MIKAEL sad tæt sammen, lænet op ad hovedgærdet. Mikael strøg hende over skulderen og spurgte:

"Hvad var det, der skete?"

"Leo blev splitterravende tosset. Du har vel ikke en god flaske rødvin? Det kunne jeg godt bruge."

"Jeg tror, jeg har en Barolo," sagde han og rejste sig og hentede en flaske.

Da han vendte tilbage med den og to glas, sad Malin og stirrede åndsfraværende ud ad vinduet. Det regnede stadig over Riddarfjärden. Der lå en let dis over vandet, og i det fjerne hørtes lyden af sirener. Mikael skænkede vin op og kyssede Malin på kinden og på munden. Han trak dynen godt op over dem igen, og hun begyndte at fortælle.

"Du ved jo, at Alfred Ögrens søn, Ivar, nu er administrerende direktør, selvom han var den yngste i søskendeflokken. Han er kun tre år ældre end Leo, og de to kender hinanden fra barndommen af. Men de er ikke ligefrem venner. De hader nærmest hinanden."

"Hvad skyldes det?"

"Rivalisering, mindreværdskomplekser og alt muligt andet. Ivar ved godt, at Leo er den intelligente af de to. Han ved, at Leo ser lige igennem ham, når han lyver og praler, og han har komplekser, ikke bare intellektuelt. Ivar spiser altid ude på dyre restauranter, og han er blevet tyk og lasket. Han er ikke fyldt 40 endnu, men han ligner en gammel mand, mens Leo løbetræner og på en god dag kan gå for at være 25. På den anden side er Ivar den driftigste og stærkeste, og så ..."

Malin skar ansigt og drak lidt mere vin.

"Hvad?"

"Nogle gange skammer jeg mig over, at jeg var en del af det. Ivar kunne være en hyggelig fyr, lidt anstrengt morsom måske og grov, men hyggelig. Andre gange var han den rene djævel, og det var modbydeligt at være vidne til. Jeg tror, han var bange for, at Leo skulle overtage stillingen som administrerende direktør. Der var en del, selv i bestyrelsen, der ønskede det. Vi havde et møde, den sidste uge jeg var der, lige inden mit natlige møde med Leo. Vi skulle tale om valget af min efterfølger. Men på en eller anden måde kom vi til at tale om alt muligt andet, og du ved, Ivar var irriteret allerede fra starten af. Han fornemmede sikkert det samme som mig – at der var sket noget. Leo var jo så besynderligt lykkelig, som om han bare flød ovenpå. Desuden havde han dårligt nok vist sig på kontoret den uge, og Ivar hakkede på ham. Kaldte Leo moralist og slapsvans og skvat, og i begyndelsen tog Leo det pænt. Han lo bare, og Ivar blev helt sygt provokeret. Han slyngede de mest modbydelige ting ud. Han var ligefrem racistisk. Sagde, at Leo var en sigøjner og en tater. Det var så dumt, at jeg tænkte, at Leo bare ville ignorere idioten. Men Leo fløj op fra stolen og tog kvælertag på ham. Altså rigtigt for alvor. Jeg kastede mig frem og halede Leo ned på gulvet. Det var helt afsindigt. Jeg kan huske, at han mumlede: "Vi er bedre, vi er bedre", inden han til slut faldt til ro.

"Hvad gjorde Ivar?"

"Han sad bare helt rystet på sin stol og stirrede på os. Så lænede han sig frem og så skamfuld ud. Han sagde undskyld. Så gik han og efterlod mig alene på gulvet sammen med Leo."

"Og hvad sagde *han*?"

"Ingenting, så vidt jeg husker. Ved nærmere eftertanke var det jo helt sygt."

"Var det ikke også temmelig sygt at kalde ham tater og sigøjner?"

"Sådan er Ivar. Han er en primitiv skiderik, når han løber af sporet. Han kunne lige så godt have sagt dumme svin eller sådan noget. I hans verden kommer det ud på ét. Jeg tror, han har arvet den der tendens fra faren. Den familie er så fuld af fordomme, og det er det, jeg mener, når jeg siger, at jeg skammer mig. Jeg burde overhovedet ikke have arbejdet dér."

Mikael nikkede og drak lidt vin. Han burde nok stille nogle opfølgende spørgsmål eller sige nogle trøstende ord, men der var et eller andet, der trængte sig på i hans tanker. Først forstod han ikke, hvad det var, kun at det havde med Lisbeth at gøre. Så kom han i tanke om, at Lisbeths mor, Agneta, havde romarødder. Han mente at kunne huske, at hendes farfar var roma, og hun var derfor havnet i et register, som senere var blevet forbudt.

"Det er vel ikke sådan ..." sagde han til slut.

"Hvad?"

"... at Ivar faktisk oplever sig selv som finere?"

"Det gør han sikkert."

"Jeg mener på grund af sin familie eller afstamning?"

"Det ville da være underligt. Finere end Mannheimer-familien bliver det vel næppe, hvad mener du?"

"Jeg ved det ikke helt."

Malin så trist, men fattet ud, og Mikael strøg hende atter over skuldrene. Han forstod nu, hvad det var, han måtte undersøge. Han skulle langt tilbage i tiden, om nødvendigt til de gamle kirkebøger.

LISBETH HAVDE SLÅET hårdt – *for* hårdt måske. Hun indså det selv, allerede inden Benito sank sammen, eller faktisk allerede inden hun ramte hende. Hun mærkede det i letheden i sine bevægelser, i den modstandsløse kraft – i den indsigt enhver kampsportsudøver kender til: at det mest fuldendte findes i det, som dårligt nok mærkes.

Hun havde langet Benito en lige højre og med uventet perfektion ramt hende lige på strubehovedet, og bagefter havde hun hamret albuen ind i hendes kæbe to gange efter hinanden, inden hun trådte et skridt til siden – ikke kun for at give plads for faldet, men også for at få overblik over situationen. Hun så derfor, hvordan Benito faldt uden overhovedet at tage for sig med hænderne og drønede i gulvet med ansigtet og hagen først, og hun hørte den knasende lyd af knogler, der brækkede. Det var mere, end hun havde håbet på.

Det var ikke så godt med Benito. Hun lå livløs på maven med ansigtet stift forvredet i en grusom grimasse. Hun var helt stille, man kunne end ikke høre hende trække vejret. Ingen ville sørge mindre over Benito Andersson end Lisbeth Salander, men hendes død ville gøre tingene unødigt komplicerede. Desuden stod Tine Grönlund lige ved siden af.

Tine Grönlund var ikke ligefrem nogen Benito. Hun syntes tværtimod at være den fødte medløber. Men hun var høj og senet og hurtig, og rækkevidden i hendes slag var ikke så let at håndtere, specielt ikke, når det som nu kom fra siden. Det lykkedes kun halvvejs for Lisbeth at afparere det. Det ringede for ørerne og brændte i kinden, og hun rustede sig til endnu en kamp. Men hun slap. I stedet for at kæmpe videre, stirrede Tine på Benito på gulvet, og det så stadig ikke for godt ud dernede.

Det var ikke bare blodet, der løb ud ad munden og bredte sig over betongulvet i røde strimer, som lignede kløer. Det var hele den forvredne krop og ansigtet. Benito lignede i bedste fald en potentiel langtidspatient.

"Benito, lever du?" hvæsede Tine.

"Hun lever," svarede Lisbeth, uden at være helt sikker i sin sag.

Hun havde før slået folk i gulvet, både i ringen og udenfor, men der havde altid været små klagelyde eller bevægelser. Her rådede en stilhed, som forstærkedes af tyngden i kroppen og den vibrerende nervøsitet i luften.

"Hvad fanden, hun er jo helt livløs," hvæsede Tine.

"Hun ser godt nok ikke så frisk ud, det er sandt," sagde Lisbeth.

Tine fremmumlede en trussel og truede med næverne. Så flygtede hun ud ad døren med flaksende bevægelser. Lisbeth stod skrævende og koncentreret og kiggede på Faria Kazi. Faria sad på sin seng med hænderne omkring knæene i en alt for stor, blå skjorte og stirrede perpleks på hende.

"Jeg skal nok få dig ud herfra," sagde Lisbeth.

Holger Palmgren lå i sin hospitalsseng i lejligheden på Liljeholmen og tænkte på samtalen med Lisbeth. Han græmmede sig over, at han endnu ikke havde kunnet besvare hendes spørgsmål. Hans plejere havde glemt ham, og han var for elendig og syg til at finde dokumenterne frem på egen hånd. Han havde store smerter i hofterne og benene, og han kunne ikke længere gå, end ikke med rollatoren. Han havde brug for hjælp til det meste. Han var under hjemmeplejen, men de fleste behandlede ham som en femårig, og det virkede ikke, som om de brød sig om deres arbejde eller om gamle mennesker i det hele taget. Indimellem, men ikke tit – han havde stadig sin stolthed – angrede han, at han så bestemt havde afvist Lisbeths tilbud om ordentlig, privat hjælp. Forleden havde han spurgt den unge, barske Marita, som altid skar ansigt af væmmelse, når hun skulle have ham ud af sengen:

"Har du børn?"

"Jeg vil ikke tale om mit privatliv," snerrede hun.

Det var kommet så vidt, at han blev betragtet som snagende, når han bare forsøgte at være høflig. Alderdommen er et fornedrende overgreb. Det var sådan, han oplevede det, og her for nylig, da han skulle have skiftet ble, var han kommet til at tænke på Gunnar Ekelöfs digt *De borde skämmas.*

Han havde ikke læst digtet, siden han var ung. Men han kunne stadig huske det så nogenlunde, måske ikke helt ordret, men tæt på. Digtet handlede om en mand – formentlig digterens alter ego – som skrev, hvad han kaldte et forord til sin død, hvori han ønskede, at det sidste, der skulle ses af ham, var en knyttet næve blandt åkander og bobler af ord fra bunden.

Så elendig havde Holger haft det, at det føltes, som om, digtet gav ham det eneste håb, der var tilbage – trodsen! Det var sandt, at han utvivlsomt ville blive dårligere og småsenil og snart ligge tilbage i sengen som ren dødvægt. Det var sandt, at han ikke havde andet at se frem til end døden. Men digtets budskab og trøst var, at han ikke behøvede at acceptere det. Han kunne knytte næven i stille protest. Han kunne synke mod bunden, stolt og oprørsk imod smerterne, bleerne, ubevægeligheden og hele fornedrelsen.

Livet var imidlertid ikke lutter mørke. Han havde stadig venner, og først og fremmest havde han Lisbeth, og så Lulu, som snart ville komme og hjælpe ham med at finde dokumenterne frem. Lulu var fra Somalia. Hun var stor og smuk og havde langt, flettet hår, og hendes blik var så varmt og inderligt, at det gengav ham lidt af selvrespekten. Det var Lulu, der kom og så til ham om aftenen og gav ham morfinplastrene og natskjorten på og puttede ham. Selvom hendes svenske endnu ikke var fejlfrit, var hendes spørgsmål ægte. Hun sagde ikke dumheder i flertal som for eksempel: "Nu har vi det godt, ikke?" Hun spurgte, hvad hun burde studere og lære, og hvad Holger selv havde gjort i sit liv, og hvad han tænkte. Hun betragtede ham som et menneske – ikke som en historieløs gamling.

Lulu var et af lyspunkterne i hans liv nu om stunder og den eneste, han havde snakket med om Lisbeth og besøget på Flodberga. Besøget havde været et mareridt. Bare synet af den høje fængselsmur havde fået ham til at skælve. Hvordan kunne de anbringe Lisbeth sådan et sted? Hun havde jo gjort noget storslået. Reddet et barn. Alligevel befandt hun sig blandt landets værste kvindelige forbrydere. Det var utilstedeligt, og da han så hende i besøgsrummet, var han så oprørt, at han gav slip på alle sine sædvanlige forbehold.

Han havde spurgt hende om dragetatoveringen. Han havde altid undret sig over den, og han tilhørte jo en generation, som ikke forstod sig på denne kunstform. Hvorfor dekorere sig med noget, der aldrig forsvinder, når vi mennesker til stadighed forandrer og udvikler os?

Lisbeth svarede kort og koncist, og dog var det mere end nok. Han blev grebet og begyndte at pladre nervøst og uden filter, og det havde åbenbart sat griller i hovedet på hende. Det var så dumt, specielt eftersom han dårligt nok selv vidste, hvad det var, han snakkede om. Hvad var der med ham? Hvad var det dog, han lavede? Når sandheden skulle frem, vidste han imidlertid godt, hvad det skyldtes. Det var ikke kun hans alder og almindelige mangel på omtanke. Nogle uger forinden havde han haft besøg af Maj-Britt Torell, en gammel dame med hvidt hår, som tidligere havde været sekretær for Johannes Caldin, der var leder af Sankt Stefans børnepsykiatriske klinik i Uppsala, dengang Lisbeth var på klinikken.

Maj-Britt Torell havde læst om Lisbeth Salander i aviserne, og bagefter havde hun sat sig ned og gennemgået de stabler af journaloptegnelser, som hun havde overtaget ved Caldins død. Hun var nøje med at understrege, at det hørte med til historien, at hun aldrig tidligere havde forbrudt sig mod sin tavshedspligt som lægesekretær. Men her forelå specielle omstændigheder, "som De ved. Det var jo forfærdeligt, hvordan den pige blev behandlet." Derfor ville Maj-Britt nu videregive disse papirer, så alting kunne komme frem i lyset.

Holger havde takket, sagt farvel og læst, og mest af alt var han blevet ked af det. Det var den samme gamle, sørgelige historie. Endnu en gang fik han indsigt i, hvordan psykiateren Peter Teleborian havde lagt Lisbeth i spændetrøje på klinikken og udsat hende for alvorlige overgreb. Dokumenterne indeholdt, så vidt han havde kunnet se, ikke noget nyt; men måske tog han fejl. Et par uforsigtige ord i fængslet havde været nok til at gøre Lisbeth oprevet, og nu havde hun åbenbart fundet ud af, at hun havde indgået i en statslig undersøgelse. Hun sagde, at hun havde kendskab til andre børn, der havde deltaget i den, både i generationen før hende og efter. Men hvad hun ikke havde kunnet finde, var navnene på de ansvarlige. Det virkede, som om de med omhu var blevet holdt langt væk fra både nettet og samtlige arkiver.

"Kan du ikke se efter igen og se, om du kan finde noget?" havde hun spurgt i telefonen, og det ville han så afgjort gøre, så snart Lulu kom og kunne hjælpe ham.

Der lød en hvæsende, spyttende lyd nede fra gulvet, og allerede inden hun kunne udskille de enkelte ord, forstod Faria Kazi, at det var forbandelser og trusler. Hun så ned på Benito. Kvinden lå ubevægelig på maven med armene ud til begge sider, men hun havde løftet hovedet lidt op, så blikket var rettet skråt op mod Lisbeth Salander.

"Jeg har min Keris rettet mod dig!"

Stemmen var så hæs og brusten, at den dårligt nok var menneskelig længere. I Farias tanker flød ordene sammen med blodet, som strømmede ud af munden.

"Kniven peger mod dig. Du er død."

Lutter dødstrusler. Benito syntes et øjeblik at have genvundet noget af sin gamle overlegenhed. Det virkede imidlertid ikke, som om Lisbeth Salander tog sig af det. Hun svarede bare, som om hun dårligt nok ænsede hende:

"Er det ikke *dig*, der virker mest død her?"

Det var, som om Benito ikke eksisterede for hende længere. I stedet lyttede hun ud mod gangen, og pludselig forstod Faria hvorfor. Der lød tunge skridt i rask trav. Nogen var på vej hen mod hendes celle i fuld fart, og i næste øjeblik hørtes der stemmer og forbandelser derude og dernæst ordene: "Flyt jer så for helvede!" Døren fløj op, og dér stod vagtchefen, Alvar Olsen. Han var iført sin sædvanlige blå uniformsskjorte og prustede tungt, som om han havde løbet.

"Hvad fanden er der sket her?" sagde han.

Blikket bevægede sig fra Benito på gulvet til Lisbeth og derefter over til Faria på sengen.

"Hvad fanden er der sket her?" gentog han.

"Du kan vel se, hvad det er, der ligger der på gulvet?" sagde Lisbeth Salander.

Alvar så ned og opdagede stiletten, som lå i en strime af blod foran Benitos højre hånd.

"Hvad satan?" udbrød han.

"Lige netop, nogen har fået en kniv ind igennem jeres metaldetektorer. Så det der er sket her er, at personalet på et stort fængsel helt har mistet grebet og ikke har formået at beskytte en truet fange."

"Men det der ... det der," mumlede Alvar helt ude af sig selv og pegede på Benito.

"Det er, hvad du burde have gjort for længe siden, Alvar."

Alvar stirrede på Benito, som lå på gulvet med forvredet, sønderslået ansigt og blodet strømmende fra kæben.

"Min Keris er rettet mod dig. Du skal dø, Salander, dø," hvæsede hun, og Alvar mærkede panikken brede sig i kroppen. Han trykkede på alarmen i sit bælte, samtidig med at han råbte på hjælp.

"Hun myrder dig," sagde han.

"Den tid den glæde," svarede Lisbeth. "Jeg har haft værre kryb efter mig."

"Der er ikke nogen, der er værre."

Længere nede ad gangen hørtes nu skridt. Havde de idioter hele tiden været i nærheden? Det ville overhovedet ikke overraske ham. En voldsom vrede boblede op i ham, og han tænkte på Vilda og truslen mod hende og på hele afdelingen, som var blevet sådan en skamplet. Han så atter på Lisbeth Salander og genkaldte sig hendes ord: Hvad han burde have gjort for længe siden. Han følte instinktivt, at han var nødt til at gøre noget. Han måtte genvinde sin værdighed. Men han nåede ikke længere. Kollegerne Harriet og Fred stormede ind og stirrede lamslået ud over cellen. Ligesom Alvar for lidt siden kiggede de ned på Benito på gulvet og hørte ligesom ham de mumlende besværgelser, men med den forskel, at det ikke længere var muligt at skelne de enkelte ord. Kun *Ke* eller *Kri* var tydeligt midt i Benitos onde svada.

"Åh, shit!" udbrød Fred. "Åh, shit!"

Alvar trådte et skridt frem og rømmede sig, og først da så Fred på ham. Hans blik var fuldt af angst. Sveden perlede frem på panden og kinderne.

"Harriet, tilkalder du en sygehjælper?" sagde Alvar. "Hurtigt, hurtigt! Og du, Fred ..."

Han vidste ikke helt, hvad han skulle sige. Han ville bare vinde tid og styrke sin autoritet. Men det lykkedes åbenbart ikke, for Fred afbrød ham med samme ophidsede tonefald:

"Sikken forpulet katastrofe. Hvad er der sket?"

"Hun blev truende," sagde Alvar.

"Slog du hende, eller hvad?"

Alvar svarede ikke. Han tænkte på den isnende præcise vejbeskrivelse til Vildas klasselokale. Han huskede, hvordan Benito havde nævnt farven på datterens gummistøvler.

"Jeg ..." sagde han.

Han tøvede; men han kunne mærke, at der var noget ved ordet *jeg*, der både skræmte og tiltalte ham. Han kastede et blik på Lisbeth Salander. Lisbeth rystede på hovedet, som om hun forstod ham. Men nej ... nu måtte det briste eller bære. Det føltes rigtigt.

"Jeg blev nødt til det."

"Men for fanden da, det ser jo helt galt ud. Benito, Benito, er du der?" mumlede Fred, og det var dråben, der fik bægeret til at flyde over.

"I stedet for at bekymre dig for Benito burde du bekymre dig om Faria derhenne," hvæsede han. "Vi har ladet hele afdelingen blive forgiftet og ødelagt, og ser du den der stilet på gulvet? Kan du se den? Det er lykkedes Benito at få den smuglet herind. Hun har smuglet et forpulet mordvåben herind! Og hun skulle lige til at angribe Faria, da jeg ..."

Han tøvede igen. Han famlede efter ordene. Det var, som om han i det øjeblik indså rækkevidden af sin løgn, og nærmest desperat så han på Lisbeth Salander igen og håbede på hjælp. Men hjælpen kom ikke derfra.

"Hun ville myrde mig," sagde Faria Kazi fra sengen og pegede på et lille snitsår på halsen, og det gav Alvar fornyet mod:

"Så hvad skulle jeg have gjort? Ventet og set tiden an?" hvæsede han. Nu føltes det straks bedre, selvom det mere og mere gik op for ham, hvilket vovestykke det var, han havde kastet sig ud i.

Men det var for sent at trække sig tilbage nu. Andre indsatte flokkedes allerede i døråbningen. Mange pressede endda på for at komme ind. Situationen begyndte at spidse til, og ude fra gangen hørtes ophidsede stemmer. Nogle klappede. En stor lettelse eller befrielse begyndte at brede sig. En kvinde skreg af glæde, og stemmerne gik i ét til et lydtæppe, der bare tog til og til, som efter en blodtørstig boksekamp eller en tyrefægtning.

Men det var ikke kun glæde, der hørtes. Der var også trusler imellem, trusler der ikke var rettet mod ham, men mod Lisbeth

Salander, som om rygtet om, hvad der i virkeligheden var sket, allerede havde bredt sig. Han indså, at han måtte handle, han måtte udvise beslutsomhed. Med høj røst bekendtgjorde han, at politiet straks måtte informeres. Han vidste, at der var flere vagter på vej ind fra andre afdelinger, sådan var det altid, når alarmen gik, og han overvejede, om fangerne skulle låses inde nu med det samme, eller om han skulle vente på forstærkning. Han tog et skridt frem mod Faria Kazi og sagde til Harriet og Fred, at der skulle tilkaldes lægehjælp og psykolog til hende også. Så vendte han sig om mod Lisbeth Salander og bad hende følge med.

Han gik ud i gangen sammen med hende, forbi de ophidsede fanger og vagter, der trængte sig på, og et øjeblik frygtede han, at det hele ville løbe løbsk. Folk skreg og rev i dem. Afdelingen var på randen af kaos. Det var, som om al den anspændelse og fortvivlelse, der så længe havde murret under overfladen, nu truede med at eksplodere, og kun med den yderste kraftanstrengelse lykkedes det ham at føre Salander ind i hendes celle og få lukket døren efter dem. Nogen bankede på døren. Hans kolleger skreg på orden. Hans hjerte hamrede. Han var tør i munden og vidste ikke, hvad han skulle sige. Lisbeth så overhovedet ikke på ham. Hun så bare på skrivebordet og lod hånden glide gennem håret.

"Jeg kan godt lide at tage ansvaret for mine egne handlinger," sagde hun.

"Jeg ville bare beskytte dig."

"Vrøvl! Du ville føle dig som et lidt bedre menneske. Men det er okay, Alvar. Vil du være sød at gå nu?"

Han ville sige noget mere. Han ville forklare sig. Men han indså, at det bare ville blive akavet. Han forlod hende og hørte hende mumle bag sin ryg:

"Jeg slog hende på strubehovedet!"

Strubehovedet, tænkte han. Han låste døren og kæmpede sig derefter vej gennem tumulten ude på gangen.

HOLGER PALMGREN ventede på Lulu, og mens han ventede, forsøgte han at komme i tanke om, hvad der egentlig havde stået i de dokumenter. Kunne der virkelig gemme sig noget nyt, spektakulært der? Han havde svært ved at tro det, ikke mere end den oplysning, han nok altid havde kendt til – at der havde været planer om at bortadoptere Lisbeth som lille, da det var allerværst med farens vold og overgreb mod Agneta.

Nå, det ville han snart finde ud af. Lulu kom altid punktligt klokken ni de fire dage om ugen, hun arbejdede, og i dag var det en af hendes aftener. Han længtes efter hende. Lulu skulle putte ham og sætte morfinplastrene på og tage sig af ham og hjælpe ham med at finde dokumenterne frem fra den nederste skuffe i kommoden i dagligstuen, hvor hun havde lagt dem efter Maj-Britt Torells besøg.

Holger lovede sig selv at granske dem med skarpt blik. Måske ville det blive ham forundt at hjælpe Lisbeth en sidste gang. Han stønnede. Smerterne huggede til i hofterne igen. Han havde aldrig så ondt som på denne tid af døgnet. Han bad en bøn: "Kære, søde Lulu. Jeg har brug for dig. Kom nu!" Og virkelig: Efter at have ligget en 5-10 minutter og trommet med den raske hånd mod dynen, hørte han trin ude fra trappeopgangen, trin han syntes, han genkendte.

Døren gik op. Kom hun 20 minutter for tidligt? Hvor dejligt! Der var bare det, at han ikke hørte noget muntert tilråb ude fra entreen, ikke noget: "Godaften, gamle mand!" Han hørte kun fødder, der listede sig ind i lejligheden og nærmede sig soveværelset. Han blev bange, og det lignede ham ellers ikke. Det var en af fordelene ved at være gammel. Han havde ikke længere så meget at miste. Men nu blev han grebet af uro, og måske havde det noget med dokumenterne at gøre. Han ville læse dem og hjælpe Lisbeth. Han havde pludselig fået noget at leve for.

"Hallo," råbte han. "Hallo?"

"Holger, er du vågen? Jeg håbede, du sov."

"Jeg sover da aldrig, når du kommer," sagde han, tydeligt lettet.

"Ved du, hvor træt du har været de seneste par dage? Jeg var helt bange for, at det der besøg i fængslet ville slå dig ihjel," svarede Lulu og trådte frem i døråbningen.

Hun havde makeup på og var iført en farvestrålende afrikansk kjole.

"Har det været så galt?"

"Du har næsten ikke været til at tale med."

"Undskyld, jeg skal nok tage mig sammen."

"Du er min bedste ven, det ved du, og din eneste fejl er, at du hele tiden siger undskyld."

"Undskyld."

"Der ser du."

"Hvad er der med dig i dag, Lulu? Du ser på en eller anden måde ekstra smuk ud."

"Jeg skal drikke et glas med en svensk mand fra Västerhaninge. Tænk engang! Han er ingeniør og har hus og en ny Volvo."

"Han er vel bare ude efter dig?"

"Det håber jeg da," sagde hun og rettede på hans ben og hofter. Hun sørgede for, at han lå godt på puden og vippede hovedgærdet op i siddende position.

Mens sengen snurrede dumpt, pladrede hun løs om manden fra Västerhaninge, som hed Robert eller muligvis Rolf. Holger hørte ikke efter, og Lulu lagde hånden på hans pande.

"Du har jo koldsved, din tosse. Jeg burde give dig et brusebad."

Ingen kunne sige tosse med sådan en ømhed som Lulu, og normalt elskede han at småsnakke med hende. Nu var han bare utålmodig og så ned på sin livløse venstrehånd. Den så ynkeligere ud end nogensinde.

"Undskyld, Lulu. Kan du gøre noget andet for mig først?"

"Altid din tjeneste."

"Altid *til* tjeneste," rettede han. "Du ved nok de papirer, du stoppede ned i kommodeskuffen sidst, kan du finde dem frem igen? Jeg vil gerne læse dem en gang til."

"Men det var jo forfærdelig læsning, sagde du?"

"Det var forfærdeligt. Men jeg har alligevel brug for at læse dem igen."

"Selvfølgelig, naturligvis, jeg henter dem."

Hun forsvandt, og da hun vendte tilbage, bar hun på et større bundt, end han kunne huske, han havde fået. Måske havde hun fået noget mere med i skyndingen. Han blev nervøs igen, hvad enten det nu var for, at der ikke skulle være noget af værdi i dokumenterne, eller at der faktisk var det, og at Lisbeth ville kaste sig ud i en masse vanvid igen.

"Du virker friskere i dag, Holger. Men du er ikke helt nærværende, vel? Er det hende Salander, du tænker på igen?" spurgte Lulu og lagde papirbunken på natbordet ved siden af hans pilleæsker og bøger.

"Det er det nok. Det var slemt at se hende i fængslet."

"Det forstår jeg godt."

"Kan du hente min tandbørste og sætte morfinplastrene på og det hele og flytte mine ben lidt mere til venstre? Det føles, som om hele underkroppen ..."

"... er fuld af knive," afbrød hun.

"Lige netop, knive. Siger jeg det hele tiden?"

"Temmelig meget hele tiden."

"Der ser du, jeg begynder at blive småsenil. Men bagefter vil jeg læse de her papirer, og så kan du smutte af sted til din Roger."

"Rolf," rettede hun.

"Ja, nemlig, Rolf. Jeg håber, han er sød. Sød er det vigtigste."

"Er det nu også helt rigtigt? Valgte du dine kvinder efter, om de var søde?"

"Det burde jeg i hvert fald have gjort."

"Det siger I alle sammen, og så løber I efter den første den bedste dulle."

"Hvad? Nej, det tror jeg ikke."

Han var ikke helt nærværende længere. Han bad Lulu give ham bunken. Han havde ikke kræfter til at flytte den med den gode arm, som faktisk heller ikke var særlig god. Så begyndte han at læse, mens Lulu knappede hans skjorte op og satte morfinplastrene på. Nu og da tog han en pause, når Lulu rumsterede med ham, og indimellem følte han sig nødsaget til at sige noget pænt og opmuntrende. Han tog ømt afsked med hende og ønskede hende held og lykke med hendes Rolf eller Roger.

Han læste og bladrede. Det var, som han huskede, mest en masse udtalelser fra psykiateren Peter Teleborian – journaler over medicinering, rapporter om tabletter, der ikke var blevet taget, og redegørelser for terapier, hvor patienten havde tiet og været genstridig, beslutninger om tvangsforanstaltninger, undersøgelser, henvisninger, nye tvangsforanstaltninger, tydelige om end klinisk tørre indikationer på ren sadisme, alt det som allerede havde plaget Holger så meget.

Men han fandt ikke noget om det, Lisbeth ville vide. Havde han trods alt været uopmærksom? Han besluttede sig for at gå det hele igennem én gang til, og for en sikkerheds skyld brugte han nu sit forstørrelsesglas. Han studerede hver side nøje, og til sidst faldt han over noget. Det var ikke meget, kun to mindre, fortroligt-stemplede notater fra Teleborians hånd, fra dengang da Lisbeth netop var blevet indskrevet på klinikken i Uppsala. Alligevel gav det Holger netop det, han var blevet bedt om at finde – navne.

Først stod der:

Tidligere kendt fra Registret for Studier af Genetik og Miljø, RGM. Deltaget i Projekt 9. (Resultat: mangelfuldt.) Beslutning om plejefamilieplacering ved sociologiprofessor Martin Steinberg. Dog umuligt at gennemføre. Flugttilbøjeligheder. Opfindsom. Alvorlig begivenhed med G i lejligheden på Lundagatan – flygtet kun seks år gammel.

Flygtet kun seks år gammel? Var det den begivenhed, Lisbeth talte om i fængslet? Det måtte det være, eller hvad? Og G, var det kvinden med modermærket på halsen? Måske! Men der stod ikke mere, så det var ikke let at sige med sikkerhed. Holger sank hen i sine egne tanker. Derefter læste han notatet igen og lo alligevel også lidt. *Opfindsom,* havde Teleborian skrevet. Det var det eneste positive ord, den idiot nogensinde havde ytret om Lisbeth. Blind høne finder også korn ... Men der var naturligvis ingen grund til at smile. Notatet bekræftede, at Lisbeth nær var blevet tvangsfjernet som lille. Holger læste videre:

Moderen, Agneta Salander, svært hjerneskadet efter slag mod hovedet. Indlagt på Äppelvikens Sygehus. Tidligere møder med psykolog Hilda von Kanterborg – som menes at have brudt sin tavshedspligt og informeret om Registret. Bør ej gives mulighed for at kontakte patienten. Andre forholdsregler også planlagt af professor Steinberg og G.

Professor Steinberg, tænkte han. *Martin Steinberg*. Var der ikke noget velkendt ved det navn? Med besvær – som alt andet nu for tiden – googlede Holger navnet på sin mobil, og da han så billedet, genkendte han ham straks. Hvordan kunne han have glemt det? Ikke at han og Martin ligefrem havde været nære venner. Men de havde mødt hinanden, første gang for måske 25 år siden, da Steinberg havde været sagkyndigt vidne i en retssag, hvor Holger havde forsvaret en ung mand fra miserable kår, som stod tiltalt for at have mishandlet sin far.

Han huskede, hvor glad han havde været for at have en kapacitet som Steinberg ved sin side. Steinberg sad i en række prestigefulde råd og udvalg. Hans holdninger viste sig ganske vist at være temmelig forældede og stive. Men han gjorde ikke desto mindre nytte. Han hjalp Holger med at få klienten frifundet, og de tog et glas sammen efter domsafsigelsen, og de havde også mødt hinanden flere gange siden da. De kendte hinanden fra gamle dage, og måske kunne Holger derfor hale et og andet ud af ham.

Holger lå på ryggen i sin hospitalsseng med den store papirbunke hvilende på brystkassen og maven og forsøgte at tænke klart. Var det uforsigtigt at ringe til ham? Det ene øjeblik tænkte han, at det var det nok, og det næste affærdigede han tanken. Han lå i næsten et kvarter og overvejede sagen, mens morfinen begyndte at virke, og smerterne i hofterne fortog sig fra knive til nålestik. Skulle han trods alt ikke ringe? Lisbeth havde bedt ham om hjælp, og så måtte han da gøre noget, ikke? Han ville jo gerne gøre lidt nytte, når han nu endelig havde fået fundet dokumenterne frem, så han udtænkte en strategi. Så ringede han, og mens han lyttede til ringetonerne, så han på uret. Klokken var 22.20. Det var lidt sent, men ikke overdrevent sent, tænkte han. Under alle omstændigheder måtte han være forsigtig. Men han mistede modet, allerede da Steinbergs skarpe autoritet hørtes i telefonen, og han måtte anstrenge sig for at lyde lige så myndig og skarp.

"Undskyld," sagde han. "Men jeg har et spørgsmål."

Martin Steinberg var sådan set ikke ubehagelig. Men han lød afvisende, og det hjalp ikke noget, at Holger lykønskede ham med alle de fine udnævnelser og tillidshverv, der havde stået om på Wikipedia. Professoren spurgte pligtskyldigst til Holgers helbred.

"Hvad skal jeg sige i min alder? Jeg skal bare være glad for, at kroppen endnu værker og gør sig bemærket," svarede Holger og forsøgte at le.

Martin Steinberg forsøgte også at le, og så snakkede de lidt om gamle dage. Derefter fremførte Holger sit ærinde. Han sagde, at han var blevet kontaktet af en klient og havde brug for at få at vide, hvilke arbejdsopgaver Steinberg havde haft ved det såkaldte Register. Men det var en fejl. Spørgsmålet skabte øjeblikkeligt uro, ikke en uro der kom til udtryk, men dog en mærkbar nervøsitet.

"Jeg aner ikke, hvad det er, du taler om," sagde professoren.

"Jaså, virkelig? Underligt. Der står her, at du traf beslutninger på myndighedens vegne."

"Hvor står det?"

"I de papirer jeg har fået," sagde Holger og blev vagere og mere defensiv.

"Jeg må vide præcis hvor – for det lyder nemlig helt hen i vejret," sagde Steinberg overraskende skarpt.

"Jaså, ja, så må jeg nok se nøjere efter."

"Det må du nok."

"Eller også har jeg bare blandet noget sammen her. Det kunne bedst ligne mig," fortsatte Holger.

"Jaja, den slags kan jo ske," svarede Steinberg i et forsøg på at lyde venlig eller ligefrem afslappet. Men han var tydeligvis rystet og kunne ikke skjule det, og det værste af det hele var, at han selv godt vidste, at det ikke lykkedes ham. Han tilføjede en helt unødvendig gardering:

"Det kan jo også tænkes, at der står noget fejlagtigt i dine papirer. Hvem er klienten, der har kontaktet dig?"

Holger mumlede, at det kunne han ikke fortælle, og sørgede for at afslutte samtalen hurtigst muligt. Men allerede inden han havde nået at lægge på, indså han, at denne samtale ville få konsekvenser. Hvordan kunne han være sådan en skide idiot? Han havde bare villet hjælpe. I stedet for havde han forkludret det hele, og ingenting blev bedre af, at natten faldt på over Liljeholmen. Angsten og fortrydelsen tog bare til og voksede sammen med smerterne i ryggen og hofterne, og gang på gang anklagede han sig selv for at være et tåbeligt fjols.

Det var synd for gamle Holger Palmgren.

KAPITEL 7

Den 19. juni

MIKAEL BLOMKVIST vågnede tidligt søndag morgen og listede sig stille op for ikke at vække Malin. Han tog jeans og en grå bomuldsskjorte på og lavede sig en stærk kop cappucino og spiste en mellemmad, mens han skimmede morgenavisen.

Så satte han sig ved computeren og funderede over, hvor han skulle begynde. Han havde ingen idé om det. Han havde gravet sig igennem alt muligt i årenes løb: arkiver, journaler, databaser, retsprotokoller, mikrofilm, boopgørelser, årsrapporter, testamenter og så videre.

Han havde søgt aktindsigt, henvist til offentlighedsprincippet og kildebeskyttelsen, fundet bagveje og smuthuller. Han havde bogstaveligt talt rodet i skraldespande, hængt over gamle fotografier, lagt puslespil af modstridende vidneudsagn og snuset rundt i kældre og kølerum. Men han havde aldrig før undersøgt, om nogen var adopteret eller født uden for ægteskab. Det var ikke noget, han havde haft med at gøre, og han var heller ikke sikker på, at det var det, det drejede sig om nu. Alligevel stolede han på sit instinkt. Ivar Ögren havde kaldt Leo for tater og sigøjner, og det var ikke bare gamle, ubehagelige racistiske skældsord. Det var også mærkeligt. Hvad enten det nu var herkomst eller angivelig svenskhed, den idiot var ude efter, lå familien Mannheimer langt foran Ögren-slægten på alle planer, med aner og forgreninger i adelsslægter langt tilbage til 1600-tallet. Det føltes ikke umuligt, at der var noget i det forgangne, som var værd at se på.

Mikael søgte på nettet og smilede. Han vidste ikke rigtig hvorfor, men slægtsforskning var åbenbart blevet en folkebevægelse.

Der fandtes et utal af arkiver at søge i, og det var fantastisk, hvor mange gamle kirkebøger, folkeregistre og emigrant- og immigrantoplysninger, der var blevet scannet og digitaliseret. Det var en hel guldgrube, og for den, som ville, var det muligt at søge langt tilbage i tiden, hinsides vores historie og helt ned til vores urmødre i Afrika gennem genetiske databanker. Den, der havde penge og tålmodighed, kunne nå enormt langt, følge sine forfædres vandringer gennem årtusinder over stepperne og kontinenterne.

Men det var værre med nyere adoptioner. Der var 70 års hemmeligstempling, som man ganske vist kunne søge om at få omstødt ved retten. Men det gjaldt kun særlig fortvivlende tilfælde, og den kategori omfattede næppe nyfigne journalister, som ikke engang havde nogen anelse om, hvad de var ude efter. Officielt var døren lukket for ham, men han vidste bedre end nogen anden, at der altid fandtes en måde at omgå den slags på. Det gjaldt bare om at finde ud af hvordan.

Klokken var halv otte om morgenen. Henne i dobbeltsengen sov Malin, og ude over Riddarfjärden så det ud til at blive en fin dag. Om nogle timer skulle de af sted og høre Leo Mannheimer i Fotografiska ved Stadsgårdskajen. Men inden da ville Mikael forsøge at finde ud af noget om Leos fortid. Det gik ikke særlig godt, og det hjalp heller ikke ligefrem, at det var søndag. Alt var lukket, og han var tvunget til at indrømme, at han efter de lange samtaler med Malin i går var begyndt at fatte sympati for fyren. Men det spillede nu ingen rolle, han havde ikke tænkt sig at give sig. Hvis han forstod det ret, burde han først anmode om at se Leos fødselsattest fra Stadsarkivet. Hvis han ikke fik lov til det, var det en indikation på, at han havde haft ret i sine mistanker. Men det var ikke nok. Fødselsattesten kunne nemlig også være blevet hemmeligstemplet af andre grunde end adoption. Mikael ville blive nødt til at gå videre og finde frem til forældrenes og Leos personregisteroplysninger og sammenholde dem. I personregisteroplysningerne – som kun undtagelsesvis var hemmeligstemplede – ville deres geografiske bevægelser fremgå. Hvis forældrene og Leo ikke optrådte i samme sogn, nemlig Västerleds sogn i Nockeby, på Leos fødselstidspunkt, burde det være et tydeligt spor. Så kunne Herman og Viveka næppe være hans biologiske forældre.

Mikael skrev derfor en ansøgning om at få adgang til Leos fødselsattest fra Stadsarkivet samt hans og forældrenes personregisteroplysninger. Men han sendte ikke mailen, og det skyldtes hans eget navn. Det var som en alarmklokke. Folk begyndte altid at spekulere på, hvorfor han ville vide ting og sager. Snakken gik: Nu har Mikael Blomkvist været her og snaget. Hans forespørgsel ville utvivlsomt rygtes, og det ville ikke være så godt – hvis der nu virkelig var noget følsomt i historien. Han besluttede sig for i stedet at ringe til Stadsarkivet næste dag og udnytte sin mulighed for ifølge offentlighedsloven at være anonym.

Måske kendte Holger Palmgren for resten allerede svaret. Holger havde mod alle odds og sikkert også stik imod lægens anbefalinger besøgt Lisbeth på Flodberga. Under alle omstændigheder ville det være hyggeligt at tale med ham og høre, hvordan han havde det. Mikael tog telefonen og kiggede på uret igen. Var det for tidligt? Nej, Holger vågnede altid tidligt, uanset om det var weekend eller hverdag, så han ringede. Uden held. Det var, som om der var noget galt med den gamle mands mobil. Nummeret var ikke i brug, fortalte en stemme i røret. Mikael prøvede så med Holgers fastnettelefon. Heller ikke noget. Han skulle lige til at prøve igen, da han hørte lyden af nøgne kvindefødder bag sig, og han vendte sig om med et smil.

HOLGER PALMGREN HAVDE også opdaget, at hans mobil ikke fungerede, og det var bare typisk. Ingenting fungerede, allermindst ham selv. Han var i elendig form. Han havde ligget vågen i timevis med kvaler og smerter. Hvad i alverden var der gået af ham?

Han følte sig mere og mere sikker på, at samtalen dagen før havde været en stor fejl. Måske var Steinberg en rigtig skurk, uanset hvor mange fine nævn og udvalg han sad i. Bare det, at professoren havde skrevet under på en beslutning om at tvangsanbringe Lisbeth uden for hjemmet imod hendes og morens vilje! Bare det!

Åh, herregud, hvor havde han dog været dum. Hvad skulle

han gøre? Han måtte først og fremmest ringe og diskutere sagen med Lisbeth. Men det var jo netop det, telefonen fungerede ikke. Holger var holdt op med at bruge fastnettelefonen, eftersom det alligevel kun var sælgere og folk, han ikke ville vide af, der brugte den. Måske havde han også trukket stikket ud?

Han vendte sig besværet om og så, at stikket virkelig ikke sad i kontakten længere. Kunne han få det i igen? Han strakte kroppen langt uden for madrassen med brystet ludende ud over sengehesten, og det lykkedes ham lige præcis at sætte stikket i. Derefter lå han og prustede lidt, inden han løftede den gamle telefon på natbordet. Han fik en klartone. Det var altid noget. Han følte sig handlekraftig igen og ringede til nummeroplysningen og bad om at blive stillet om til Flodberga-anstalten. Han ventede sig ikke ligefrem nogen hyggeonkel i røret. Alligevel blev han helt perpleks over arrogancen i stemmen.

"Mit navn er Holger Palmgren," sagde han med al sin autoritet. "Jeg er advokat. Vær så venlig at stille mig om til de ansvarlige på sikkerhedsafdelingen. Det gælder et ærinde af yderste vigtighed," sagde han.

"Så må De vente."

"Det har jeg virkelig ikke tid til," hvæsede han.

Han blev alligevel nødt til at vente, og efter endeløse omstillinger og ventetid blev han stillet ind til én, der hed Harriet Lindfors. Harriet lød bøs og kort for hovedet, men han betonede alvoren. Han ville tale med Lisbeth Salander straks, sagde han. Svaret fik det til at løbe koldt ned ad ryggen på ham. Det skyldtes ikke kun det nervøse tonefald, men også ordene:

"Ikke under de nuværende omstændigheder."

"Er der sket noget?" spurgte han.

"Repræsenterer De hende?"

"Nej. Eller ja."

"Det var ikke særlig klart."

"Jeg er ikke direkte involveret."

"Så må De vende tilbage senere," sagde Harriet Lindfors og lagde på i øret på ham. Han blev helt ude af sig selv, dunkede den raske hånd mod sengen, mens han forestillede sig, at der var sket noget helt forfærdeligt, og han tænkte, at det var hans fejl alt sammen. Så forsøgte han at fatte sig og ikke kaste sig ud i vilde spekulationer. Men uden held. Hvorfor helvede var han også så handicappet?

Han burde bare rejse sig og tage hånd om situationen. Men fingrene var krogede og stive, og kroppen vind og skæv og halvvejs lammet. Han kunne ikke engang selv komme over i sin kørestol, og han kunne ikke holde det ud. Hvis natten havde været hans golgatavandring, følte han sig nu naglet til korset på sin elendige madras. Selv ikke gamle Ekelöf og hans knyttede næve blandt åkander trøstede ham længere. Han stirrede på telefonen. Han havde en idé om, at nogen havde ringet, mens han ventede i Flodbergas omstilling, og ganske rigtigt, Mikael Blomkvist havde ringet og lagt en besked. Det var godt. Mikael ville kunne hjælpe og gå videre med oplysningerne. Holger ringede op. Intet svar. Han ringede igen, og til sidst hørtes Mikaels stemme i telefonen. Han lød forpustet, og Holger gættede straks, at det var en anden og bedre slags stakåndethed end den, han selv led af.

"Forstyrrer jeg?" spurgte han.

"Overhovedet ikke," svarede Mikael.

"Har du damebesøg?"

"Nej, nej."

"Jo, han har så," hørtes en kvindestemme i baggrunden.

"Nu må du ikke såre damen."

Selv i en krisesituation som denne var Holger en gentleman.

"Det er sandt," svarede Mikael.

"Tag du dig af hende, så ringer jeg til din søster i stedet for."

"Nej, nej!"

Mikael måtte have opfattet det urolige tonefald i hans stemme.

"Jeg har prøvet at få fat i dig," fortsatte han. "Du har besøgt Lisbeth, ikke?"

"Jo, og jeg er urolig for hende," sagde Holger tøvende.

"Det er jeg også. Hvad har du hørt?"

"Jeg har ..."

Han tænkte på Mikael og hans gamle råd om ikke at omtale følsomme emner i telefonen.

"Ja?"

"Det virker, som om der er ting og sager, hun godt kunne tænke sig at finde ud af," svarede han.

"Hvad?"

"Noget med hendes barndom. Men det værste er, Mikael, at jeg tror, jeg har dummet mig. Jeg ville bare hjælpe hende. Det ville jeg virkelig. Men jeg kludrede i det. Kan du ikke komme herhen, så skal jeg fortælle dig om det."

"Selvfølgelig, jeg kommer med det samme."

"Nej, det gør du ikke!" hørtes kvinden.

Holger tænkte på kvinden, hvem hun nu end var. Han tænkte på Marita, som snart ville komme trampende, og på hele den omstændelige og fornedrende procedure, som ville ende med, at han sad med en ren ble på i kørestolen og drak sin tynde kaffe, der smagte som te, og han tænkte, at det vigtigste lige nu var at få fat i Lisbeth.

Han måtte på en eller anden måde få fortalt, at det formentlig var professor Martin Steinberg, der var ansvarlig for Registret for Studier af Genetik og Miljø.

"Måske er det bedre, hvis du kommer i aften efter ni," sagde han. "Så kan vi også tage et glas sammen. Jeg kunne virkelig godt bruge et glas i dag."

"Okay, fint, vi ses i aften," svarede Mikael.

Holger Palmgren lagde på og tog atter de gamle dokumenter om Lisbeth fra natbordet. Derefter ringede han til Annika Giannini og Flodbergas direktør, Rikard Fager. Han fik ikke fat i nogen af dem. Nogle timer senere opdagede han, at heller ikke fastnettelefonen fungerede, og at det ikke virkede, som om den geskæftige Marita havde tænkt sig at dukke op.

Leo Mannheimer havde ofte tænkt på den der eftermiddag i oktober. Han var kun 11 år gammel. Det var lørdag. Hans mor spiste frokost med den katolske biskop, og hans far var på jagt i

Upplands skove. Der var stille i det store hus, og Leo var alene hjemme. Selv ikke Vendela, husholdersken, var hjemme til at passe på ham, og han var flygtet fra sine lektier og alle de ekstraopgaver, privatlærerinderne havde givet ham. Han sad ved flyglet, ikke for at spille sonater eller etuder – men for at komponere.

Han var netop begyndt på det uden ligefrem at få ros for det. Moren kaldte hans stykker for "småsvulstige udgydelser, skat". Men han elskede at skrive sin egen musik. Han længtes efter det, når han havde timer, og når han læste lektier. Den eftermiddag sad han med en sørgmodig, melodisk sang, som han skulle komme til at spille hele sit liv, til trods for at den viste sig at have en foruroligende lighed med "Ballade pour Adeline", og selvom Leo udmærket godt forstod morens ord. Ikke at de blev sagt til en 11-årig dreng, som lige var begyndt på noget, som var vigtigt for ham, men at der rent objektivt var noget om snakken.

Hans første kompositioner *var* for svulstige. Han var endnu ikke tilstrækkelig sofistikeret. Han havde ikke opdaget jazzen og lært at bruge mere beskidte, strittende akkorder, og først og fremmest havde han endnu ikke lært sig at bruge alle lydene fra udsugning, insekter, buske, trin, fjerne motorer og stemmer, alt det som ingen andre end han hørte.

Alligevel var han lykkelig ved flyglet den dag, så lykkelig som en dreng som ham nu kunne være. Han havde altid været ensom og overvåget, og han elskede egentlig kun et eneste menneske, psykologen Carl Seger. Leo gik i terapi hos ham hver tirsdag klokken fire i Bromma, og ofte ringede han til ham i al hemmelighed om aftenen. Carl forstod ham. Carl skændtes med forældrene for hans skyld:

"Drengen skal have lov at have et pusterum! Han skal have lov til at være barn!"

Der kom selvfølgelig ikke noget ud af det. Men alligevel ... Carl gik i brechen for ham. Han var den eneste, ham og hans forlovede, Ellenor.

Carl og faren var som nat og dag. Alligevel havde de noget sammen, som Leo ikke forstod. Nu var Carl for eksempel taget med ud på jagt, selvom han egentlig ikke brød sig om at dræbe dyr. I Leos øjne var Carl en anden slags menneske end faren og Alfred Ögren. Han var ikke noget magtmenneske, ikke én der lo højt og hånligt ved middagsbordet. Han var ikke interesseret i denne verdens vindertyper, men talte mere om særlingene, som, fordi de stod udenfor, så klarere end andre. Carl læste lyrik, helst fransk. Han kunne godt lide Camus og Stendhal, Romain Gary, elskede Edith Piaf og spillede fløjte, klædte sig enkelt, om end lidt tilstræbt bohemeagtigt, og vigtigst af alt: Han lyttede til Leos bekymringer og var den eneste, der kendte rækkevidden af hans gave eller forbandelse, alt efter hvordan man så på det.

"Vær stolt af din følsomhed, Leo. Du er stærk indeni. Det *bliver* bedre, stol på det."

Leo søgte trøst i Carls bemærkninger, og han længtes altid efter tirsdag klokken fire. Deres møder var ugens højdepunkt. Carl havde konsultation i sit eget hus på Grönviksvägen og havde sort-hvide, let disede fotografier af 50'ernes Paris på væggene og en slidt, blød læderlænestol, hvor Leo sad i en time eller to og snakkede om alt det, som hans forældre og kammerater ikke forstod. Carl var det bedste i hans barndom, selvom Leo selvfølgelig godt vidste, at han idealiserede ham.

Leo skulle efter den eftermiddag i oktober bruge hele resten af sit liv på at idealisere ham og atter og atter gå tilbage til de der sidste timer ved flyglet. Han arbejdede længe med hver eneste tone, med hver eneste nuance i melodien og akkorderne. Men så hørtes lyden af farens Mercedes i indkørslen, og han holdt op med at spille.

Faren skulle ikke være kommet hjem igen før søndag eftermiddag, så alene den tidlige ankomst var et urovækkende tegn. Men det var ikke alt. Der var en særlig stilhed i luften ude på gårdspladsen og en nølen, en ny forsigtighed, da bildøren blev åbnet, og samtidig – som en modsigelse – et raseri, da døren blev smækket i igen. Skridtene, der knasede hen over gruset, var tunge og drævende. Åndedrættet var tungt, og der hørtes suk ude i entreen og lyden af ting, der blev stillet væk, sikkert geværerne og rejsetasken.

Den snoede trætrappe op til førstesalen knagede. Leo anede, at et mørke var på vej, allerede inden farens skikkelse tårnede sig op i døråbningen. Han ville altid huske dette øjeblik. Faren var iført grønne jagtbukser og en sort oilskinsjakke. Han havde sved på panden og så ængstelig ud. Normalt plejede han at reagere med arrogance og vrede, når han var trængt. Nu virkede han bare bange. Han trådte vaklende et skridt fremad. Leo rejste sig usikkert fra flyglet og fik et brysk kram.

"Jeg er ked af det, knægt. Meget ked af det."

Leo tvivlede aldrig på oprigtigheden i disse ord. Men der gemte sig også noget andet i dem, noget som ikke var let at tolke, og som anedes i selve fortællingen og i farens manglende evne til at se ham i øjnene. Der lå noget forfærdeligt og uudsagt nedenunder. Men i det øjeblik spillede det ingen rolle.

Carl var død, og Leos liv ville aldrig blive det samme igen.

TRODS DET SKØNNE vejr var der kommet usædvanlig mange mennesker til Aktiespararnas arrangement i Fotografiska. På den anden side var det sådan, tiderne var: Alt, hvad der handlede om aktier, trak publikum til, og her lokkede arrangørerne ikke bare med drømme om rigdom, men også med lidt spænding: *Voksende eller bristende boble? En temaeftermiddag om uroen på aktiemarkedet.* Sådan lød overskriften for arrangementet, og der var indbudt en hel række kendte navne. Leo Mannheimer var ikke ligefrem hovedattraktionen.

Men han skulle tale først, og Mikael og Malin ankom lige netop, som han var på vej op på scenen. De havde skyndt sig gennem det varme og vindstille Stockholm og havde fået pladser længst tilbage i salen til venstre. Malin var urolig for at skulle møde Leo igen. Mikael var på sin side fyldt af onde anelser efter samtalen med Holger Palmgren. Han lyttede knap nok til Karin Laestander, Aktiespararnas unge administrerende direktør, som bød velkommen oppe på podiet.

"Vi har en spændende dag foran os," sagde hun. "Vi får fornøjelsen af en masse kvalificerede analyser af markedssituationen. Men først skal vi høre om børsen ud fra et mere filosofisk perspektiv. Velkommen til Leo Mannheimer, doktor i økonomi og analysechef i Alfred Ögrens Kapitalfond."

En høj, slank mand med lyseblåt jakkesæt og krøllet hår rejste sig fra en stol på første række og gik op på scenen, og først virkede det, som om alting var, som det skulle være. Hans skridt var resolutte og lette, og han så præcis ud, som han skulle – rig og selvsikker. Men så hørtes en hvinende lyd fra salen, en skærende mislyd, idet en stol blev trukket hen over gulvet, og Leo vaklede lidt og blev askegrå i ansigtet. Det virkede, som om han var ved at falde sammen. Malin greb Mikaels hånd og hviskede: "Åh, nej."

"Jamen, Leo dog! Er der noget galt?" stammede Karin Laestander på scenen.

"Nej, jeg er okay."

"Sikker?"

Leo greb fat i det runde bord på scenen og fumlede med en vandflaske.

"Jeg er bare nervøs," sagde han og forsøgte at le.

"Du er så velkommen," svarede Karin Laestander, åbenbart ikke helt sikker på, om hun burde fortsætte.

"Tak, det er meget venligt."

"Under normale omstændigheder, Leo ..."

"... er jeg lidt mere sikker på benene."

Der hørtes nervøse latterudbrud.

"Præcis. Du er en klippe. Du skriver kloge og faktabaserede konjunkturanalyser, men her den senere tid er du begyndt at beskrive børsen ... hvordan skal jeg beskrive det? Mere filosofisk. Du kalder den et tempel for troende."

"Nå, ja," sagde han.

Længere kom han ikke. Han tog en dyb indånding og løsnede slipset.

"Nå, ja?"

"Jeg mener ... det er ikke noget, jeg har fundet på, og egentlig er det ganske konventionelt."

"Hvordan det?"

"At ..."

"Ja?"

Han trak vejret dybt.

"At både børser og katedraler hviler på vores tro, siger jo sig selv. Hvis vi begynder at tvivle, skrider fundamentet. Det er et ubestrideligt faktum," fortsatte han og rettede sig op. Farven vendte langsomt tilbage til kinderne.

"Men vi tvivler jo hele tiden," indvendte Karin. "Det er faktisk derfor, vi er her i dag – vi spørger os selv, om vi befinder os i en boble eller i slutfasen af en højkonjunktur."

"Tvivl i mindre skala er en god ting," sagde Leo. "Hver dag sidder millioner af mennesker og tvivler og håber og analyserer. Det er den aktivitet, der bestemmer kurserne. Men jeg taler om den dybe og grundlæggende tvivl."

"På Gud?"

"Ja, gerne på Gud også. Men jeg tænkte nu først og fremmest på tvivlen på vækst og kommende afkast. Intet er farligere for et højt vurderet marked, end at en alvorlig tvivl bider sig fast. En sådan frygt kan skabe børskrak og kaste verden ud i en ny depression."

"Men det er ikke kun den slags tvivl, der kan få alvorlige konsekvenser, vel?"

"Nej, vi kan jo også begynde at tvivle på selve idéen, på hele den imaginære konstruktion."

"Imaginære?"

"Ja, jeg provokerer sikkert en og anden herinde nu, og det vil jeg selvfølgelig gerne undskylde. Men finansmarkedet er ikke noget, der eksisterer ligesom du og jeg, Karin, eller bare som vandflasken her på bordet. Markedet er en konstruktion, og i samme øjeblik vi holder op med at tro på denne konstruktion, ophører det med at eksistere."

"Går du ikke lige lovlig langt nu, Leo?"

"Nej, nej, tænk selv efter. Hvad er markedet?"

"Ja, hvad?"

"En overenskomst. Vi har bestemt os for, at lige dér, på den arena, lader vi al vores ængstelse og alle vores drømme og tanker og forhåbninger om fremtiden bestemme prisen på valutaer, virksomheder og råvarer."

"En dristig tanke."

"Ikke så dristig endda, Karin, og det behøver heller ikke gøre markedet hverken værre eller mindre stabilt. Meget af det væsentlige i vores liv, som for eksempel vores kulturarv og vores institutioner, er jo frembringelser af den menneskelige fantasi og vores fornuft."

"Og også vores penge, naturligvis."

"Så afgjort, og nu mere end nogensinde før. Jeg mener ... det er ikke som hos Joakim von And længere, at vi bader i dem rent bogstaveligt, eller bare har dem liggende under madrassen. I dag er vores opsparing noteringer på en computerskærm, noteringer der til stadighed skifter værdi. Alligevel forlader vi os helt på dem. Men tænk ..."

Det virkede ikke, som om Leo Mannheimer havde fået helt styr på sit åndedræt endnu.

"Ja?"

"Tænk, hvis vi begynder at ængste os for, at de der noteringer ikke bare skal fare op og ned i takt med udsvingene på markedet, men simpelthen udviskes som tal på en tavle, hvad sker der så?"

"Så rystes vores samfund i sin grundvold."

"Præcis, og det var jo faktisk det, der skete for nogle måneder siden."

"Du tænker på hackerangrebet mod Finance Security, den tidligere Værdipapircentral."

"Nemlig. Da stod vi faktisk i en situation, hvor vores investeringer en kort overgang simpelthen ikke fandtes. De kunne ikke findes i cyberspace, og markedet vaklede. Kronen styrtdykkede med 46 procent."

"Alligevel reagerede Stockholms Børs forbløffende hurtigt og lukkede for al handel."

"Og det må vi rose de ansvarlige for, Karin. Men katastrofen begrænsedes jo også af, at ingen i Sverige kunne lave forretninger. Der var jo ikke noget at handle med længere. Men hos nogle voksede rigdommen, det kan du være sikker på, og det er egentlig den tanke, der er allermest svimlende. Kan du forestille dig, hvad de spekulanter, der skabte den situation, må have tjent? Det ville kræve millionvis af bankrøverier at nå op på de samme summer."

"Sandt, og der blev jo også skrevet en masse om det, ikke mindst af Mikael Blomkvist i *Millennium*, og Mikael kan jeg faktisk skimte helt nede på bagerste række. Men Leo, ærlig talt, hvor alvorligt var det egentlig?"

"I realiteten var der ingen større fare. Både Finance Security og de svenske banker har et omfattende backup-system. Men begreber som "i realiteten" og lignende giver ikke altid mening stillet over for et marked, der drives af håb og rædsel. Det alvorlige var, at vi i et kort øjeblik kom til at tvivle på selve kapitalens eksistens i den digitale verden."

"Hackerangrebene blev også kombineret med en massiv misinformationskampagne på de sociale medier."

"Åh ja, der blev sprøjtet falske tweets ud om, at vores investeringer ikke kunne rekonstrueres, og det viser jo bare endnu mere, at det her snarere var et angreb på vores tillid end på vores penge i sig selv – hvis de to ting ellers kan skilles ad."

"Det siges, at vi i dag har sikre beviser på, at både hackerangrebet og misinformationskampagnen var styret fra Rusland."

"Ja, og selvom vi nok stadig skal tage os i agt for skråsikre antagelser, giver det os noget at tænke over. Måske er det præcis sådan, fremtidens angrebskrige vil blive ført. Der er få ting, der ville skabe sådan et kaos, som at vi taber tiltroen til vores penge, og her skal vi ikke glemme, at det ikke engang er nødvendigt, at vi selv begynder at tvivle, det er nok, at vi tror, at andre gør det."

"Det der må du vist uddybe, Leo."

"Det er som i en folkemængde. Det spiller ingen rolle, om vi selv ved, at alting er under kontrol, og at der ikke er sket noget alvorligt. Hvis folk begynder at styrte panisk af sted, bliver vi også selv nødt til at flygte. Gamle Keynes, den legendariske økonom, sammenlignede engang børsen med en skønhedskonkurrence."

"En skønhedskonkurrence?"

"Ja, det er et kendt eksempel. Keynes forestillede sig en særlig slags skønhedskonkurrence, hvor vi i juryen ikke vælger den, der er smukkest, men den vi tror vil vinde."

"Og det indebærer?"

"At vi må glemme vores egne præferencer og i stedet gætte på andre menneskers smag og mening eller egentlig ikke engang det. Vi bør fundere over, hvem andre tror at andre mener er smukkest. Det bliver en ganske avanceret metaøvelse, når man tænker nærmere over det."

"Det lyder skørt."

"Måske, men det er ikke mere underligt end det, som sker hvert eneste sekund på finansmarkederne. Det er jo ikke kun et resultat af analyser af fundamentale værdier i virksomheder og i omverdenen. Psykologiske faktorer spiller en lige så stor rolle, rigtige psykologiske mekanismer og så gætterierne omkring dem. Gætterier omkring andres gætterier. Alting vrides og vendes, fordi alle vil være et skridt foran, så de kan begynde at løbe, inden nogen andre begynder at løbe, og det har ikke forandret sig siden Keynes' tid. Tværtimod gør den voksende robothandel markederne endnu mere selvspejlende. Robotterne scanner lynhurtigt menneskers købs- og salgsordrer og agerer derefter og forstærker dermed allerede eksisterende mønstre. Heri ligger der en væsentlig fare. En bølge kan lynhurtigt eskalere til noget ukontrollerbart, og i sådan en situation er det ofte rationelt at agere irrationelt – at speede op, selvom man ved, at det er idioti. Hvad hjælper det dig, at du står og skriger 'idioter, fjolser, der er ingen fare,' hvis alle andre løber for livet?"

"Sandt nok," indskød Karin. "Men hvis reaktionen er uberettiget, plejer markedet at korrigere sig selv, ikke?"

"Absolut. Men det kan godt tage nogen tid, og så spiller det ingen rolle, hvor meget ret du har. Du bliver ruineret alligevel. Du kan have ret, til du går konkurs, for nu atter at citere Keynes."

"Det er jo beskæmmende."

"Men der findes håb, og det ligger i markedets evne til at reflektere over sig selv. Når en meteorolog studerer vejret, ændrer vejret sig ikke af den grund. Men når vi studerer økonomien, bliver vores antagelser og analyser en del af den økonomiske organisme. På den måde ligner aktiemarkedet en neurotiker. Det kan faktisk godt udvikle sig og blive lidt klogere."

"Samtidig bliver det dermed umuligt at forudsige, eller hvad?"

"Netop, lidt ligesom mig på scenen. Vi ved aldrig helt, hvornår det er ved at skvatte over sine egne ben."

Nu lød der vaskeægte latter, en slags forløsende grin. Leo smilede forsigtigt og tog et skridt fremad mod scenekanten.

"Børsen er paradoksal på den måde," sagde han. "Vi vil alle sammen forstå den og tjene penge på den. Men hvis vi virkelig kunne begribe den, ville den transformeres af vores forståelse. Den endegyldige forklaringsmodel over finansmarkedet ville forandre vores måde at forholde os til det på, og vupti, så ville det være noget andet, et muteret virus. Vi kan uden tvivl sige, at det ikke ville kunne fungere, hvis vi forstod det fuldtud."

"Vores uenighed er sjælen i det hele."

"Ja, der er jo brug for både købere og sælgere, troende og tvivlere, og det er egentlig det fine ved det. Dette kor af modstridende røster gør ofte markedet forbløffende klogt, skarpsindigere end nogen af alle os herinde, som nu og da forsøger at lege guruer i fjernsynssofaerne. Når mennesker over hele verden tænker selvstændigt: 'Hvordan skal vi tjene så meget som muligt?', når der så at sige råder en perfekt balance mellem gætterier og viden, mellem købernes håb og sælgernes tvivl, kan der opstå en visdom, en næsten profetisk indsigt. Problemet er bare at vide: Hvornår er markedet indsigtsfuldt? Og hvornår løber det løbsk?"

"Og hvordan kan vi vide det?"

"Ja, det er jo det," sagde han. "Jeg plejer – når jeg rigtig vil prale – at sige, at jeg efterhånden ved så meget om finansmarkedet, at jeg ved, at jeg ingenting forstår."

MALIN HVISKEDE i Mikaels øre:

"Han er da ikke så dum, vel?"

Mikael skulle lige til at svare, da hans mobil snurrede i lommen.

Det var hans søster, Annika. Han tænkte på sin samtale med Holger og mumlede en undskyldning og forsvandt ud, optaget af sine egne tanker. Derfor bemærkede han ikke, at hans sortie vakte uro i Leos ansigt. Men Malin så det og studerede Leo intensivt. Hun tænkte endnu en gang på den der nat, da hun så ham på kontoret, hvor han sad og skrev noget på sit sandfarvede papir. Der var noget vigtigt og underligt ved scenen. Hun følte det ganske klart nu, og hun besluttede at tage fat i Leo bagefter og spørge ham om det.

MIKAEL STOD PÅ kajen og så ud over vandet mod Gamla Stan og Slottet. Havet var blikstille, og i det fjerne var et stort krydstogtsskib på vej ind for at ankre op. Han besluttede at bruge sin androidtelefon og sin krypterede Signal-app. Han ringede til Annika. Hun svarede straks og lød stakåndet, og han spurgte, om der var sket noget. Hun var på vej hjem fra Flodberga, sagde hun. Lisbeth var blevet afhørt af politiet.

"Er hun anklaget for noget?"

"Ikke endnu, og med lidt held slipper hun. Men det er alvorligt, Mikael."

"Så spyt dog ud!"

"Ja, ja, rolig nu. Den her kvinde, jeg fortalte dig om, Benito Andersson, som har truet og udnyttet både ansatte og medfanger, ja, som har været et større sadistisk svin, end jeg overhovedet kunne forestille mig, hun ligger på Universitetshospitalet i Örebro med alvorlige skader på kæbe og kranium efter et voldsomt overfald på afdelingen."

"Og hvad har det med Lisbeth at gøre?"

"Lad mig sige det sådan: Chefen for afdelingen, Alvar Olsen, har tilstået. Han siger, at han var nødt til at slå Benito ud – eftersom hun gik til angreb med en stilet."

"Inde i fængslet?"

"Det er naturligvis en kæmpeskandale, og parallelt foregår der en udredning af, hvordan kniven har kunnet smugles ind i fængslet. Jeg vil derfor mene, at selve mishandlingen ikke udgør et problem i sig selv. Det virker ikke svært at betragte det som nødværge, og Alvar Olsen får også fuld opbakning af Faria Kazi, den bangladeshiske pige, jeg nævnte for dig. Faria forsikrer, at Alvar mere eller mindre reddede hendes liv."

"Hvad er så Lisbeths problem?"

"Til en begyndelse er det hendes eget vidneudsagn."

"Så hun var vidne til det?"

"Lad mig tage det i den rigtige rækkefølge."

"Selvfølgelig."

"Der er en del modsigelser i Faria Kazis og Alvars vidneudsagn. Alvar siger, at han slog Benito på strubehovedet med to knytnæveslag, mens Faria mener, at han snarere slog med albuen, og at Benito derefter faldt uheldigt mod betongulvet. Men det er nok ikke egentlig noget problem. Alle erfarne kriminalefterforskere ved, at vi ofte har forbløffende forskellige erindringer om traumatiske begivenheder. Det er værre med det, som kameraovervågningen viser."

"Og hvad er det?"

"Dramaet fandt sted lige efter klokken halv otte om aftenen. Halv otte er den værste tid på Sikringen. Det er lige inden, celledørene bliver låst, at de fleste overgreb sker, og ingen har været mere udsat end Faria Kazi, og det har Alvar vidst. Han har vidst det, men ikke vovet at gøre noget ved det. Han siger det selv. Han er helt fin, hvad det angår. Han er åbenhjertig – jeg har deltaget i afhøringen af ham. Klokken 19.32 i går aftes sidder han på sit kontor og modtager præcis det telefonopkald, han har håbet på så længe. Han får besked om, at Benito skal overflyttes til et nyt fængsel. Ikke desto mindre knalder han bare røret på."

"Hvorfor?"

"Fordi han i det samme opdager, at klokken er halv otte, siger han. Han bliver urolig og styrter af sted og åbner slusedøren med sin kodelås og løber hen ad gangen inde på Sikringen. Men det ejendommelige er ..."

"Hvad?"

"At præcis samtidig løber en indsat ved navn Tine Grönlund ud fra Faria Kazis celle. På afdelingen kaldes Tine Grönlund ofte for

Benitos skødehund eller livvagt, og så opstår spørgsmålet selvfølgelig: Hvorfor har hun så travlt? Fordi hun hører Alvar komme eller af en helt anden grund? Alvar siger, at han ikke ser hende. Han har travlt nok med at kæmpe sig forbi alle de indsatte, der har samlet sig foran Farias dør, og da han omsider kommer ind, opdager han Benito med en stilet i hånden. Han knalder til hende, alt hvad han kan, lige på strubehovedet. Af integritetsgrunde er der ingen kameraer i cellerne, og vi kan naturligvis ikke kontrollere hans historie. Jeg synes i og for sig, at han lyder oprigtig og retlinet. Men åbenbart befinder Lisbeth sig allerede da inde i cellen."

"Og Lisbeth er ikke lige den, der lader overgreb foregå lige for øjnene af sig."

"Specielt da ikke mod en kvinde som Faria Kazi. Men det er ikke det værste."

"Hvad er det da?"

"Stemningen på afdelingen, Mikael. Som sædvanlig er der ingen, der vil sige noget. Sådan er det altid i spjældet. Men man kan mærke på lang afstand, at det syder og koger. Bare da jeg gik forbi sammen med Lisbeth i spisesalen, begyndte de indsatte at skramle med deres krus. Man kan mærke, at de betragter hende som en helt – som en helt, men også ... som en dødsdømt. Jeg hørte ordene *Dead woman walking*, og selvom det i sig selv kun øger hendes status, så er det alvorligt, ikke kun på grund af det ubehagelige i ordene. Det får også politiet til at spekulere, for hvis det er Alvar Olsen, der har knust Benitos kæbe, hvorfor er det så Lisbeth og ikke ham, der bliver truet?"

"Forståeligt," sagde Mikael eftertænksomt.

"Lisbeth sidder nu også isoleret og betragtes med stor mistænksomhed. Der er ganske vist meget, der taler for hende. Ingen synes at tro, at en så lille person som hun skulle have kunnet tildele et så afsindigt hårdt slag. Det virker heller ikke, som om nogen forstår, hvorfor Alvar Olsen skulle påtage sig skylden med Faria Kazis støtte, hvis det ikke er ham, der har slået. Men Mikael, af en så intelligent person at være er Lisbeth forbløffende usmart."

"Hvad mener du?"

"Hun siger ikke et ord om, hvad der er sket. Hun har kun to kommentarer, siger hun."

"Og hvad er det?"

"At Benito fik, hvad hun fortjente."

"Og det andet?"

"At Benito fik, hvad hun fortjente."

Mikael kunne ikke lade være med at le, selvom han betragtede situationen som dybt foruroligende.

"Så hvad tror du egentlig, der er sket?" spurgte han.

"Mit job er ikke at tro. Det er at forsvare min klient," sagde Annika. "Men lad mig alligevel hypotetisk formulere det sådan her: Benito passer glimrende til profilen på et menneske, som Lisbeth ikke bryder sig særlig meget om."

"Kan jeg gøre noget?"

"Det er derfor, jeg ringer."

"Fyr løs."

"Du kan hjælpe mig med Faria Kazi. Jeg har påtaget mig hendes sag også – på Lisbeths foranledning, som jeg sagde. Lisbeth har tilsyneladende undersøgt pigens baggrund i fængslet, og jeg tror, at du og bladet ville have en interesse i at hjælpe mig her. Det kunne godt blive en stærk og vigtig historie for jer. Hendes kæreste, Jamal, døde under et tunnelbanetog. Kan vi ses i aften?"

"Jeg skal mødes med Holger Palmgren klokken ni."

"Så må du hilse ham. Holger har åbenbart forsøgt at få fat i mig i dag. Men klokken ni? Så kan vi jo godt nå at spise middag sammen inden. Skal vi sige klokken seks på Pane Vino?"

"Okay," svarede Mikael. "Fint."

Han lagde på og så ud mod Grand Hotel og Kungsträdgården og overvejede, om han skulle gå ind igen. I stedet foretog han en række søgninger på sin telefon, og tiden fløj, og der gik nok 20 minutter, inden han gik ind igen.

Han vendte tilbage med raske skridt, og da han kom ind og passerede bogbordet i forhallen, skete der noget ejendommeligt. Han løb lige bardus på Leo Mannheimer. Mikael ville række hånden frem og sige et par venlige ord om samtalen på scenen. Men han kunne ikke få sig til det. Leo så nemlig så plaget ud, at Mikael tav og lod ham forsvinde ud i sollyset med en nervøs, ivrig bevægelse.

Bagefter blev Mikael stående lidt, optaget af sine egne tanker. Så gik han ind i salen og spejdede efter Malin. Malin sad ikke længere på sin plads, og Mikael blev sur på sig selv over, at han havde trukket den så længe. Var hun blevet utålmodig og gået? Han så sig omkring i lokalet. Oppe på scenen talte en anden ældre mand nu. Han pegede på kurver og linjer på et hvidt lærred. Mikael var ligeglad med ham.

Han kiggede efter Malin mellem publikum og opdagede hende til slut oppe ved bardisken til højre, hvor der stod glas med rødvin og hvidvin stillet op til pausen. Malin var tyvstartet med et af glassene og så sammensunken og trist ud.

Der måtte være sket noget.

KAPITEL 8

Den 19. juni

Faria Kazi lænede sig mod cellevæggen og lukkede øjnene, og for første gang i lange tider længtes hun efter at se sig selv i spejlet. Hun følte et forsigtigt håb, selvom skrækken stadig sad i kroppen. Hun tænkte på den undskyldning, hun havde modtaget fra vagtchefen, og på sin nye advokat, Annika Giannini, og på politifolkene, der havde afhørt hende, og naturligvis på Jamal.

Hun rodede i bukselommen. I lommen lå et etui af brunt læder, og i etuiet lå det visitkort, hun havde fået af Jamal efter debatten i Kulturhuset.

Jamal Chowdhury, stod der på kortet, *blogger, writer, PhD Biology, University of Dhaka*, og så hans mailadresse og mobilnummer og nedenunder, med en anden typografi, webadressen: www.mukto-mona.com. Papirkvaliteten var elendig. Kortet var krøllet, og teksten var blegnet. Jamal havde sikkert trykt det selv. Hun havde aldrig spurgt om det, og hvorfor skulle hun også det? Hun kunne jo ikke vide, at kortet skulle gå hen og blive hendes kæreste eje. Natten efter deres første møde havde hun ligget og stirret på kortet under dynen, mens hun genkaldte sig deres samtale og indprentede sig hans ansigtstræk ét for ét. Hun skulle naturligvis have ringet til ham med det samme. Hun skulle have givet lyd fra sig allerede samme aften. Men hun var ung og uskyldig og ville ikke virke alt for ivrig, og hvordan skulle hun også have kunnet forudse, at alt kort efter ville blive frataget hende: mobil, computer, ja, selv muligheden for at gå omkring i niqab i kvarteret derhjemme?

Her i cellen, da den første lysstråle sivede ind i hendes liv, genkaldte hun sig atter den sommer, da hendes faster Fatima indrømmede, at hun havde løjet for hendes skyld, og Faria blev fange i sit eget hjem. Hun blev spærret inde og fik besked på, at hun skulle giftes bort til en halvfætter, hun aldrig havde truffet, men som ejede tre tekstilfabrikker i Dhaka, *tre* – hun havde ikke tal på, hvor mange gange hun havde hørt det tal.

"Tænk dig, Faria. Tre fabrikker!"

Det havde ikke spillet den fjerneste rolle, om de så havde sagt 333. For hende var Qamar Fatali, som halvfætteren hed, bare afskyvækkende. Han så arrogant og væmmelig ud på billederne, og det overraskede hende ikke, at han var salafist og en hadefuld modstander af den sekulære bevægelse i hjemlandet og heller ikke, at det blev til et spørgsmål om liv eller død, at hun forblev jomfru og en god sunnimuslimsk kvinde, indtil Qamar kunne komme og redde hende fra Vesten.

Dengang var der ganske vist ingen i familien, der vidste noget om Jamal. Men der var dukket andre ting op, der blev vendt mod hende, ikke bare mistankerne om, hvad hun egentlig havde lavet, da hun ikke var hos faster Fatima. Der var også andet – gamle, uskyldige facebook-billeder, sladder og rygter, som hævdede, at hun var "et forsuttet bolsje".

Yderdøren blev låst med sikkerhedslås, og eftersom to af brødrene, Ahmed og Bashir, var arbejdsløse, var der altid nogen hjemme til at overvåge hende. Hun havde ikke andet at tage sig til end at gøre rent og lave mad og varte op eller ligge på sit værelse og læse det, der nu var at læse: Koranen, Tagores poesi og noveller, biografierne om Muhammed og de første kaliffer. Men allerhelst drømte hun sig væk.

Bare tanken om Jamal fik hende til at rødme, og hun vidste selvfølgelig godt, at hun var patetisk. Men det var den gave, familien havde givet hende. Fordi de havde frataget hende enhver glæde, kunne selv en spadseretur på Drottninggatan få verden til at skælve. Hun levede allerede dengang i et fængsel, men hun sank aldrig hen i resignation eller opgivelse.

Snarere end at blive deprimeret blev hun rasende, og minderne om Jamal trøstede hende mindre og mindre. Bare erindringen om en samtale, hvor ordene fløj og var frie, fik hver eneste bemærkning derhjemme til at føles stiv og indadvendt, og her var Gud ingen trøst.

Gud var ikke en kilde til rig åndelighed, ikke i hendes familie. Han var bare en hammer til at slå andre mennesker i hovedet med, et redskab for smålighed og undertrykkelse, præcis som Hassan Ferdousi havde sagt. Hun fik åndenød og hjertebanken, og til sidst kunne hun ikke holde det ud længere. Hun var nødt til at slippe væk, koste hvad det ville. Det var allerede september. Det blev køligere udenfor, og hendes blik blev skarpere.

Hun søgte konstant efter udveje. Hun tænkte næsten ikke på andet. Hun drømte om flugt dag og nat. Hun skævede tit til Khalil, lillebroren. Han havde det heller ikke for nemt. Han måtte ikke længere se amerikanske og engelske fjernsynsserier eller bare være sammen med sin bedste ven, Babak, for han var shia. Indimellem så Khalil på hende med et smertefuldt blik, som om han forstod præcis, hvad hun gennemled. Kunne han hjælpe hende?

Hun overvejede det. Hun var helt besat af tanken, og langsomt blev hun også besat af noget andet: af telefoner, brødrenes og farens telefoner, alle tænkelige telefoner, som man kunne få fat i. Hun begyndte at følge de ældre brødre på afstand i lejligheden. Hun fulgte deres hænder, når de sad med deres mobiler og trykkede koder ind. Men først og fremmest noterede hun sig, hvordan de indimellem glemte telefonerne på borde og kommoder og mere aparte steder som for eksempel ved siden af brødristeren, elkedlen eller fjernsynet. Nu og da opstod der helt komiske situationer, når brødrene ikke kunne finde deres telefoner og lavede postyr og ringede til hinanden og bandede endnu mere, når telefonerne var sat på lydløs, og de var nødt til at lokalisere den dumpe summelyd.

Disse farcer udgjorde en af hendes store muligheder. Det var ved at gå op for hende. Hun måtte gribe de lejligheder, når de opstod, selvom hun naturligvis forstod, at det var farligt. Hun risikerede ikke bare at ødelægge familiens ære. Hun satte også farens og brødrenes økonomi over styr. De tre fordømte fabrikker ville komme som en gave fra himlen og bringe dem alle sammen velstand. Hvis hun ødelagde det, ville følgerne blive alvorlige, og det kom ikke bag på hende, at nettet strammedes.

En gift bredte sig i lejligheden, og nu var det ikke længere bare ære og grådighed, der glødede i brødrenes blikke. Det var også noget andet. De begyndte at blive bange for hende, og indimellem tvang de hende til at spise noget mere. Hun måtte ikke blive for mager, eftersom Qamar foretrak buttede kvinder. Hun måtte definitivt ikke blive uren, og da slet ikke fri. De vågede over hende som høge, og hun burde formentlig have resigneret og givet op. Men situationen spidsede til. Det var en morgen midt i september for snart to år siden. Hun spiste morgenmad, og Bashir, den ældste af brødrene, sad og legede med sin telefon.

Malin drak en slurk af sin rødvin ved den provisoriske bardisk på Fotografiska. Det slog Mikael, at hun havde været glad og munter, da han forlod hende. Nu lignede hun en vissen blomst, som hun stod der med hånden begravet i det lange hår.

"Hallo dér," sagde han dæmpet for ikke at forstyrre foredraget.

"Hvem var det, der ringede?" spurgte hun.

"Det var bare min søster."

"Advokaten."

Mikael nikkede.

"Er der sket noget?" spurgte han.

"Hvad? Nej, egentlig ikke. Jeg talte bare med Leo."

"Gik det ikke godt?"

"Det gik vel meget godt."

"Det tror jeg ikke rigtig på."

"Objektivt set gik det meget godt. Vi sagde alle mulige pæne ting til hinanden. Jeg så godt ud, og han var skarp på scenen, og vi havde virkelig savnet hinanden og bla bla bla. Alligevel var det tydeligt, at der var noget galt."

"Hvordan det?"

Malin tøvede. Hun så sig om til alle sider som for at kontrollere, at Leo ikke var i nærheden og kunne høre dem.

"Det føltes ... tomt," sagde hun. "Som om det alt sammen var tomme ord. Det virkede, som om han syntes, det var plagsomt at gense mig."

"Venner kommer og går," sagde Mikael venligt og strøg hende over håret.

"Jeg ved det, og jeg klarer mig for fanden da også helt fint uden Leo Mannheimer. Men jeg blev alligevel ked af det. Vi var trods alt ... der var engang, hvor vi virkelig ..."

Mikael valgte sine ord med omhu.

"I havde et nært forhold," sagde han.

"Ja, det havde vi. Men det var egentlig ikke det, der var værst. Det føltes på en eller anden måde helt forkert."

"Hvordan det?"

"Han sagde, at han havde forlovet sig med Julia Damberg."

"Hvem er Julia Damberg?"

"Hun arbejdede som analytiker hos Alfred Ögren før i tiden, og hun er både sød og smuk, men ikke specielt skarp. Leo brød sig aldrig særligt om hende. Han kaldte hende barnlig. Jeg forstår bare ikke, at de lige pludselig er blevet forlovet."

"Træls."

"Så hold dog op!" hvæsede hun. "Jeg er ikke jaloux, hvis det er det, du tror. Jeg er bare ..."

"Hvad?"

"Forvirret. Helt ærligt er jeg snotforvirret. Der er noget, der ikke stemmer."

"Du mener noget andet og mere, end at han har forlovet sig med den forkerte."

"Nogle gange er du virkelig dum i hovedet, Blomkvist. Ved du godt selv det?"

"Jeg forsøger bare at følge med."

"Nå, men det kan du godt opgive," snerrede hun.

"Hvorfor?"

"Fordi ..."

Hun tøvede og ledte efter ordene.

"... fordi jeg ikke er helt klar endnu," fortsatte hun. "Jeg bliver nødt til at tjekke noget først."

"Vær dog ikke så forbandet kryptisk!"

Nu var det ham, der mistede humøret og hvæsede tilbage. Måske var det urimeligt, men det var nok, fordi det alt sammen pludselig væltede ind over ham i det øjeblik – Lisbeth, volden på Flodberga, hele forårets slid med bladet. Malin så skræmt på ham.

"Undskyld," sagde han.

"Nej, det er *mig*, der undskylder," sagde hun. "Jeg ved godt, at jeg er kryptisk."

Han gjorde sig umage for at lyde forstående og venlig igen.

"Hvad handler det så om?"

"Det er egentlig det samme som sidst."

"Og hvad er det?"

"Det er det der med, at han sad og skrev på sit kontor midt om natten. Der er noget helt forkert ved den scene."

"Kan du ikke prøve at forklare mig det?"

"Først og fremmest må Leo have hørt mig, da jeg kom tilbage fra elevatoren og så ham."

"Hvorfor det?"

"Fordi han lider af hyperakusi."

"Af hvad?"

"Af overfølsomhed over for lyde. Han hører sindssygt godt, det mindste lille fodtrin, den mindste lille sommerfugl der flagrer forbi. Jeg fatter ikke, at jeg havde glemt det. Eller også var det en art ubevidst hensyn. Han betragter sig selv som lidt af en freak. Men da det der stoleben hvinede mod gulvet, kom jeg i tanke om det. Hvad siger du, Mikael, skal vi gå? Jeg magter ikke alt det der investeringspladder," sagde hun og tømte sit vinglas.

FARIA KAZI SAD i sin celle og skulle snart afhøres igen, men hun frygtede det ikke helt så meget, som hun havde troet. Hun havde allerede to gange fortalt om volden og overgrebene på afdelingen, og det var også lykkedes hende at lyve. Det var ikke helt let. Politiet var hele tiden efter hende med Salander.

Hvorfor var Lisbeth derinde? Hvad var hendes andel i dramaet? Faria havde lyst til at skrige: *Det var hende og ikke Alvar Olsen, der reddede mig!* Men hun stod fast. Hun tænkte, at det var det bedste for Lisbeth. Hvornår var der sidst nogen, der var gået i brechen for hende? Hun huskede det ikke, og hun tænkte endnu en gang på den morgen hjemme i Sickla, da hendes bror Bashir sad og fingererede med sin mobil ved siden af hende.

Det havde været en smuk dag. Solen skinnede derude i den verden, der var forbudt for hende. Det var allerede længe siden, at familien havde abonneret på en avis, og endnu længere siden at faren hørte P1 om morgenen. Familien havde afskåret sig fra samfundet.

Bashir drak te og løftede blikket.

"Du ved vel godt, hvorfor Qamar nøler, ikke?" sagde han.

Hun så ud mod gaden.

"Han spekulerer på, om du er en luder. Er du en luder, Faria?"

Hun svarede ikke. Hun havde aldrig svaret på den slags spørgsmål.

"Der er en vantro hund, der har forsøgt at få fat på dig."

Nu kunne hun ikke lade være:

"Hvem?"

"En fyr, en eller anden forræder fra Dhaka," fortsatte Bashir.

Måske burde hun være blevet vred. Jamal var ikke nogen forræder. Han var en helt, en mand der kæmpede for et bedre, mere demokratisk Bangladesh. Alligevel blev hun bare glad, og egentlig var det ikke så mærkeligt. Månederne var gået, og minder og følelser blegner, specielt hvis man ikke har gjort andet end at gå en tur sammen på gaden.

At hun selv havde tænkt på Jamal dag og nat, var ikke underligt. Hun var spærret inde og havde ikke andet at lave. Men han var fri og gik sikkert hele tiden til seminarer og den slags. Han kunne sagtens have mødt en anden kvinde, som var langt mere interessant end hende. Men da Bashir nu spyttede sine beskyldninger ud, forstod hun, at Jamal ville mødes med hende igen, og det var stort.

I hendes indespærrede verden var det større end noget andet, og hun havde bare lyst til at trække sig tilbage med sin glæde. Men hun var nødt til at passe på. Blot en antydning af rødmen kunne være livsfarlig. Blot et nervøst blik eller en stammen ville afsløre hende. Derfor holdt hun masken:

"Hvem?" spurgte hun. "En forræder. Hvad rager det mig?"

Hun rejste sig fra bordet og gik. Det var først langt senere, at hun indså sin fejltagelse. I sin bestræbelse på at lade, som om hun var ligeglad, var hun kommet til at overspille rollen. Men lige i øjeblikket var hun overbevist om, at hun havde vundet en sejr, og da hun var kommet sig over chokket, blev hun mere fokuseret end nogensinde før. Hun måtte have fat i en telefon.

Hun blev besat af tanken, og det måtte have kunnet mærkes. Bashir og Ahmed overvågede hende endnu strengere, og selvfølgelig dukkede der hverken glemte telefoner eller nøgler op. Dagene gik, og oktober kom. Det blev lørdag aften, og hjemmet fyldtes af liv og mennesker. Der gik nogen tid, inden hun forstod, hvad det var, der foregik. Så bundfrosset var deres forhold, at ingen overhovedet havde informeret hende om, at familien fejrede hendes forlovelse. Eller fejre var måske så meget sagt, for der var ingen, der virkede særlig glade. Qamar var der ikke. Han havde problemer med at få indrejsetilladelse, og der var også andre, der manglede, folk der var faldet i unåde eller havde taget afstand fra brødrenes tro. Festen synliggjorde familiens stadigt større isolation. Men Farias opmærksomhed var vendt mod noget helt andet – mod gæsternes ansigter. Kunne nogen hjælpe hende?

Endnu en gang fandt hun imidlertid ikke nogen bedre kandidat end Khalil, lillebroren. Han var 16 år gammel og sad det meste af tiden ved siden af hende og så nervøs ud. Før i tiden, da de boede i Vallholmen og delte værelse, lå de tit vågne til langt ud på aftenen og snakkede, så godt det nu gik an at snakke med Khalil. Dengang, da deres mor lige var død, var han endnu ikke begyndt at løbe i timevis. Men han var allerede speciel. Han var en stille dreng, der bedst kunne lide at sy og tegne, og han sagde tit, at han længtes hjem – til et land han umuligt kunne huske noget af.

Hun så på ham og overvejede, om hun skulle bede ham om at hjælpe hende med at flygte lige nu og her, i ly af festen. Men hun blev for nervøs, så hun gik i stedet på toilettet og tissede. I mangel af bedre eller måske som en del af hendes stadige søgen, så hun sig omkring. Øverst oppe på det mørkeblå badeværelsesskab lå der en telefon. Først turde hun ikke tro på det, men det var virkelig en mobil, og det var ikke engang en af gæsternes, det var Ahmeds. Hun genkendte straks det selvforherligende skærmbillede, hvor han sad og grinede på en motorcykel, som ikke engang var hans. Hendes hjerte hamrede, og hun forsøgte at huske – hun havde set det så tit – hvordan han trykkede sin kode. Det havde lignet et L, måske et, syv, otte, ni. Hun prøvede. Nej. Hun testede en anden variant. Det gik heller ikke, og hun blev bange. Hvad ville der ske, hvis hun kom til at låse den? Der hørtes skridt og stemmer udenfor. Ventede de på hende? Faren og brødrene havde holdt hende under opsigt hele dagen, og hun burde virkelig gå ud nu og lade den mobil ligge. Alligevel forsøgte hun sig med endnu en variant, og med ét var det, som om hun fik et elektrisk stød – hun var inde. Hun behøvede ikke Jamals visitkort, hun kunne hans nummer udenad som sit eget navn. Hun trådte panisk op i badekarret, eftersom det lå længst væk fra døren. Så ringede hun.

Ringetonerne føltes som tågehorn i disen, som nødsignaler på et sort hav, og så skraslede det pludselig i telefonen. Nogen var ved at tage den, og hun lukkede øjnene og lyttede uroligt ud mod gangen og var lige ved at lægge på. Men så hørte hun hans stemme og hans navn, og hun hviskede tilbage:

"Det er mig. Faria Kazi."

"Åh," sagde han.

"Jeg kan ikke tale ret længe."

"Jeg lytter," fortsatte han.

Bare lyden af hans stemme gav hende en klump i halsen, og hun overvejede at bede ham ringe til politiet. Men hun turde ikke. Hun sagde bare:

"Jeg bliver nødt til at se dig."

"Jeg ville blive lykkelig for at se dig," sagde han, og hun havde bare lyst til at skrige: *Lykkelig. Mit hjerte sprænges.*

Hun svarede:

"Jeg ved ikke, hvornår jeg kan."

"Jeg er for det meste hjemme. Jeg har en lille lejlighed på Upplandsgatan. Jeg ligger mest og læser og skriver. Kom, når du kan," sagde han, og så gav han hende en adresse og en dørkode.

Hun slettede opkaldet fra telefonen og lagde den tilbage på håndklædeskabet igen og gik ud forbi alle slægtninge og bekendte og ind på sit værelse. Det var også fuldt af folk. Hun bad dem gå ud, og de smilede kunstigt og gik. Derefter lagde hun sig under dynen og besluttede sig for at flygte for enhver pris. Det var sådan, det var begyndt, det lykkeligste og det værste i hendes liv.

MALIN OG MIKAEL GIK forbi publikum og bogbordet i forhallen og fortsatte ud i solen. De passerede bådene ved kajen og så op mod bjerget på den anden side af vejen. De gik længe tavse i varmen. Mikael havde rystet irritationen af sig, men Malin virkede atter åndsfraværende.

"Det var interessant, det der du sagde om hans hørelse," sagde han.

"Jaså?"

Hun lød distræt.

"Psykologen, Carl Seger, som døde af et vådeskud i skoven for 25 år siden, skrev en afhandling om hørelsens betydning for vores selvopfattelse," fortsatte han.

Hun så på ham.

"Tænker du, at det har noget med Leo at gøre?"

"Jeg ved det ikke. Men det lyder ikke ligefrem som noget almindeligt forskningsemne. Hvordan ytrede Leos lydoverfølsomhed sig?"

"Jo, vi kunne sidde til et møde, og så bemærkede jeg, at han stivnede, uden at jeg forstod hvorfor. Kort efter kom en eller anden ind. Han opfattede alting før os andre, og engang spurgte jeg ham om det. Han slog det hen. Men senere ... i min sidste tid i firmaet, fortalte han mig, at han havde været plaget af sin overfølsomme hørelse hele livet. Han sagde, at han var helt håbløs i skolen."

"Jeg troede, han var klassens lys."

"Det troede jeg også. Men de første år kunne han ikke sidde

stille og ville hele tiden ud. Det var et stort problem, og hvis han havde været fra en anden, mere almindelig familie, ville han sikkert være blevet flyttet over til en obsklasse eller bare være blevet opfattet som et problembarn i al almindelighed. Men nu var han altså en Mannheimer, og alle tænkelige ressourcer blev sat ind. Man opdagede, at hans hørelse var helt enestående. Det var derfor, han ikke kunne holde ud at være i klasseværelset. Den mindste summen eller raslen forstyrrede ham. Det blev besluttet, at han skulle have privatundervisning hjemme, og det var vel dengang, han udviklede sig til den der dreng med den skyhøje IQ, som du læste om."

"Så han var ikke stolt af sin hørelse?"

"Det virkede ikke sådan, men måske ... jeg ved ikke ... måske var det sådan, at han både skammede sig over den og brugte den."

"Han må have været god til at smuglytte."

"Skrev den der psykolog noget om ekstremt god hørelse?"

"På en måde," sagde Mikael, "selvom jeg ikke har fået fat i hans afhandling endnu. Men et andet sted skriver han om, at det, der er evolutionært brugbart i én epoke, kan blive en belastning i en anden. I en stille skov i en jæger/samler-kultur var den, der hørte godt, den mest alerte og den, der havde størst chance for at vende hjem med mad til middagen. Men i storbyens larm og støj risikerer den samme person at blive forvirret og overbelastet. Mere modtager end deltager."

"Var det det, han skrev? Mere modtager end deltager?"

"Det mener jeg."

"Sørgeligt."

"Hvorfor siger du det?"

"Fordi det er Leo i en nøddeskal. Han har altid været betragteren."

"Bortset fra den der uge i december?"

"Bortset fra den, ja. Sig mig, har du mistanke om, at der var noget skummelt ved det der vådeskud i skoven, eller hvad?"

Han opfattede en ny nysgerrighed i hendes stemme og så det som et godt tegn. Måske kunne han få hende til at fortælle noget mere om, hvad det var, der var så mærkeligt ved hendes møde med Leo på kontoret.

"Jeg begynder i det mindste at blive interesseret," sagde han.

Leo glemte aldrig Carl Seger. Som voksen kunne han stadig blive grebet af et intenst savn tirsdag eftermiddag klokken fire, hvor han plejede at mødes med Carl, og det skete, at han snakkede med ham inden i hovedet, som en usynlig ven.

Det blev imidlertid bedre, og præcis som Carl havde forudset, lærte Leo at håndtere verden og dens lyde bedre og bedre. Og tit og ofte var hans hørelse og absolutte gehør en gevinst for ham og intet andet. Det var så afgjort en fordel, når han spillede, og i lang tid drømte han om at blive jazzpianist. Allerede i slutningen af teenagetiden fik han et tilbud om at indspille en plade hos Metronome. Han afslog, fordi han ikke syntes, han havde godt nok materiale endnu.

Da han begyndte på Handelshögskolan i Stockholm, betragtede han det bare som en parentes. Så snart han havde fået samlet sig nogle bedre melodier, ville han lave sin plade og leve for musikken og blive den nye Keith Jarrett. Men parentesen blev hans liv, uden at han var i stand til at forklare, hvordan det gik til. Var det angsten for fiasko og for at skuffe forældrene? Eller var det depressionerne, som kom med samme sikkerhed som årstiderne?

Leo forblev ensom, og det var heller ikke så let at forstå. Folk interesserede sig for ham. Kvinderne blev tiltrukket af ham. Men han blev ikke lige så let tiltrukket af dem. I andres selskab længtes han tilbage til stilheden derhjemme. Men han havde virkelig elsket Madeleine Bard.

Egentlig forstod han det ikke. De havde ikke særlig meget til fælles. Alligevel mente han ikke, at det var så enkelt, at han bare var faldet for hendes skønhed, og da endnu mindre for hendes rigdom. Hun var speciel – sådan ville han altid have det med hende – med sine glitrende blå øjne, som syntes at ruge over en hemmelighed, og med sit vemod, som indimellem gnistrede som et mørkt uvejr i hendes smukke ansigt.

Han og Madeleine forlovede sig og boede sammen i hans lejlighed på Floragatan. Han havde lige arvet sin fars andel i Alfred Ögrens Kapitalfond, og Madeleines familie, som var nogle forfærdelige snobber, betragtede ham som et godt parti. Forholdet var ikke ukompliceret. Madeleine elskede middagsselskaber, Leo hadede dem, og de skændtes, og indimellem låste hun sig inde i soveværelset og græd. Men det var undtagelserne. Det kunne være blevet et godt ægteskab. Det var han overbevist om. Han og Madeleine elskede og diskuterede med samme ildfulde lidenskab.

Alligevel indtraf katastrofen, og det var sikkert i sig selv et bevis på, at han havde været offer for sit eget selvbedrag og set en samhørighed, som ikke fandtes. Det skete i august under et krebsegilde hos Mörners på Värmdö, og allerede fra starten af var stemningen anstrengt. Han var i dårligt humør og syntes, at gæsterne var kedelige og højrøstede. Han trak sig ind i sig selv, hvilket fik Madeleine til at finde hele sin krampagtigt overdrevne munterhed frem. Hun vimsede rundt mellem gæsterne og sagde, at alting var *fantastisk* og *vidunderligt*, og at det var *helt utroligt smukt, som I har indrettet det hele, og altså, sikken have! Jeg er sååå imponeret. Man får jo lyst til at flytte hertil med det samme.* Men det var jo egentlig ikke noget særligt, bare en del af den forestilling, livet er.

Ved midnatstid besluttede han sig for at blæse på festen og sætte sig i et rum for sig selv med en bog – Mezz Mezzrows *Really the Blues*, som han lidt overraskende fandt på en af boghylderne – hvilket betød, at festen alligevel blev så god, som den kunne, for ham. Han fik lov at læse og drømme sig bort til 30'ernes jazzklubber i New Orleans og Chicago og slippe for de andres skrål og snapseviser.

Nogle timer senere kom Ivar Ögren ind, fuld som altid og klædt i en latterlig, sort hat og et brunt jakkesæt, der strammede over maven. Leo holdt sig for ørerne af frygt for, at Ivar ville begynde at råbe op og skabe sig, som han plejede. Ivar sagde:

"Jeg tager din kæreste med ud på en rotur."

Leo protesterede: "Aldrig i livet. Du er ikke ædru." Men det eneste han fik ud af det var, at Ivar sørgede for, at Madeleine fik en rød redningsvest på. Leo gik ud på verandaen og stirrede på den røde redningsvest, der forsvandt ud over havet.

Vandet var blikstille. Det var en klar sommernat, og stjernerne lyste. Ivar og Madeleine talte dæmpet sammen i båden. Ikke, at det gjorde nogen forskel, Leo opfattede alligevel hvert eneste ord. Lutter dumheder og pjat. Det var en ny og vulgær Madeleine, der kom frem, og alene det gjorde ondt. Så forsvandt båden længere ud, og han kunne ikke længere høre, hvad de sagde. De var væk i timevis.

Da de vendte tilbage, var de andre gæster kørt. Himlen lysnede, og Leo stod på stranden med en klump i halsen. Han hørte båden blive trukket på land og Madeleine komme hen imod ham med usikre skridt. På vejen hjem i taxaen var der som en mur imellem dem, og Leo forstod, hvad Ivar havde sagt derude på havet. Ni dage senere pakkede Madeleine sine tasker og forlod ham. Den 21. november samme år, da sneen faldt over Stockholm, og mørket sænkede sig over landet, blev hun og Ivar Ögren forlovet.

Leo sygnede hen i noget, hans læge beskrev som delvis lammelse.

Da han fik det bedre, mødte han op på kontoret, tog sig sammen og lykønskede Ivar med et broderligt kram. Han var med til Ivars polterabend og til brylluppet, og han hilste venligt på Madeleine, når han mødte hende. Han gjorde gode miner til slet spil hver eneste forbandede dag og lod forstå, at der fandtes et venskabsbånd mellem ham og Ivar fra barndommen af, som kunne overleve alt. Men i al hemmelighed tænkte han helt andre tanker. Han planlagde sin hævn.

Ivar Ögren følte på sin side, at han kun havde vundet en delsejr. Leo Mannheimer udgjorde stadig en trussel. Han var en rival til direktørposten for kapitalfonden. Han lagde planer om at knuse Leo fuldstændig.

MALIN FORTALTE IKKE mere om mødet med Leo. Pludselig standsede hun op, uden at Mikael forstod hvorfor. Det var alt for kvælende varmt til at stå stille i solskinnet. Men der stod de, tøvende og nølende mellem de forbipasserende. En bil dyttede i det fjerne, og Malin så ned mod Mariatorget.

"Du," sagde hun, "jeg bliver nødt til at smutte."

Hun kyssede ham distræt og løb ned ad stentrappen til Hornsgatan og videre over mod Mariatorvet. Mikael blev stående lige så rådvild som før. Så fandt han mobilen frem og ringede til Erika Berger, hans nære ven og *Millennium*'s chefredaktør.

Han forklarede, at han ikke ville dukke op på redaktionen de næste par dage. Det betød ikke så meget. De havde lige afleveret julinummeret. Det var snart midsommer, og for første gang i adskillige år havde de haft råd til at ansætte to sommervikarer, som kunne lette arbejdsbyrden for dem.

"Du lyder så dyster. Er der sket noget?" spurgte Erika.

"Der har været en voldsepisode på Lisbeths afdeling på Flodberga."

"Av for pokker! Hvem gik det ud over?"

"En gangster, en mafioso, det er en ret ubehagelig historie. Lisbeth var vidne til det."

"Hun plejer nok at kunne klare sig."

"Det må vi håbe. Men du ... Kan du måske hjælpe mig med en anden sag?"

"Selvfølgelig, hvad?"

"Kan du bede nogen på redaktionen, helst Sofie, om at gå i Stadsarkivet i morgen og finde folkeregisteroplysningerne på tre personer frem?"

Han forklarede Erika, hvem det drejede sig om, og gav hende deres personnumre, som han havde noteret på sin mobiltelefon.

"Gamle Mannheimer," mumlede Erika. "Han er da både død og begravet?"

"Ja, for seks år siden."

"Jeg mødte ham faktisk et par gange, da jeg var lille. Min far kendte ham. Har det noget med Lisbeth at gøre?"

"Måske," svarede han.

"Hvordan det?"

"Jeg ved det faktisk ikke rigtig. Hvordan var han?"

"Mannheimer? Det er svært at sige. Jeg var jo ikke så gammel. Han gik for at være en sur gammel stodder, men jeg husker ham nu som meget rar. Han spurgte mig om, hvad for noget musik jeg kunne lide, og han var god til at fløjte. Hvorfor er du så interesseret i ham?"

"Det forklarer jeg senere," sagde Mikael.

"Okay, som du vil," sagde Erika og fortalte noget om det kommende nummer og annoncetilstrømningen.

Han hørte kun efter med et halvt øre og afsluttede samtalen ret abrupt, inden han fortsatte hen ad Bellmansgatan. Han passerede Bishops Arms og gik ned ad bakken og op til sin loftslejlighed, hvor han satte sig ved computeren og genoptog sin efterforskning, mens han drak et par Pilsner Urquell. Han koncentrerede sig mest om vådeskuddet i Östhammar, men blev egentlig ikke meget klogere. Det var altid problematisk med gamle forbrydelser, det vidste han af bitter erfaring.

Der fandtes ingen digitale arkiver at lede i, og i overensstemmelse med Rigsarkivets regler blev domstolenes forundersøgelser slettet efter fem år. Han besluttede sig derfor for at opsøge retten i Uppsala den følgende dag og bladre i dombøgerne. Bagefter kunne han eventuelt slå et smut forbi politistationen eller opsøge en eller anden gammel pensioneret kriminalassistent, som måske stadig huskede sagen, hvis han fik tid.

Han ringede også til Ellenor Hjort, kvinden der havde været forlovet med Carl Seger. Han forstod straks, at det var et emne, hun var færdig med. Hun ville ikke tale om Carl. Hun var ganske vist både høflig og imødekommende, men hun orkede ikke at grave i det mere, sagde hun: "Det håber jeg, du forstår." Alligevel skiftede hun mening og indvilligede i at mødes med Mikael den følgende eftermiddag, men det skyldtes ikke hans gamle reportercharme, eller bare at hun var blevet nysgerrig efter, hvad han havde gang i, men at Mikael på lykke og fromme nævnte Leo Mannheimer.

"Leo?" udbrød hun. "Jamen, kæreste! Det er meget længe siden. Hvordan har han det?"

Mikael svarede, at han ikke vidste det.

"Stod I hinanden nær?" spurgte han.
"Åh ja! Carl og jeg var meget glade for drengen."
Bagefter gik han ud og ryddede op i køkkenet og overvejede, om han skulle ringe til Malin for at finde ud af, hvad det var, hun var så optaget af. I stedet tog han et brusebad og skiftede tøj. Fem minutter i seks forlod han lejligheden og gik i retning mod Zinkensdamm og restaurant Pane Vino for at mødes med sin søster.

KAPITEL 9

Den 19. juni

HUN SKULLE NOK ordne det, sagde hun. Martin behøvede ikke bekymre sig. Det var den tredje eller fjerde telefonsamtale med ham i dag, og hun mistede heller ikke denne gang tålmodigheden. Men efter at hun havde lagt på, mumlede hun "skvat!". Så begyndte hun at gennemgå det, Benjamin havde rekvireret til hende.

Rakel Greitz var psykoanalytiker og docent i psykiatri og kendt for mange forskellige ting, men måske først og fremmest for sin ordenssans. Hun var rasende effektiv, og det havde ikke forandret sig, efter at hun havde fået konstateret mavesækkræft, og klinisk renhed for alvor var blevet vigtigt for hende. Hun var efterhånden blevet fuldstændig manisk. Hvert eneste støvkorn forsvandt som ved trylleri, og ingen borde eller diske var så rene, som dem hun havde været i nærheden af. Hun var 70 år og syg, men alligevel var hun stadig aktiv.

I dag var timerne fløjet af sted med febrilsk aktivitet. Klokken var nu halv syv om aftenen, og egentlig var det alt for sent. Hun burde have handlet straks. Men det var det sædvanlige. Martin Steinberg var alt for ængstelig, og hun var glad for, at hun stik imod hans råd allerede om formiddagen havde benyttet sig af sine forbindelser hos telefonselskaber og hjemmepleje. Det var ikke sikkert, at det var godt nok. Der kunne allerede være sket meget siden da. Det gamle fjols kunne have haft besøg og fortalt om, hvad han nu vidste eller havde mistanke om. Aktionen var og blev risikabel, men det var den eneste mulighed. Der stod alt for meget på spil, og alt for meget var gået galt i den organisation, hun havde ansvaret for.

Hun rensede hænderne med alcogel og gik ud på badeværelset,

hvor hun smilede til sit eget spejlbillede, bare for at vise, at hun stadig kunne se glad ud. Set fra Rakel Greitz' perspektiv var det, der var hændt, ikke udelukkende af det onde. Hun havde levet så længe i en tunnel af sygdom og smerte, at det, hun nu stod over for at gøre, føltes som en velkommen tilføjelse af nærvær og højtidelighed. Rakel Greitz havde altid holdt meget af følelsen af at have et kald og en højere mening med tilværelsen. Hun boede alene i en lejlighed på 108 kvadratmeter på Karlbergsvägen i Stockholm.

Hun havde netop afsluttet sin kemoterapi og havde det forholdsvis godt. Håret var naturligvis noget tyndere og mere tjavset, men hun havde endnu det meste af det. Den kølehætte, hun havde brugt, havde været effektiv. Hun var stadig flot, høj, slank og rank, med rene ansigtstræk og en naturlig autoritet, som allerede var der, dengang hun tog sin lægeeksamen.

Hun havde naturligvis sine flammer på halsen; men skønt dette modermærke havde voldt hende bekymringer som ung, havde hun lært at holde af det. Hun bar det med stolthed, og selvom hun nu om stunder altid gik med rullekravebluser, så havde det hverken med skam eller forlegenhed at gøre. Rullekravebluserne passede til hendes stramme værdighed – stilrent, men aldrig prangende. Rakel gik stadig med de spadseredragter og jakkesæt, hun havde fået syet som ung, og hun havde aldrig haft brug for at lægge dem ud. Selvom der var noget køligt og strengt i hendes karakter, oppede alle sig, når de var sammen med hende. Hun var kompetent og hurtig og kendte til værdien af loyalitet, både over for idéer og personer. Hun havde aldrig nogensinde talt over sig, end ikke til sin afdøde mand, Erik.

Hun gik ud på altanen og så ud mod Odenplan. Hendes højre hånd hvilede roligt på gelænderet højt over gaden dernede, uden at ryste. Hun gik atter ind i lejligheden og ryddede lidt her og der. Så fandt hun sin brune lægetaske af læder frem fra garderobeskabet i entreen. Hun pakkede de ting ned, som Benjamin – hendes trofaste ven og assistent – havde skaffet hende, og fortsatte ud på badeværelset, hvor hun sminkede sig helt usædvanlig grimt og valgte en smagløs, sort paryk. Et kort øjeblik smilede hun igen.

Eller var det en nervøs grimasse? Selv hun med al sin erfaring følte sig pludselig urolig.

MIKAEL OG HANS søster sad ved et bord på Pane Vinos udeservering på Brännkyrkagatan. De bestilte trøffelpasta og rødvin, kommenterede sommeren og varmen og snakkede kort om ferieplaner. Derefter gav Annika en kort, uddybende beskrivelse af situationen på Flodberga, inden hun tog hul på sit egentlige ærinde.

"Nogle gange er politiet sådan en samling idioter, Mikael," sagde hun. "Kender du noget til situationen i Bangladesh?"

"Ja, sådan da."

"Bangladesh har islam som statsreligion. Samtidig er landet ifølge forfatningen en sekulær stat med presse- og ytringsfrihed, og det kan selvfølgelig sagtens lade sig gøre."

"Det går bare ikke så skidegodt med det."

"Regeringen er presset af islamister og har lavet love, som forbyder enhver udtalelse, der kan såre religiøse følelser. *Kan*, står der, og hvis man gør sig bare en lille smule umage, kan jo stort set alting såre nogen. Lovene er også blevet tolket så strengt, at en hel række skribenter er blevet idømt lange fængselsstraffe. Men det er ikke det værste."

"Det værste er, at loven legitimerer overgreb."

"Loven har givet islamisterne vind i sejlene. Jihadister og terrorister er begyndt systematisk at true, chikanere og myrde anderledestænkende, og kun yderst få af gerningsmændene er blevet stillet for retten. Særlig hårdt er det gået ud over sitet Mukto-Mona, et internetforum, der advokerer for udbredelsen af ytringsfrihed, oplysning og et åbent, sekulært samfund. En hel række af Mukto-Monas skribenter er blevet myrdet, og endnu flere er blevet truet og sat på dødslister. Jamal Chowdhury var en af dem. Han var en ung biolog, som skrev om evolutionsteori i Mukto-Monas regi. Jamal blev officielt dømt til døden af den islamistiske bevægelse i landet og flygtede – med hjælp fra svenske PEN – til Sverige. Og i lang tid så det ud, som om alt var godt. Han var deprimeret, men fik det gradvist bedre, og en dag besøgte han et arrangement om religiøs kvindeundertrykkelse i Kulturhuset i Stockholm."

"Og dér mødte han Faria Kazi."

"Godt, du har læst på lektien," fortsatte Annika. "Faria sad bagerst i lokalet, og hun er – kan man roligt sige – en meget smuk ung kvinde. Jamal kunne ikke få øjnene fra hende, og bagefter opsøgte han hende. Det blev begyndelsen på ikke blot en stor forelskelse, men også en tragedie, et moderne Romeo og Julie-drama."

"Hvad mener du?"

"Jeg mener det, jeg siger. Præcis ligesom Romeo og Julie tilhørte Farias og Jamals familier hver sin side i striden. Jamal kæmpede for et frit og åbent Bangladesh, mens Farias far og brødre havde taget parti for landets islamister, især efter at Faria mod sin vilje var blevet lovet bort til Qamar Fatali."

"Hvem er det?"

"En korpulent herre i 45-årsalderen, som bor i et stort hus i Dhaka med en hel flok tjenere. Han ejer ikke bare en lille tekstilkoncern, men finansierer også flere *qawmi* i landet."

"Qawmi?"

"Koranskoler uden for regeringens kontrol, hvor unge jihadister får deres ideologiske skoling. Qamar Fatali havde allerede en kone på sin egen alder, men blev helt betaget af fotografier af Faria Kazi og ville tage hende som sin anden-hustru. Men som du måske kan gætte, var det ikke så enkelt for ham at få indrejsetilladelse til Sverige, og frustrationerne voksede."

"Desuden dukkede Jamal Chowdhury op i billedet."

"Desuden gjorde han jo det, og Qamar og brødrene Kazi fik mindst to gode grunde til at dræbe ham."

"Så Jamal tog ikke livet af sig, er det det, du vil sige?"

"Jeg siger ikke noget endnu, Mikael. Jeg giver dig bare baggrundshistorien – en kort redegørelse for det, som Lisbeth og jeg har talt om. Jamal blev den store fjende, en "Montague". Jamal var selv troende muslim, men langt mere liberal, og ligesom sine forældre – som begge to er universitetslærere – betragtede han menneskerettighederne som afgørende for samfundet. Alene det gjorde Jamal Chowdhury til familien Kazis og Qamars fjende. Men på grund af sin kærlighed til Faria blev han også en privat trussel, ikke bare mod farens og brødrenes ære, men også mod deres økonomi. Der var tydelige motiver til at rydde ham af vejen, og Jamal indså tidligt, at han spillede højt spil. Men han kunne ikke gøre noget ved det. Han skriver selv om det i sin dagbog – som politiet har ladet oversætte fra bengali, og som citeres i forundersøgelsen. Skal jeg læse lidt op?"

"Gerne."

Mikael drak sin Chianti, mens Annika bøjede sig ned og fandt politiudredningen frem fra sin mappe og bladede i papirbunken.

"Her," sagde hun. "Hør lige."

Hun læste:

Efter at have set mine venner dø og være blevet tvunget til at forlade mit hjemland, var det, som om verden var hyllet i aske. Alt, hvad jeg betragtede, mistede sine farver, og jeg fandt ingen mening i tilværelsen længere.

"Den sidste sætning blev senere anført som et argument for, at han virkelig havde taget sit eget liv der i tunnelbanen," afbrød hun sig selv. "Men det fortsætter:"

Alligevel forsøgte jeg at finde på noget at gøre, og en dag i juni gik jeg ind for at høre en debat om religiøs undertrykkelse i Stockholm. Jeg havde ingen forventninger. Det, som tidligere havde betydet så meget for mig, forekom mig nu ligegyldigt, og jeg fattede ikke, hvordan imamen på scenen stadig kunne synes, at der var så meget at kæmpe for. Selv havde jeg givet op. Jeg var styrtet ned i et sort hul. Jeg tænkte, at jeg var levende død.

"Ja, jeg ved godt, at han er lidt melodramatisk," undskyldte Annika.

"Nej, overhovedet ikke. Jamal var ung, ikke? Så skriver man sådan. Han minder mig om min stakkels kollega Andrei. Fortsæt!"

Jeg tænkte, at jeg var død og tabt for verden. Men så så jeg en ung kvinde i sort kjole længere tilbage i salen. Hun havde tårer i øjnene og var så smuk, at det gjorde ondt. Livet vågnede i mig igen. Det vendte tilbage som et elektrisk stød, og jeg vidste, at jeg var nødt til at tale med hende. På en eller anden måde vidste jeg allerede da, at vi hørte sammen, og at det var mig og ingen anden, der skulle trøste hende. Jeg gik hen til hende og sagde et eller andet tåbeligt og troede, at jeg havde dummet mig. Men hun smilede, og vi gik ud på torvet, som om vi altid havde vidst, at det var det, vi skulle, og så spadserede vi ad en lang gågade forbi Riksdagshuset.

"Nå, jeg skal ikke fortsætte. Jamal havde aldrig magtet at fortælle nogen om, hvad der var sket med hans venner fra Mukto-Mona. Men sammen med Faria flyder ordene ud af ham. Han fortæller hende det hele, det fremgår af dagbogen, og da Faria efter knap en kilometer siger, at hun bliver nødt til at gå, får hun hans visitkort og lover snart at ringe. Men hun ringer aldrig. Jamal venter og bliver helt fortvivlet. Han finder hendes mobilnummer på nettet og indtaler en besked. Han indtaler fire, fem, seks beskeder. Men hun ringer stadig ikke tilbage. I stedet bliver han ringet op af en mand, der hvæser, at Jamal aldrig skal ringe igen. 'Faria foragter dig, din lort,' siger manden, og Jamal bliver helt fortvivlet. Senere bliver han langsomt mistænksom og undersøger sagen. Han forstår naturligvis ikke det hele, ikke at faren og brødrene har taget Farias telefon og computer, og at de tjekker alle hendes mails og telefonopkald og holder hende indespærret. Men han forstår, at der er noget helt galt, og han opsøger imamen Ferdousi, som også siger, at han er bekymret. Sammen kontakter de myndighederne, men selvfølgelig er der ingen hjælp at hente der. Der sker ikke noget, ingenting, og Ferdousi opsøger selv familien, men bliver smidt ud. Jamal er parat til at sætte himmel og jord i bevægelse. Men så ..."

"Ja?"

"Så ringer Faria selv, fra et andet nummer, og vil mødes med ham. Jamal bor på det tidspunkt på en hemmelig adresse i en lejlighed på Upplandsgatan, som forlaget Norstedts har hjulpet ham med at få. Præcis hvad der sker, er uklart. Vi ved bare, at lillebroren i familien, Khalil, hjælper Faria med at flygte, og at hun tager direkte hen til Upplandsgatan. Det bliver et møde som i film eller drømme. De elsker og snakker, dag og nat. Det har Faria, som ellers tav under afhøringerne, selv bekræftet. De bestemmer sig for at kontakte politiet og svensk PEN for at få hjælp til at skjule sig. Men så ... Det er så sørgeligt. Faria vil tage afsked, og hun har jo fået tillid til sin lillebror. Hun aftaler at mødes med ham på en café ved Norra Bantorget. Det er en kølig efterårsdag. Hun går derhen i Jamals blå dynejakke, der har en hætte, som hun trækker ned over hovedet. Hun er iført sorte gummistøvler og jeans. Hun når aldrig frem."

"Det var et baghold?"

"Det var utvivlsomt et baghold – der findes vidner til det. Men hverken jeg eller Lisbeth tror, at Khalil narrede hende. Vi har snarere mistanke om, at de ældre brødre holdt øje med ham og fulgte efter. De venter på Faria i en rød Honda Civic på Barnhusgatan, og i en lynaktion trækker de hende ind i bilen og kører hende tilbage til hjemmet i Sickla. Brødrene overvejer tilsyneladende at sende Faria til Dhaka. Men de forudser formentlig, at det er for risikabelt. Hvordan skal de holde hende under kontrol i lufthavnen og på flyet? Skal de bedøve hende?"

"Så de beslutter, at hun skal skrive et brev."

"Ja, netop. Men det brev, det giver jeg ikke meget for, Mikael. Det er ganske vist hendes håndskrift. Men hver eneste sætning vidner om, at brødrene eller faren har dikteret det – bortset fra at Faria lægger usynlige budskaber ind i teksten. Hun skriver: 'Jeg har jo hele tiden sagt, at jeg ikke elsker dig.' Det er utvivlsomt en hemmelig hilsen. Jamal fortæller i sin dagbog, hvordan de hver aften og hver morgen erklærede hinanden deres kærlighed om og om igen."

"Jamal må have slået alarm, da hun ikke vendte tilbage efter mødet med broren."

"Naturligvis gjorde han det. Men politiet var nogle idioter. To politiassistenter tog pligtskyldigst en tur ud til Sickla, og da faren i døråbningen forsikrede dem om, at alt var godt, bortset fra at Faria havde fået influenza, gik de igen. Men Jamal gav ikke op. Han ringede til alt og alle, og jeg tror, at familien fik på fornemmelsen, at det hastede."

"Det lyder ikke godt," sagde Mikael.

"Nej, og det bliver mandag den 9. oktober. Jamal skriver i sin dagbog, at han vågner med en følelse af død i kroppen. Det gør politiet selvfølgelig et stort nummer ud af bagefter. Men jeg oplever det ikke, som at han har givet op. Det er bare Jamals måde at formulere sig på. Han er sønderknust og forbløder. Han kan ikke sove, ikke tænke, dårligt nok være menneske. Han 'raver rundt'. Skriger sin 'fortvivlelse ud'. Han skriver sådan, og politiet overfortolker ordene. Det er min opfattelse. Mellem linjerne lyder han snarere som en mand, der vil slås for at få det tilbage, han har mistet, og først og fremmest er han bekymret. 'Hvad laver Faria nu?' skriver han. 'Gør de hende fortræd?' Han nævner heller ikke Farias brev med et ord, selvom det ligger åbnet på køkkenbordet. Formentlig har han straks gennemskuet det. Vi ved, at han forsøger at få fat i Ferdousi, som er til en konference i London. Han ringer til Fredrik Lodalen, en docent i biologi i Stockholm, som Jamal er blevet ven med. De mødes ved syvtiden om aftenen på Hornsbruksgatan, hvor Lodalen bor sammen med sin kone og to børn. Jamal bliver der længe. Børnene falder i søvn. Fruen falder i søvn, og Fredrik Lodalen bliver mere og mere utålmodig. Han har ondt af Jamal. Men han skal også tidligt op næste morgen, og som så mange mennesker i krise gentager Jamal sig selv. Han kører i det samme spor, og ved midnatstid beder Fredrik ham om at gå. Han lover at kontakte politiet og kvindekrisecentret næste dag. På vejen mod tunnelbanen ringer Jamal til forfatteren Klas Fröberg, som han har lært at kende via svenske PEN. Klas svarer ikke, og Jamal går ned i Hornstulls tunnelbane. Klokken er 00.17. Det er natten til den 10. oktober. Det er blæst op, og det regner."

"Så der er ikke mange ude."

"På perronen er der kun en kvinde, en bibliotekar. Overvågningskameraet fanger Jamal, da han passerer hende, og han ser utrolig ked ud af det. Men alt andet ville også være mærkeligt. Han har dårligt nok sovet, siden Faria forsvandt, og han føler sig svigtet af alle. Men alligevel, Mikael, alligevel ... Jamal ville aldrig svigte Faria, når hun havde allermest brug for ham. Et af overvågningskameraerne på perronen var i stykker, og det kan være et uheldigt sammentræf eller ikke. Men jeg kan ikke tro, at det er et tilfælde, at en ung mand tiltaler bibliotekaren på engelsk, i samme øjeblik som toget ruller ind på perronen, og Jamal styrter ned på sporet.

Kvinden ser ikke, hvad der sker. Hun aner ikke, om Jamal er blevet skubbet eller selv er sprunget, og den unge mand, hun taler med, har ikke kunnet identificeres."

"Hvad siger togføreren?"

"Han hedder Stefan Robertsson og er den afgørende grund til, at dødsfaldet blev henlagt som selvmord. Robertsson siger, at han er sikker på, at Jamal selv sprang. Men han var også dybt rystet, og jeg ville nok sige, at han fik stillet ledende spørgsmål."

"Hvordan det?"

"Afhøringslederen syntes ikke rigtig at ville se andre muligheder. I Robertssons første forklaring – inden hans hjerne skabte en mere sammenhængende fortælling – taler han om overdreven flaksen, som om Jamal havde for mange arme og ben. Han vender ikke tilbage til det, og hans erindring bliver sjovt nok bedre, jo længere tid der går."

"Og billetkontrolløren deroppe? Han eller hun burde jo have set en gerningsmand løbe ned og op."

"Billetkontrolløren ser en film på sin iPad og siger, at der er en del personer, der passerer. Men han lægger ikke mærke til noget bemærkelsesværdigt, og han mener, at det mest er folk, som er steget af toget. Han har ingen klar tidsfornemmelse."

"Er der ikke også kameraer deroppe?"

"Det er der, jo, og der har jeg faktisk fundet noget. Ikke noget særligt, men de fleste, stort set alle, som kommer op, har været til at identificere, bortset fra en tilsyneladende ranglet ung mand. Manden holder hovedet bøjet, og derfor ser vi aldrig hans ansigt. Men han virker nervøs og sky, og det er en skam, at man ikke har tjekket ham nøjere, specielt fordi hans bevægelsesmønster ser vældig specifikt og nervøst ud."

"Jeg forstår. Jeg undersøger sagen," sagde Mikael.

"Så har vi Faria Kazis egen forbrydelse, som hun er dømt for," fortsatte Annika. Men så kom maden, og de blev ukoncentrerede et øjeblik, ikke kun på grund af tjeneren og hans rumsteren med tallerkener og parmesanost, men også fordi en flok skrålende teenagere passerede dem på vejen op mod Yttersta Tvärgränd og Skinnarviksberget.

HOLGER PALMGREN LÅ og tænkte på krigen i Syrien og på alverdens fortrædeligheder – på smerten, der skar som knive i hans hofter, på sin idiotiske telefonsamtale dagen før, og på hvor forfærdelig tørstig han var. Han havde drukket alt for lidt og heller ikke spist noget, og der ville gå nogen tid endnu, inden Lulu kom og sørgede for hans aftenritualer, hvis hun ellers overhovedet kom.

Det var, som om ingenting fungerede i dag. Hans telefoner duede ikke, og der var ikke kommet nogen hjemmehjælper, selv ikke Marita havde været der. Han havde bare ligget der og hidset sig op, og han burde virkelig ringe på alarmen. Alarmen hang i en snor omkring halsen, og selvom han altid tøvede med at bruge den, føltes det, som om det var på tide nu. Han var så tørstig, at han dårligt nok kunne samle tankerne. Varmt var det også. Ingen havde luftet ud eller åbnet et vindue hele dagen. Ingen havde overhovedet gjort noget, og nærmest desperat lyttede han ud mod trappeopgangen. Var det ikke elevatoren? Elevatoren kørte jo hele tiden. Folk kom og gik. Men ingen standsede hos ham. Han bandede og vred sig i sengen og led alle helvedes kvaler, særlig på grund af én ting. I stedet for at ringe til professor Martin Steinberg, som formentlig var både uhæderlig og ondsindet, burde han have kontaktet den der psykolog, som også var nævnt i de hemmeligstemplede papirer, hende der hed Hilda von Kanterborg, og som angiveligt skulle have brudt sin tavshedspligt og fortalt Lisbeths mor om Registret. Det var jo hende om nogen, der kunne have hjulpet ham, og ikke den ansvarlige for hele projektet! Sikke en jubelidiot han havde været, og hvor var han dog forfærdelig tørstig! Han overvejede at råbe om hjælp – skrige af sine lungers fulde kraft ud mod trappeopgangen. Måske ville nogle af naboerne høre ham. Men vent ... nu hørte han trin igen, og de var på vej hen mod ham. Han smilede bredt. Det måtte være Lulu, hans vidunderlige Lulu.

"Hallo, hallo, nu må jeg høre, hvordan det gik i Haninge med hvad-var-det-nu-han-hed?" råbte han med sine sidste kræfter, idet døren gik op og blev lukket igen, og sko blev tørret af på måtten. Men han fik intet svar, og nu kunne han også høre, at trinene var lettere end Lulus, mere rytmiske og hårde. Han så sig om efter noget at forsvare sig med. Så åndede han lettet op. En høj, rank, tynd kvinde i en sort rullekravebluse tonede frem i døråbningen og smilede til ham. Kvinden var omkring de 60, måske 70, og hun havde fine, skarpskårne ansigtstræk. Blikket udstrålede en forsigtig varme. Hun havde en brun lægetaske med, som syntes at tilhøre en anden og ældre tid. Der var en naturlig værdighed over hende.

"Godaften, hr. Palmgren," sagde hun med et kultiveret smil. "Lulu beklager, at hun ikke kunne komme i dag."

"Hun er vel ikke syg?"

"Nej, nej, det var vist bare noget privat, ikke noget alvorligt," sagde kvinden, og Holger følte et stik af skuffelse.

Han fornemmede også noget andet. Men han forstod ikke rigtig hvad. Han var alt for omtåget og tørstig.

"De kunne vel ikke hente et glas vand?" spurgte han, og kvinden svarede: "Jamen, kæreste ven da!" – præcis som hans gamle mor for så længe siden.

Hun tog et par latexhandsker på og forsvandt og vendte tilbage med to glas. Han drak med skælvende hænder og mærkede, hvordan han atter fik fast grund under fødderne, og verden fik klarere farver igen. Så kiggede han op på kvinden. Hendes blik virkede stadig varmt og inderligt. Men han kunne ikke lide latexhandskerne og heller ikke håret. Håret var tykt og sort og passede ikke til hende. Var det en paryk?

"Nu går det bedre, ikke?" sagde hun.

"Meget bedre! Arbejder De som vikar for hjemmeplejen?" spurgte han.

"Jeg tager nogle små brandslukningsopgaver nu og da. Men jeg er 70, så det er ikke så tit," svarede kvinden og knappede hans natskjorte op. Den var gennemblødt af sved efter den lange dag i sengen.

Så fandt hun et morfinplaster frem fra den brune lædertaske, hævede hospitalssengen op og desinficerede et punkt højt oppe på ryggen med en tot vat. Hendes bevægelser var omsorgsfulde og præcise. Hun var utvivlsomt dygtig. Han var i gode hænder. Der var ingen antydning af klodsethed som hos hans andre hjælpere. Men det fik også Holger til at føle sig sårbar – som om kvindens professionalisme reducerede ham.

"Ikke så hastigt," sagde han.

"Nej, nej, jeg skal nok være forsigtig. Jeg læste om Deres smerter i journalen. Det lyder slemt."

"Jeg klarer mig," svarede han tankefuldt.

"*Klarer mig?*" sagde hun. "Det duer ikke. Livet skal være bedre end det. Jeg giver Dem en lidt stærkere dosis i dag. Jeg synes, de har været lidt fedtede med morfinen."

"Lulu ..." begyndte han.

"Lulu er udmærket. Men det er ikke hende, der fastsætter styrken på morfinen. Det overskrider hendes beføjelser," afbrød kvinden, og med sine erfarne hænder – med sin naturlige autoritet – satte hun plastret på.

Det føltes, som om morfinen virkede med det samme.

"Så De er læge?"

"Nej, nej, så langt kom jeg aldrig. Jeg var øjensygeplejerske på Sophiahemmet i mange år."

"Jaså, virkelig," svarede han. Han fornemmede noget nervøst hos kvinden, en trækning ved munden. Men det var måske ikke så mærkværdigt, sagde han til sig selv. Alligevel kunne han ikke lade være med at studere hendes ansigt nøjere nu. Hun havde klasse, havde hun ikke? Hun ville kunne optræde i det bedre selskab. Men der var noget galt med hendes frisure og hendes øjenbryn. Farven og stilen var forkert, og de virkede underligt påklistrede. Holger tænkte på hele sin underlige dag og på samtalen i går. Han så på kvindens rullekravebluse. Der var et eller andet med den, var der ikke? Han forstod ikke hvad, det var for kvælende varmt. Næsten uden at tænke over det, førte han hånden op mod alarmen.

"De kunne vel ikke åbne et vindue?" sagde han.

Hun svarede ikke. Hun strøg hans hals med bløde, målbevidste bevægelser. Så løftede hun snoren med alarmen op over hans hals og sagde smilende:

"Vinduerne skal være lukkede."
"Hvad?"
Kommentaren var så ubehagelig i al sin enkelhed, at han næsten ikke kunne rumme det. Han glippede bare målløs med øjnene og overvejede, hvad han skulle gøre. Men det var ikke let. Hun havde taget hans alarm. Han lå ned, og hun havde sin lægetaske og hele sin effektive professionalisme. Desuden var det hele så underligt. Kvinden så udvisket ud, som om hun forsvandt ud og ind af fokus. Pludselig indså han, at hele rummet var ved at blive udvisket i konturerne.
Han var på vej væk. Han gled ind i bevidstløsheden, og han kæmpede imod, alt hvad han kunne. Han virrede med hovedet, viftede med den raske hånd, hev efter vejret. Men det eneste der skete var, at kvinden smilede endnu bredere. Hun smilede som i triumf og satte et nyt plaster på hans ryg. Derefter gav hun ham natskjorten på igen og rettede på puden og sænkede sengen. Hun klappede på dynen, som for at være ekstra sød – som en art pervers kompensation.
"Nu skal du dø, Holger Palmgren," sagde hun. "Er det ikke også på tide?"

ANNIKA OG MIKAEL drak vin og sad tavse lidt og kiggede op mod Skinnarviksberget.
"Faria Kazi frygtede sikkert mere for sit eget liv end for Jamals," fortsatte Annika. "Men dagene gik, uden at der skete noget. Vi ved i og for sig ganske lidt om, hvad der foregik i lejligheden i Sickla. Faria tav stort set under hele politiafhøringen, og faren og brødrene gav et så samstemmende og forskønnet billede af situationen, at det ikke kan være andet end falsk. Men vi kan være sikre på, at de følte sig stressede. Rygterne gik, og der blev indgivet politianmeldelse, og det var sikkert ikke så let at holde styr på Faria. Brødrene må have indset, at der måtte gøres noget hurtigt."
"Okay," sagde Mikael eftertænksomt.
"Vi ved nogle enkelte ting med sikkerhed," fortsatte Annika. "Vi ved, at storebroren Ahmed står i dagligstuen ved de store glasru-

der fire etager oppe lidt i syv om aftenen dagen efter Jamals død. Faria kommer derind. De veksler nogle ord. Det virker, som om der har fundet en kort samtale sted – og så pludselig, ud af det blå, bliver Faria stiktosset. Hun kaster sig mod Ahmed og forårsager hans fald ud gennem vinduet. Hvorfor? Fordi han fortæller hende, at Jamal er død?"

"Det lyder rimeligt."

"Ja, sikkert. Sådan må det være. Men finder hun også ud af noget andet og mere – noget der får hende til at vende sin vrede og fortvivlelse mod sin bror?"

"Det er et godt spørgsmål."

"Og først og fremmest: Hvorfor fortæller hun det ikke bagefter? Hun burde have alt at vinde ved at tale. Alligevel er hun tavs som graven under politiafhøringerne og retssagen."

"Lidt ligesom Lisbeth."

"Som Lisbeth, men alligevel på en anden måde. Faria lukker sig inde i en tavs, kompakt sorg og nægter at beskæftige sig med verden og svarer ikke på anklagerne."

"Man forstår godt, at Lisbeth ikke bryder sig om, at folk generer pigen," sagde Mikael.

"Enig, og det foruroliger mig."

"Har Lisbeth haft adgang til en computer på Flodberga?"

"Hvad? Nej, nej," sagde Annika. "De er meget hårde, hvad det angår. Ingen computere, ingen mobiler. Alle besøgende visiteres grundigt. Hvorfor spørger du?"

"Jeg har på fornemmelsen, at Lisbeth har fundet ud af noget mere om sin barndom, mens hun har været der. Men det kan selvfølgelig have været Holger, der har fortalt hende noget."

"Du må spørge ham. Hvornår var det nu, du skulle hen til ham?"

"Klokken ni."

"Han har forsøgt at ringe til mig."

"Ja, det sagde du."

"Jeg prøvede at ringe tilbage i dag. Men der var noget galt med hans telefoner."

"Med hans *telefoner*?"

"Ja, jeg prøvede både hans mobil og hans fastnet, men ingen af dem virkede."

"Så hans fastnet var også ude af funktion. Hvornår ringede du?" spurgte Mikael eftertænksomt.

"Sådan cirka ved et-tiden."

Mikael rejste sig og så op mod bjerget. Han så åndsfraværende ud.

"Er det okay, hvis du betaler denne gang, Annika? Jeg tror, jeg må løbe," sagde han.

Så forsvandt han ned i Zinkensdamms tunnelbane.

Holger Palmgren så som gennem en tiltagende tåge, hvordan kvinden tog hans mobil og dokumenterne om Lisbeth fra natbordet og lagde dem i sin brune lægetaske. Han hørte hende rode i kommoder og skuffer. Men han var ude af stand til at røre sig. Han sank som gennem et sort hav, og et øjeblik troede han, at han ville få lov til bare at synke hen i dvale.

I stedet gav det et jag af panik i ham, som om luften var blevet giftig. Kroppen spændtes, så han nærmest gik i bro. Og så kunne han ikke få luft mere. Havet lukkede sig om ham igen, og han sank ned mod bunden og troede, det var slut. Men så sansede han svagt noget. En mand, en velkendt skikkelse, rev og sled i hans tøj og flåede plastrene af hans ryg, og Holger glemte alt andet. Han koncentrerede sig dybt og kæmpede desperat som en dybhavsdykker, der måtte op til overfladen, før det blev for sent. Og giften i hans krop taget i betragtning og den åndedrætslammelse, der havde ramt ham, var det en forbløffende præstation.

Han åbnede øjnene og fik fremstammet fem ord. Det burde ganske vist have været seks, men det var alligevel første del af en vigtig oplysning.

"Tal med ..."

"Med hvem? Med hvem?" råbte manden.

"Med Hilda von ..."

Mikael var styrtet op ad trappen og havde fundet døren åben. Allerede da han trådte ind i lejligheden, og den indelukkede luft ramte ham, anede han, at der var noget galt. Han styrtede forbi nogle spredte dokumenter på entrégulvet og ind i soveværelset. I sengen lå Holger Palmgren i en unaturligt forvreden stilling med et brunt tæppe over hoften. Den højre hånd var rettet mod struben, og fingrene strittede krampagtigt. Ansigtet var askegråt, og munden var stivnet i en opspilet, fortvivlet grimasse. Den gamle mand så død ud. Han så ud, som om han havde lidt en forfærdelig død, og et øjeblik stod Mikael bare chokeret og rådvild og stirrede på ham. Så var der noget, en glød langt inde i øjnene syntes han, som fik ham til at reagere og ringe til alarmcentralen. Så ruskede han Holger og betragtede brystkassen og munden. Han fornemmede, at den gamle ikke kunne få vejret, og han tøvede ikke et øjeblik. Han lukkede Holgers næse og blæste tungt og rytmisk luft ind i hans luftveje. Den gamle mands læber var blå og kolde, og en overgang tænkte Mikael, at det ikke nyttede noget. Alligevel nægtede han at give op, og formodentlig var han blevet ved, indtil ambulancen var kommet, hvis ikke den gamle pludselig var begyndt at sprælle og vifte med den raske hånd.

Mikael tolkede det først som en spasme, en heftig bevægelse, som kom med livet og kræfterne, der vendte tilbage, og han mærkede en bølge af glæde og håb. Men så undrede han sig over hånden. Ville den fortælle ham noget? Hånden viftede mod ryggen, og Mikael flåede natskjorten af ham. Han opdagede to plastre, der sad højt oppe på ryggen, og uden at tøve rev han dem af og kiggede på dem. Hvad var det, der stod? Hvad fanden var det, der stod? Det flimrede for øjnene af ham.

Aktiv substans: fentanyl.

Hvad var det? Han så på Holger og tøvede et øjeblik. Hvad skulle han prioritere? Han fandt mobilen frem og søgte på Wikipedia. **Fentanyl**, stod der, **er et syntetisk smertestillende stof i opioid-gruppen ... Fentanyl er omkring 100 gange mere potent end morfin ...**

Ved forgiftning ses svag eller ophørt vejrtrækning ... Antidot (modgift) er naloxon.

"Pis, pis!"

Han ringede til alarmcentralen igen og forklarede, hvem han var, og at han lige havde ringet. Han nærmest skreg:

"I skal have naloxon med, hører I? Han skal have en indsprøjtning med naloxon. Han kan ikke trække vejret."

Han lagde på og skulle lige til at fortsætte med sit kunstige åndedræt, da Holger prøvede at sige noget.

"Senere," tyssede Mikael. "Spar på kræfterne."

Holger rystede på hovedet og hvæsede noget. Det var umuligt at høre hvad. Det var en hæs, næsten lydløs kvækken, forfærdelig at høre på. Mikael bed sig i læben og skulle netop til at begynde at puste ny luft i den gamle mand, da han syntes, han trods alt opfattede noget, to ord:

"Tal med ..."

"Med hvem? Med hvem?" og så kvækkede Holger med sine sidste kræfter noget, der lød som "Hilda fra ..."

"Hilda fra hvad?"

"Med Hilda von ..." hvæsede Holger.

Det føltes, som om det var noget vigtigt, noget afgørende.

"Von hvad? Essen? Rosen? Hvad?"

Holger så på ham med et fortvivlet blik. Så skete der noget med hans øjne. Pupillerne videde sig ud, og kæben faldt ned. Han fik det dramatisk værre, og Mikael gjorde alt, hvad der stod i hans magt – kunstigt åndedræt, hjertelungeredning, alt, alt, og et øjeblik troede han virkelig, at det gav resultat. Holger løftede hånden. Der var noget majestætisk over bevægelsen. Han knyttede de knortede fingre. Den gamle mand løftede som i trods sin knyttede næve op over sengen. Så faldt hånden tilbage mod sengen, og han spilede øjnene op.

Det gav et ryk i kroppen, og så var det forbi. Mikael forstod det instinktivt. Alligevel opgav han ikke sine anstrengelser. Han pressede hænderne hårdere mod Holgers brystkasse og blæste luft ind i hans strube. Han slog ham på kinderne og skreg til ham, at han skulle leve og trække vejret. Til sidst blev han nødt til at indse, at det ikke nyttede noget. Der var ingen puls, intet åndedræt, ingenting. Han hamrede næven så hårdt ned i natbordet, at pilleæsken røg på gulvet, og pillerne trillede ud over det hele. Han så ud mod Liljeholmen. Klokken var næsten kvart i ni. Udenfor på torvet lo et par teenagepiger.

Der lugtede svagt af mados. Mikael lukkede den gamle mands øjne, rettede lidt på tæppet og betragtede hans ansigt. Der var ikke noget pænt at sige om ansigtstrækkene. Alting var skævt og slidt og gammelt. Alligevel forekom det ham, at der var en dyb værdighed dér. Det var, som om verden med ét var blevet et lidt værre sted. Mikael mærkede en klump i halsen, og han tænkte på Lisbeth og på Holgers besøg hos hende og på alting og ingenting.

Kort efter kom ambulancepersonalet, to fyre i 30-årsalderen. Mikael fortalte, så sagligt han kunne, om hvad der var sket. Han fortalte om fentanylplastrene. Han sagde, at Holger formentlig havde fået en overdosis, og at der måske var tale om mistænkelige omstændigheder, og at man burde kontakte politiet. Han mødte en opgivende træthed, der var lige ved at få ham til at skrige og skabe sig. Men han bed tænderne sammen og nikkede bare sammenbidt, da mændene lagde et lagen over Holger og lod liget ligge der i sengen, indtil der kunne komme en læge og udfærdige en dødsattest. Mikael blev i lejligheden. Han samlede pillerne op fra gulvet og åbnede vinduerne og altandøren og satte sig i den sorte lænestol ved sengen og forsøgte at tænke klart. Det lykkedes ikke særlig godt. Tankerne summede rundt i hovedet på ham, og i stedet kom han til at tænke på de dokumenter, der havde ligget og rodet i entreen, da han styrtede ind i lejligheden.

Han rejste sig og gik ud og samlede dem op fra gulvet og læste dem stående ved dørmåtten. Selvom han først ikke rigtig forstod sammenhængen, var der et navn, han straks fæstnede sig ved. Det var navnet Peter Teleborian. Teleborian var den psykiater, der havde skrevet en falsk rapport, da Lisbeth som 12-årig havde hævnet sig på sin far ved at smide en brandbombe efter ham på Lundagatan. Teleborian var manden, som sagde, at han ville passe på Lisbeth og gøre hende rask igen, så hun kunne vende tilbage til et normalt liv, men som i virkeligheden med fuldt overlæg plagede hende dag efter dag, time efter time, og lagde hende i spændetrøje og udsatte hende for alvorlige overgreb. Hvorfor i alverden lå disse papirer og flød i entreen?

Så meget fattede Mikael dog efter at have skimmet dokumenterne, at de faktisk indeholdt noget nyt. Det så ud til at være fotokopier af samme slags ubehageligt nøgterne journaloptegnelser, der havde ført til, at Peter Teleborian blev dømt for grov tjenstlig forsømmelse og mistede sin lægebestalling. Men det stod også klart, at dokumenterne ikke hang sammen i kronologisk rækkefølge. Det ene papir sluttede midt i en sætning, og det næste fortsatte et helt andet sted. Der manglede formentlig noget. Lå resten i lejligheden? Var de blevet fjernet?

Mikael overvejede, om han skulle gennemrode skuffer og skabe; men han besluttede sig for ikke at gribe forstyrrende ind i den politiudredning, som sandsynligvis ville følge, og i stedet for ringede han til kommissær Jan Bublanski og fortalte, hvad der var sket. Så trykkede han nummeret til sikkerhedsafdelingen på Flodberga Fængsel. En mand ved navn Fred tog telefonen. Stemmen var arrogant og drævende, og Mikael havde nær mistet besindelsen, specielt da han kastede et blik på sengen og så konturerne af Holgers lig under det hvide lagen. Men han samlede sig og forklarede med al sin autoritet, at der havde været et dødsfald i Salanders familie, og til sidst fik han lov til at tale med Lisbeth.

Den samtale kunne han godt have undværet.

Lisbeth lagde på og blev fulgt tilbage til sin celle ad den lange gang af to fængselsbetjente. Hun mærkede ikke den dybe fjendtlighed, der udstrålede fra vagten Fred Strömmers ansigt. Hun mærkede ikke noget af det, der foregik omkring hende, og hun fortrak ikke en mine, der kunne afsløre hendes følelser. Selvfølgelig ignorerede hun spørgsmålet: "Er der nogen, der er døde?" Hun så end ikke op. Hun gik bare og lyttede til sine egne fodtrin og sit åndedræt og intet andet, og hun forstod ikke, hvorfor vagterne fulgte med ind i cellen. Men naturligvis ville de bare forgifte hendes liv. Efter historien med Benito greb de enhver chance, og nu skulle de åbenbart endnu en gang gennemsøge hendes celle. Ikke fordi de troede, de ville finde noget, men fordi det var en ypperlig anledning til at vende op og ned på alting og vælte hendes madras på gulvet. Måske håbede de på, at hun skulle gå grassat, så de virkelig kunne kaste sig over hende. Og det var nær ved at lykkes dem. Men Lisbeth bed tænderne sammen og værdigede dem end ikke et blik, da de forlod cellen.

Bagefter løftede hun madrassen op fra gulvet og satte sig på sengekanten og koncentrerede sig om det, Mikael havde sagt. Hun tænkte på de morfinplastre, han havde fjernet fra Holgers ryg, og på dokumenterne på gulvet i entreen og på ordene *Hilda von*. Hun tænkte særligt på dem, og hun kunne ikke få det til at stemme. Derefter rejste hun sig og hamrede knytnæven ned i skrivebordet og sparkede til klædeskabet og håndvasken.

I et kort, svimlende øjeblik lignede hun én, der var parat til at dræbe. Men så fattede hun sig og tænkte på, at det var vigtigt at gøre tingene i den rigtige rækkefølge. Først må man finde sandheden. Så tage hævn.

KAPITEL 10

Den 20. juni

KRIMINALKOMMISSÆR Jan Bublanski elskede lange filosofiske udlægninger; men nu sad han tavs i sin blå skjorte, grå lærredsbukser og et par enkle hyttesko. Klokken var 15.20, der var kvælende varmt, og hans gruppe havde arbejdet hårdt hele dagen. De sad i et af mødelokalerne på femte sal på politistationen på Bergsgatan.

Der var mange ting, Bublanski frygtede. Men allermest frygtede han nok manglen på tvivl. Han var et troende menneske, som blev ilde til mode ved alt for stærke overbevisninger og alt for enkle forklaringer. Han opstillede altid modargumenter og modhypoteser. Intet var så sikkert, at det ikke kunne drages i tvivl. Denne opførsel resulterede i en vis langsommelighed, på den anden side sikrede det ham også imod mange fejltagelser. Lige nu følte han trang til at få sine medarbejdere til at besinde sig. Men han vidste ikke, hvor han skulle begynde.

Bublanski var på mange måder et lykkeligt menneske. Han boede sammen med en ny kvinde, professor Farah Sharif, som ifølge ham selv var både smukkere og klogere, end han havde fortjent. Parret var lige flyttet ind i en treværelses lejlighed ved Nytorget i Stockholm, havde købt en labrador og gik ofte på kunstudstillinger eller ud at spise. Men i øvrigt syntes han, verden var af lave. Løgnen og dumheden bredte sig som aldrig før. Demagogerne og psykopaterne dominerede den politiske scene, og fordommene og intolerancen forgiftede verden og indimellem også fornuften hos hans ellers så fornuftige arbejdsgruppe. Sonja Modig – hans nærmeste kollega – strålede ganske vist som en sol, og der gik rygter om, at hun var forelsket. Men det irriterede kun Jerker Holmberg og Curt Svensson, som afbrød og skændtes med hende hele tiden. Og ingenting blev bedre af, at Amanda Flod, den yngste i gruppen, tog Sonjas parti og for det meste sagde begavede ting. Måske følte Svensson og Holmberg sig truede i deres position som senior-autoriteter. Bublanski prøvede at smile opmuntrende til dem.

"I og for sig," sagde Jerker Holmberg.

"I og for sig er godt," sagde han.

"I og for sig kan jeg ikke se, hvorfor nogen skulle gøre sig så meget besvær for at myrde en 90-årig mand," fortsatte Jerker.

"En 89-årig mand," rettede Bublanski.

"Netop, en 89-årig mand, som dårligt nok var i stand til at forlade lejligheden, og som tilsyneladende kunne være død når som helst."

"Men det virker alligevel, som om det er tilfældet, ikke? Sonja, vil du sammenfatte, hvad vi har indtil videre?"

Sonja smilede selvfølgelig og strålede, så selv Bublanski ville ønske, at hun kunne tone det bare en anelse ned, om ikke andet så for husfredens skyld.

"Vi har Lulu Magoro," sagde Sonja Modig.

"Har vi ikke talt nok om hende?" sagde Curt Svensson.

"Nej, vi har ej," indskød Bublanski skarpt. "Vi har brug for at rekapitulere og danne os et overblik nu."

"Eller egentlig har vi ikke kun Lulu," fortsatte Sonja. "Vi har hele Sofia Care, det firma som havde ansvaret for Holger Palmgrens hjemmepleje. I går formiddag fik de ansvarshavende i firmaet besked om, at Holger Palmgren var blevet akut indlagt på Ersta Sjukhus med alvorlige smerter i hofterne. Ingen så nogen grund til at drage denne besked i tvivl. Den, der ringede, udgav sig for at være overlæge og ortopædkirurg og præsenterede sig som Mona Landin. Hun blev opfattet som troværdig, og hun fik oplysninger om Holgers medicinering og almene helbredstilstand. Derefter blev alle hjemmebesøg hos Palmgren indstillet. Lulu Magoro, som stod Holger særlig nær, ville besøge ham på sygehuset. Hun forsøgte via omstillingen på Ersta at få at vide, hvor han lå, men af gode grunde fik hun ikke noget ud af det, eftersom han ikke var der. Samme eftermiddag blev hun imidlertid kontaktet af denne

Mona Landin, som åbenbart er et falsk navn. Hun hævdede, at der ikke var noget at frygte, men at Holger for tiden var bedøvet efter et mindre operativt indgreb og ikke måtte forstyrres. Lulu prøvede at ringe til Holgers mobil senere på aftenen, og den var ... lukket. Ingen hos hans teleselskab Telia har kunnet forklare, hvad der var sket. Om formiddagen blev telefonen bare sat ud af brug – uden at det var muligt at spore, hvem i systemet der havde gjort det. Nogen med computerkendskab og forbindelser i virksomheden synes at have villet isolere Holger Palmgren."

"Men hvorfor gøre sig al den ulejlighed?" spurgte Jerker.

"Der er en omstændighed, som er værd at tage i betragtning," sagde Bublanski. "Holger Palmgren besøgte som nævnt Lisbeth Salander på Flodberga for nogen tid siden, og eftersom vi kender til trusselsbilledet mod Salander, er det rimeligt at stille sig det spørgsmål, om der er en forbindelse dér – måske fordi han fik noget at vide, eller fordi han ville hjælpe hende. Lulu har fortalt, at hun fandt en bunke papirer frem til ham i lørdags, som handlede om Salander, og som Holger studerede med stor koncentration – papirer som Holger åbenbart havde modtaget nogle uger tidligere fra en kvinde, som havde haft noget med Lisbeth at gøre."

"Hvem da?"

"Det ved vi endnu ikke. Lulu kendte ikke kvindens navn, og Lisbeth vil ikke sige noget, men vi har et spor, som forhåbentlig kan lede os videre."

"Hvad da?"

"Som I ved, fandt Mikael Blomkvist nogle dokumenter i entreen, måske fordi Holger eller gerningsmanden har tabt dem der. Det er tilsyneladende journaler fra Sankt Stefans børnepsykiatriske klinik, hvor Salander var indlagt som lille, og i dem nævnes Peter Teleborians navn."

"Den filur."

"Den lort, snarere," sagde Sonja Modig.

"Er der nogen, der har talt med Teleborian?"

"Amanda talte med ham i dag. Han boede ganske fornemt med sin kone og sin schæferhund på Amiralsgatan og forklarede, at det gjorde ham ondt, men at han ikke vidste, hvad der var sket med Palmgren. Mere ville han ikke sige. Han kendte ikke nogen *Hilda von*-et-eller-andet."

"Jeg tænker, at vi kommer til at vende tilbage til ham," sagde Bublanski. "I mellemtiden gennemgår vi Holger Palmgrens øvrige papirer og ejendele. Men tilbage til Lulu Magoro, Sonja."

"Lulu Magoro tog sig af Holgers aftenritual fire eller fem dage om ugen," fortsatte Sonja. "Hun satte et smertestillende plaster på ham hver aften af mærket Norspan med den aktive substans ... kan du hjælpe mig her, Jerker?"

Godt gået, tænkte Bublanski. *Involver dem! Få dem til at føle sig kyndige.*

"Buprenorfin," svarede Jerker. "Det er et opioid, som fremstilles af opiumvalmuen, og som blandt andet findes i lægemidlet Subutex, som gives til heroinmisbrugere, men som også er et almindeligt brugt smertestillende middel inden for ældreplejen."

"Nemlig, og Holger fik normalt en beskeden dosis," sagde Sonja Modig. "Men det, Mikael Blomkvist fjernede fra hans ryg i går, var noget helt andet, to præparerede plastre af mærket Fentanyl Actavis, som tilsammen udgjorde en rent ud sagt dødelig dosis, ikke, Jerker?"

"Så afgjort. Kunne have slået en hest ihjel."

"Nemlig. Det er fantastisk, at Holger klarede den så længe, og at det tilmed lykkedes ham at sige nogle ord."

"Og de ord er interessante," indskød Bublanski.

"Det er de, selvom man bør udvise en vis skepsis over for, hvad en svært omtåget mand siger i sådan en stund. Men ordene var, som I ved: *Hilda von,* eller rettere: *Tal med Hilda von.* Ifølge Mikael Blomkvist virkede det, som om Holger ville sige noget vigtigt med dem, og her kan man naturligvis spekulere på, om det er navnet på gerningsmanden. Vi har, som I ved, modtaget oplysninger om, at en slank kvinde af ubestemmelig alder, med solbriller og sort hår, blev set på vej ned ad trappen med en brun taske i hånden i går aftes. Men signalementet er i øvrigt temmelig mangelfuldt, og jeg kan umuligt bedømme værdien af det lige nu. Desuden tvivler jeg på, at Palmgren ville sige *Tal med,* hvis han henviste til den person, som netop havde gjort ham fortræd. Det lyder snarere, som om *Hilda von* kan være en eller anden, der sidder inde med vigtig information, eller måske en helt irrelevant person i sammenhængen, som bare dukkede op i hans tanker i dødsøjeblikket."

"Det er naturligvis muligt, men alligevel – hvad har vi på selve navnet?"

"Til at begynde med virkede det løfterigt," sagde Sonja. "Præfikset *von* forbindes jo med adelsnavne i Sverige, og dermed indsnævres kredsen betragteligt. Men Hilda er også et almindeligt navn i Tyskland, og der er *von* bare en præposition, som betyder *fra,* og regner vi resten af den germanske verden med, bliver gruppen langt større. Jan og jeg er enige om, at vi bør klappe hesten, inden vi afhører alle mulige adelsdamer ved navn Hilda. Men vi fortsætter naturligvis med vores søgninger og kontroller."

"Og hvad siger Lisbeth Salander?" spurgte Curt Svensson.

"Ikke meget, desværre."

"Pissetypisk."

"Jo ... ja ... det er måske rigtigt," fortsatte Sonja. "Indtil videre har vi imidlertid ikke talt med hende selv, men kun fået hjælp fra vores kolleger i Örebro, som netop har afhørt Salander som vidne i en anden sag, der drejer sig om et voldeligt overfald på Beatrice Andersson på Flodberga."

"Hvem helvede har vovet at overfalde Benito?" udbrød Jerker.

"Vagtchefen på sikkerhedsafdelingen, Alvar Olsen. Han siger, at han ikke havde noget valg. Jeg vender tilbage til det."

"Jeg håber, Alvar Olsen har livvagter," sagde Jerker.

"Sikkerheden på afdelingen er blevet forstærket, og Benito vil blive overflyttet til et nyt fængsel, når hun er på benene igen. Hun befinder sig på sygehuset i Örebro."

"Det er ikke nok, det kan jeg godt sige dig," sagde Jerker. "Har du nogen idé om, hvad Benito er for en? Har du nogensinde set hendes ofre? Tro mig, hun giver sig ikke, før Alvar Olsen har fået skåret halsen over – langsomt."

"Både vi og fængselsdirektionen er bevidste om, at situationen er alvorlig," fortsatte Sonja, nu lettere irriteret. "Men indtil videre mener vi ikke, der er nogen akut fare. Kan jeg fortsætte? Godt. Vores kolleger i Örebro fik som sagt ikke særlig meget ud af Lisbeth Salander. Vi må håbe, at Bublanski – som hun har en vis tillid til – vil have mere held med sig. Vi har jo alle sammen på fornemmelsen, at Salander er en nøgleperson her, ikke? Ifølge Mikael Blomkvist var Palmgren urolig for hende og sagde, at han havde gjort noget uforsigtigt eller dumt på grund af det, og det er naturligvis interessant. Hvad var det for noget, og hvad kan et gammelt handicappet menneske i øvrigt foretage sig, der er så uforsigtigt i denne sammenhæng?"

"Formentlig foretage et telefonopkald eller søge uforsigtigt på sin computer," sagde Amanda Flod.

"Netop! Men hvad det angår har vi ikke fundet noget af interesse, bortset fra at vi slet ikke kan finde hans mobil."

"Det lyder mistænkeligt," sagde Amanda.

"Ja, unægtelig. Og så er der også noget andet, som jeg tror, vi bør tale om i den forbindelse. Det er bedre, at du tager over her, Jan," sagde Sonja.

BUBLANSKI RYKKEDE sig uroligt i sædet, som om han helst var fri. Så fortalte han Faria Kazis historie, som han var blevet informeret om samme formiddag.

"Salander ville, som I forstår, ikke tale med politiet i Örebro om sit møde med Holger Palmgren," sagde han. "Og hun ville heller ikke sige ret meget om voldsepisoden med Benito. Men der var noget, hun godt ville snakke om, og det var udredningen efter Jamal Chowdhurys død. Hun mente, den var virkelig dårlig, og jeg er nødt til at give hende ret."

"Hvad får dig til at sige det?"

"Den hast med hvilken hændelsen blev henlagt som selvmord. Hvis det bare havde været én i mængden af udredninger om de arme stakler, der ender deres dage under et tog, ville jeg måske have kunnet forstå det. Men det var det ikke, for der var udstedt en fatwa mod Chowdhury, og det kan man ikke tage let på. Vi har en lille flok mennesker her i Stockholm, som er blevet radikaliseret under indflydelse af ekstremistiske kræfter i Bangladesh, og som synes at være parate til at myrde for den mindste lille ting. Allerede da Jamal kom til Sverige, burde vi være blevet mistænksomme, hvis han så meget som gled i en bananskræl, men så går han hen og forelsker sig i Faria Kazi – hvis brødre vil gifte hende bort til en velhavende islamist i Dhaka. I kan sikkert forestille jer deres vrede, da Faria flygter og skjuler sig hos Jamal af alle mennesker. Jamal er ikke blot manden, der ødelægger familiens ære. Han er også en religiøs og politisk fjende, og så falder han pludselig ud foran et tog, og hvad gør vores kolleger? De afskriver hans død som selvmord med samme fart, som de udreder et indbrud i Vällingby, og det til trods for en række besynderlige omstændigheder i hændelsesforløbet. Men ikke nok med det. Hvad sker der dagen efter Jamals død? Faria Kazi får sit raserianfald og skubber sin bror Ahmed ud gennem vinduet i Sickla. Jeg har meget svært ved at tro, at det ikke skulle have noget med episoden i tunnelbanen at gøre."

"Okay, jeg er med, det lyder ikke godt. Men hvordan hænger det sammen med Holger Palmgrens død?" spurgte Curt Svensson.

"Måske er der ingen sammenhæng, men alligevel – Faria Kazi havner på Flodbergas sikkerhedsafdeling, og præcis som i Salanders tilfælde er trusselsbilledet mod hende alvorligt. Der er en reel fare for, at hendes brødre vil hævne sig, og i dag har vi fået bekræftet fra Säpo, at brødrene har stået i kontakt med netop Benito. Brødrene kalder sig rettroende. Men de har mere tilfælles med Benito end med muslimer i al almindelighed, og vil de hævne sig på Faria, er Benito det ideelle redskab."

"Det tror jeg gerne," sagde Jerker.

"Netop, og det har også vist sig, at Benito har været interesseret i både Faria Kazi og Lisbeth Salander."

"Hvordan kan vi vide det?"

"Takket være den udredning, som anstalten har iværksat for at finde ud af, hvordan Benito fik sin stilet ind på sikkerhedsafdelingen. Alt, bogstavelig talt alt, er blevet endevendt, selv skraldespandene i besøgspavillonen i H-huset. I en af papirkurvene dér har man fundet et sammenkrøllet papir med Benitos håndskrift og yderst belastende informationer på. På papiret står ikke bare adressen på den skole, Alvar Olsens niårige datter blev overflyttet til for nogle måneder siden. Der står også oplysninger om Farias faster, Fatima, den eneste i familien, hun stadig stod nær, og først og fremmest - hvilket er særlig interessant for os - om Lisbeth Salanders nærmeste: Mikael Blomkvist, en advokat ved navn Jeremy MacMillan på Gibraltar - nej, jeg ved endnu ikke, hvem det er - og så Holger Palmgren."

"Passer det?" sagde Amanda Flod.

"Ja, desværre. Det føles næsten skræmmende at se det og vide, at det er skrevet før hans død. Ved siden af hans navn står hans adresse, dørkode og telefonnummer."

"Ikke så godt," sagde Jerker Holmberg.

"Nej, og det behøver naturligvis ikke at have noget med mordet at gøre, eller det vi mener er mord. Men det er da påfaldende, ikke?"

"Det er det," sagde Sonja Modig.

MIKAEL BLOMKVIST GIK langs Hantverkargatan på Kungsholmen, da telefonen ringede. Det var Sofie Melker fra redaktionen. Hun ville høre, hvordan han havde det. Han svarede "okay" og troede, det var nok. Sofie var den ottende person i dag, som kondolerede og gav udtryk for sin medfølelse. Det var der selvfølgelig ikke noget galt i, han orkede det bare ikke rigtig. Han ville helst håndtere situationen, som han plejede at håndtere dødsfald - ved hårdt arbejde.

Han havde været i Uppsala om formiddagen og læst efterforskningspapirerne om Rosviks økonomichef, som var blevet anklaget for vådeskuddet mod psykologen Carl Seger. Nu var han på vej hen for at mødes med Ellenor Hjort, kvinden som var forlovet med Seger dengang.

"Tak, Sofie," sagde han. "Vi tales ved senere. Jeg har et møde nu."

"Okay, så tager vi det bagefter."

"Tager hvad?"

"Erika bad mig undersøge noget for dig."

"Nå ja! Fandt du ud af noget?"
"Det kommer an på ..." sagde hun.
"Kommer an på hvad?" spurgte han.
"Der er ingen uregelmæssigheder i Viveka og Herman Mannheimers personakter."
"Det havde jeg heller ikke forestillet mig. Det var Leo, der interesserede mig. Om han eventuelt var adopteret, eller om der fandtes noget mærkeligt eller ømtåleligt i hans baggrund."
"Det ved jeg godt. Hans data ser også pæne og ordentlige ud. Der står tydeligt, at han er født i Västerleds Sogn, hvor hans forældre boede på det tidspunkt. I kolonne 20, som har overskriften *Optegnelser om adoptivforældre og adoptivbørn med mere*, er der helt tomt. Intet er streget over eller hemmeligstemplet. Alt synes helt normalt. Hvert eneste sted, han har boet under sin opvækst og ungdom, står omhyggeligt anført, og der er intet, der stikker ud."
"Og dog hørte jeg dig sige *det kommer an på ...*?"
"Lad mig sige det sådan, at da jeg nu alligevel befandt mig på Stadsarkivet, blev jeg lidt nysgerrig, så jeg bestilte også mine egne data for den fyrstelige sum af otte kroner, som jeg faktisk har tænkt mig at forære *Millennium*."
"Generøst!"
"Som du ved, er jeg kun tre år ældre end Leo. Alligevel ser mine papirer helt anderledes ud," sagde hun.
"Hvordan det?"
"Hans er meget pænere. Jeg følte mig gammel, da jeg læste mine. Der er en kolonne 19, hvor datoer og lignende er optegnet for hver flytning, jeg har foretaget. Jeg ved ikke, hvem der skriver de der ting ind, det er velsagtens præster eller hjælpepræster. Men rodet ser det ud. Noget af det er skrevet i hånden, andet på maskine. Nogle gange er der stempler, og her og der står det hele lidt skævt, som om det var svært at ramme linjen helt præcist. Men hos Leo er det hele perfekt, alt er nydeligt og skrevet på samme maskine eller computer."
"Som om det er rettet til senere?"
"Altså ..." sagde Sofie. "Hvis nogen havde spurgt, eller hvis jeg

kun havde set hans, ville tanken ikke være faldet mig ind. Men du gør jo os alle sammen småparanoide, ikke, Mikael? Når det er dig, der spørger, tænker man straks, at der er ugler i mosen. Så ja, jeg vil faktisk ikke udelukke, at det hele er skrevet om på et senere tidspunkt. Hvad handler det her om?"

"Jeg ved det ikke rigtig endnu. Sofie, du opgav vel ikke dit navn?"

"Jeg udnyttede retten i offentlighedsloven til at være anonym, som Erika sagde, og heldigvis er jeg jo ikke en kendis som dig."

"Skidegodt. Tusind tak. Ha' en god dag!"

Han lagde på og stirrede dystert ud over Kungsholmstorg. Det var en strålende dag, men det gjorde kun det hele værre. Han fortsatte ned mod den angivne adresse, Norr Mälarstrand 32, hvor Carl Segers tidligere forlovede, Ellenor Hjort, boede alene med en 15-årig datter. Ellenor Hjort arbejdede i administrationen hos Bukowskis og var 52 år gammel, fraskilt og aktiv i en række idealistiske foreninger og sågar træner for sin datters baskethold. Hun var tilsyneladende en aktiv kvinde.

Mikael så ned mod Mälaren, som lå stille derude, og over mod sin egen lejlighed på den anden side af vandet. Det var trykkende varmt, og han følte sig svedig og tung, da han trykkede dørkoden og tog elevatoren op til øverste etage og ringede på. Han behøvede ikke vente længe, før døren gik op.

Ellenor Hjort så overraskende ung ud. Hun var korthåret og klædt i sort jakke og grå bukser og havde smukke mørkebrune øjne og et lille blegt ar helt oppe ved hårgrænsen. Hendes hjem var fuldt af bøger og malerier. Hun bød på te og kiks og virkede nervøs. Kopperne raslede, da hun satte dem på bakken. De satte sig i en lyseblå sofagruppe under et farvestrålende maleri af Venedig.

"Jeg må indrømme, at det overrasker mig, at du kommer her med den der historie efter alle disse år," sagde hun.

"Ja, det forstår jeg, og jeg er også ked af at rive op i gamle sår. Men jeg ville gerne vide lidt mere om Carl."

"Hvorfor er han pludselig så interessant?"

Mikael tøvede og sagde så ærligt:

"Jeg ville ønske, jeg kunne sige det. Men jeg tror, der er en historie bag hans dødsfald, som vi ikke kender til. Det føles, som om der er noget, der ikke stemmer."

"Hvad tænker du på, sådan mere konkret?"

"Det er stadig mest en fornemmelse. Jeg har lige været i Uppsala og læst alle vidneudsagnene, og der er jo sådan set ikke noget galt med dem, bortset fra, ja, at der ikke *er* noget at udsætte på dem. Så meget har jeg da lært gennem årene, at sandheden ofte er lidt uventet, eller sågar lidt ulogisk, eftersom vi mennesker ikke er helt rationelle. Mens løgnen som regel er – specielt hvis løgnerne er dårlige til det – så pæn og nydelig, at det ofte nærmer sig klichéen."

"Så udredningen om Carls død er en kliché," sagde hun.

"Det passer alt sammen lidt for godt sammen," svarede han. "Der er ingen inkonsekvenser eller detaljer, der skiller sig ud."

"Fortæl mig noget, jeg ikke ved!"

Ellenor Hjort lød nærmest sarkastisk.

"Jeg ville også mene, at den udpegede skytte, Per Fält ..." sagde han.

Ellenor afbrød ham og forklarede, at hun havde stor respekt for hans virke og iagttagelsesevner. Men hvad udredningen angik, kunne han næppe lære hende noget nyt.

"Jeg har læst den hundredvis af gange," sagde hun, "og alt det der, du taler om, har naget mig hver gang. Tror du ikke, jeg har råbt og skreget ad Herman og Alfred Ögren: *Hvad fanden er det, I skjuler, I skiderikker?* Tror du ikke det?"

"Hvad svarede de?"

"Jeg fik bare overbærende smil og venlige ord tilbage. *Vi forstår godt, det ikke er let. Vi beklager virkelig, din arme stakkel.* Men til slut endte de med at true mig, da jeg ikke ville give mig. Jeg skulle passe på. De var mægtige mænd, og mine antydninger var løgne og bagvaskelse, og de kendte fine advokater, og alt det der, og jeg var for svag og ulykkelig til at orke at kæmpe mere. Carl havde været mit liv. Jeg var helt knust og kunne ikke studere, ikke arbejde, ikke noget som helst. Jeg magtede end ikke de mest dagligdags gøremål."

"Forståeligt nok."

"Men det underlige var, og det er også derfor, jeg trods alt sidder her sammen med dig nu: Hvem tror du trøstede mig mere end nogen anden? Mere end min far og mor og mine søskende og venner?"

"Leo?"

"Præcis, lille dejlige Leo. Han var lige så utrøstelig som jeg. Vi sad i vores hus på Grönviksvägen og græd og forbandede hele verden og de skide mandfolk ude i skoven. Jeg græd og hulkede og sagde: *Jeg føler mig halv.* Han sagde det samme. Han var kun et barn. Men sorgen bragte os sammen."

"Hvorfor var Carl så vigtig for ham?"

"De sås hver uge i Carls konsultation hjemme hos os. Men der var mere i det. Leo betragtede ikke bare Carl som en terapeut, men også som en ven, måske den eneste i hele verden, der forstod ham, og Carl ville på sin side gerne ..."

"Hvad ville han?"

"Hjælpe Leo og få ham til at forstå, at han var et yderst begavet menneske med fantastiske muligheder, og så ... det vil jeg ikke lægge skjul på: Leo var vigtig for Carls forskning, for hans afhandling."

"Leo led af hyperakusi."

Ellenor så forundret på Mikael og sagde tankefuldt:

"Ja, det var en komponent. Carl interesserede sig for, hvorvidt det bidrog til drengens isolering, og om Leo betragtede verden på en anden måde end os andre. Men Carl var ikke kynisk, det må du ikke tro. De havde noget sammen, de to, som selv jeg ikke forstod mig på."

Mikael besluttede at tage chancen.

"Leo var adopteret, ikke?" sagde han.

Ellenor drak lidt af sin te og så ud mod altanen til venstre.

"Måske," sagde hun.

"Hvad mener du?"

"Jo, jeg fik nogle gange en fornemmelse af, at der var et eller andet ømtåleligt ved hans baggrund."

Mikael prøvede igen:

"Havde Leo rødder blandt romaer?"

Ellenor så op med et koncentreret blik.

"Det er sjovt," sagde hun.

"Hvad?"

"Jo, jeg tænker nogle gange på ..."

"På hvad?"

"En frokost Carl inviterede os på ude på Drottningholm."

"Hvad skete der?"

"Egentlig ikke noget, men jeg husker det alligevel. Carl og jeg elskede virkelig hinanden. Men nogle gange føltes det, som om han havde hemmeligheder for mig – noget andet og mere, end hvad der fulgte med hans arbejde som terapeut – og det var nok en af grundene til, at jeg var så jaloux. Den der frokost var en af de gange."

"Hvordan det?"

"Leo var ked af, at nogen havde kaldt ham for tater, og i stedet for at fare op og sige: 'Hvad er det for en idiot, der siger sådan noget?' fortalte Carl bare, sådan lidt pædagogisk, at tater var et racistisk ord og et levn fra mørkere tider. Leo nikkede, som om han havde hørt det før. Han var ikke særlig gammel. Alligevel kendte han til romaerne og til de overgreb, de havde været udsat for – tvangssteriliseringer, lobotomi og etniske udrensninger. Det føltes ... jeg ved ikke ... sært for en dreng som ham."

"Hvad skete der?"

"Der skete ikke noget, overhovedet ingenting," sagde hun. "Carl tyssede bare på mig, da jeg spurgte til det bagefter, og det kunne naturligvis være så enkelt, at det var noget, der var omfattet af hans almindelige tavshedspligt; men det gav mig alligevel en følelse af, at han skjulte noget for mig. Det er derfor, episoden indimellem dukker op som en sten i skoen."

"Var det en af Alfred Ögrens drenge, der havde kaldt Leo tater?"

"Det var Ivar, den yngste, efternøleren, den eneste der fulgte i farens fodspor. Kender du ham?"

"Lidt," sagde han. "Han var ondskabsfuld, ikke?"

"Enormt ondskabsfuld."

"Hvorfor?"

"Det spørger man vel altid sig selv om. Men der var lige fra starten af en rivalisering dér, ikke kun mellem drengene, men også mellem deres fædre. Herman og Alfred forsøgte at overgå hinanden med, hvis søn der var dygtigst og mest fremgangsrig. Mens Ivar vandt i alt, hvad der krævede brutalitet og rå muskelstyrke, var Leo overlegen i alt intellektuelt, og det affødte sikkert en masse jalousi. Ivar vidste godt, at Leo led af hyperakusi; men i stedet for at vise hensyn kunne han finde på at vække ham om sommeren i Falsterbo ved at skrue helt op for stereoanlægget. Engang købte han en pose balloner, som han pustede op og stak hul på bag Leos ryg. Da Carl hørte om det, trak han Ivar til side og langede ham et par lussinger. Det gav selvfølgelig anledning til en masse ballade. Alfred Ögren blev stiktosset."

"Så der var aggressioner mod Carl i kredsen?"

"Det var der sikkert. Men jeg må alligevel sige, at Leos forældre altid tog Carls parti. De vidste, hvor vigtig han var for drengen. Og derfor har jeg også forsonet mig – eller forsøgt at forsone mig – med tanken om, at det var en ulykke, at det faktisk var et vådeskud. Herman Mannheimer ville aldrig kunne finde på at dræbe sin søns bedste ven."

"Hvordan kom Carl i kontakt med familien?"

"Via universitetet. Han var vist bare heldig med timingen, tror jeg. Tidligere havde der ikke været nogen form for interesse for særligt begavede børn i skolen. Man mente, det var et brud med den svenske lighedstanke. Der manglede også viden til at kunne udpege dem og forstå dem. Mange intelligente elever var så understimulerede i skolen, at de blev aggressive og havnede i obs-klasser. Der var vistnok en overrepræsentation af begavede børn i det psykiatriske system. Carl hadede det og kæmpede for de her drenge og piger. Bare nogle få år tidligere var han blevet kaldt elitist. Nu blev han trukket ind i statslige udvalg og fik via sin vejleder, Hilda von Kanterborg, kontakt med Herman Mannheimer."

Det gav et sæt i Mikael.

"Hvem er Hilda von Kanterborg?"

"Hun var docent på psykologi og vejleder for flere ph.d.-studerende," svarede Ellenor Hjort. "Hun var ung, ikke særlig meget ældre end Carl, og blev betragtet som meget lovende. Derfor er det naturligvis også så tragisk, at hun ..."

"Er hun død?" afbrød Mikael uroligt.

"Ikke så vidt jeg ved. Men hun løb ind i nogle skandaler, og jeg har hørt, at hun er ret alkoholiseret."

"Skandaler?"

Ellenor Hjort så et øjeblik ukoncentreret ud. Derefter så hun Mikael lige ind i øjnene med et intenst blik.

"Det var efter Carls død, så jeg ved ikke så meget om det. Men det er min fornemmelse, at det var uretfærdigt."

"Hvordan det?"

"Hilda von Kanterborg var sikkert ikke værre end en hvilken som helst mandlig akademiker med høj cigarføring. Jeg mødte hende et par gange sammen med Carl. Hun havde en helt fantastisk udstråling; man blev suget ind af hendes blik. Åbenbart havde hun masser af kærlighedsaffærer, og hun gik også i seng med et par af studenterne, tror jeg. Det var selvfølgelig ikke så godt; men på den anden side var de alle sammen voksne mennesker, og hun var afholdt og skarp, og ingen tog anstød af det, i hvert fald ikke i starten. Hilda var bare et menneske, der var drevet af lyst. Livslyst, kundskabslyst – og så altså lyst til mænd. Hun var så afgjort hverken beregnende eller ond. Hun var bare *all over the place*."

"Hvad skete der?"

"Jeg ved det faktisk ikke. Jeg ved bare, at institutledelsen pludselig fandt frem til nogle af hendes studerende, som påstod, eller måske snarere sådan lidt undvigende antydede, at Hilda havde solgt sin krop til dem. Det føltes så billigt alt sammen – som om de ikke kunne finde på noget bedre end at hænge hende ud som luder. Hvad laver du?"

Mikael havde uden at tænke over det rejst sig og søgte nu på sin mobil.

"Jeg har en Hilda von Kanterborg på Rutger Fuchsgatan, er det hende, tror du?"

"Der findes vel næppe så mange med det navn. Hvorfor er hun pludselig så interessant?"

"Fordi ..." svarede Mikael. Han gjorde ikke sætningen færdig. "Det er en lidt rodet historie. Men det var virkelig godt at tale med dig."

"Men nu skal du tydeligvis gå?"

"Jeg fik pludselig lidt travlt. Jeg har en følelse af ..."

Endnu en gang fik han ikke gjort sætningen færdig, for Malin ringede og var mindst lige så ophidset som han. Han sagde, han ville ringe tilbage lidt senere. Så trykkede han Ellenor Hjorts hånd og takkede hende endnu en gang og styrtede ned ad trappen. Nede på gaden ringede han til Hilda von Kanterborg.

December halvandet år tidligere

Hvad kan tilgives, og hvad kan ikke? Leo og Carl havde tit talt om det. Spørgsmålet var vigtigt for dem begge to, men på hver sin måde, og for det meste indtog de en generøs attitude: Det meste kunne tilgives, selv Ivars mobning. En overgang forsonede Leo sig da også med ham. Han betragtede Ivar som et menneske, der ikke kunne gøre for det – en person som var ondskabsfuld, ligesom andre er generte eller umusikalske. Ivar forstod sig lige så dårligt på andres følelser som en tonedøv på klange og melodier. Leo betragtede ham med overbærenhed, og nu og da fik han lidt venlighed igen, et klap på skulderen og et indforstået blik. Ivar spurgte ham ofte til råds, måske af egeninteresse, men alligevel ... Nu og da kom han også med en kompliment:

"Du er ikke så dum endda, Leo!"

Ivars ægteskab med Madeleine Bard ødelagde det helt, og Leo fyldtes af et had, som ingen terapi i verden kunne bøde på eller holde stangen. Han lod det fylde sig. Han bød det velkommen som en feber, en storm. Det var værst om natten, i ulvetimen. Da dunkede vreden og hævnlysten i tindingerne og i brystet. Han fantaserede om vådeskud, ulykker, social fornedring, sygdom og vansiringer. Han endte med at være manden, der sad og stak nåle i fotografier og drømte om ved tankeoverføring at kunne få Ivar til at styrte ned fra meget høje steder. Han var tæt på at blive sindssyg. Men det eneste der skete var, at Ivar blev mere agtpågivende og urolig, og måske gik han selv og planlagde noget lignende. Tiden gik, og nogle gange var det bedre, andre gange værre, og så, i december måned for halvandet år siden, skete der noget.

Det sneede, og det var usædvanlig koldt. Hans mor lå for døden. Han sad hos hende tre gange om ugen og forsøgte at være en god og omsorgsfuld søn. Men det var ikke let. Sygdommen gjorde hende ikke blidere. Morfinen fjernede endnu et lag af selvcensur, og ved flere lejligheder bebrejdede hun ham hans svaghed:

"Du har altid været en skuffelse, Leo," sagde hun.

Han svarede ikke. Han havde aldrig svaret sin mor igen, når hun sagde den slags. Men han drømte om at stikke af fra det hele, og det eneste menneske, han kunne holde ud at være sammen med, var Malin Frode. Malin lå i skilsmisse og var på vej ud af firmaet. Selvom Leo aldrig havde troet, at hun elskede ham, var det dejligt at være sammen med hende. De hjalp hinanden gennem den svære tid, og de var gode til at grine sammen, selvom vreden og vrangforestillingerne ikke forsvandt af den grund. Indimellem blev Leo alvorligt bange for Ivar Ögren. Han fik tilmed en følelse af, at han blev forfulgt – måske var det noget, Ivar stod bag. Han gjorde sig ikke længere nogen illusioner, men forventede sig hvad som helst af Ivar Ögren ... og sig selv.

Måske han en dag pludselig ville kaste sig over Ivar og gøre ham virkelig fortræd. Enten det, eller også ville han selv blive overfaldet i et ubevogtet øjeblik. Han forsøgte at affærdige det hele som paranoia og dumheder. Men det fortog sig ikke. Han hørte skridt bag sig og fornemmede skjulte blikke bag sin ryg. Han fantaserede om skyggegestalter på gadehjørner og i mørke gyder, og et par gange greb han sig i at vende sig hurtigt om ved Humlegården. Men han så aldrig noget.

Fredag den 15. december sneede det atter. Stockholm glitrede i juleudsmykningens skær, og han gik tidligt hjem og skiftede til jeans og sweater og satte et glas rødvin på flygelet. Det var et Bösendorfer Imperial med 97 tangenter. Han stemte det selv hver mandag. Klaverbænken var en Jansen i sort læder, og han satte sig og spillede en ny komposition, hvor han gik ud fra en dorisk molskala og næsten tvangsmæssigt i slutningen af hver frase landede på den sjette tone og fik en klang frem, som føltes ildevarslende og tungsindig. Han blev ved i lang tid og hørte ingenting, end ikke skridt ude i trappeopgangen. Han var dybt koncentreret. Men så opfattede han noget så underligt, at han et kort øjeblik troede, at det var hans ophedede hjerne og overfølsomme hørelse, der spillede ham et puds. Men det lød virkelig, som om nogen akkompagnerede ham på guitar. Han holdt op med at spille og gik ud til entrédøren. Skulle han åbne? Han overvejede at råbe gennem brevsprækken: "Hvem er det?"

Han låste op og åbnede, og det var, som om virkelighedens faste grund forsvandt under fødderne på ham.

KAPITEL 11

Den 20. juni

FANGERNE PÅ Sikringen havde afsluttet middagen og forladt spisesalen. Nogle trænede, andre røg og sludrede ude i gården. Atter andre så en film – *Ocean's Eleven* så det ud som. De øvrige vandrede frem og tilbage mellem gangen og opholdsstuen eller hviskede inde i cellerne med dørene på vid gab. Det kunne have været en hvilken som helst dag. Men ingenting var, som det plejede, og det ville det heller ikke blive igen.

Ikke alene var der flere vagter end ellers – der var også lukket for besøg og telefonsamtaler, og så var der i øvrigt ualmindelig kvælende varmt. Selv fængselsdirektøren, Rikard Fager, var der og spredte nervøsitet hos personalet, som allerede på forhånd var ubehageligt til mode over stemningen blandt de indsatte.

Luften sitrede af befrielse. En ny følelse af frihed anedes i folks bevægelser og smil og i bruset af stemmer, som altid havde rummet sådan et foruroligende gys af trusler og frygt, men som nu lød lettere og mere ophidset, som efter en tyrans fald. På den anden side var der, præcis som efter tyranners fald, også tegn på magtvakuum og uro. Visse, som Tine Grönlund, virkede nervøse for at blive faldet i ryggen, og overalt diskuterede man konstant og uophørligt, hvad det var, der var sket, og hvad der nu ville ske.

Selvom det meste var rygter og opspind, vidste fangerne alligevel mere end politiet og vagterne. Alle vidste, at det var Lisbeth, der havde knust Benitos kæbe, og alle vidste, at hendes liv var i fare. Rygtet ville vide, at Lisbeths nærmeste allerede var begyndt at blive myrdet, og at hævnen ville blive forfærdelig, specielt da Benito efter sigende var blevet vansiret for livet. Alle vidste også, at der var sat en pris på Faria Kazis hoved, og der blev hvisket om, at der stod rige islamister og sheiker bag dusøren.

Alle var klar over, at Benito skulle overflyttes til et andet fængsel, så snart hun var kommet sig, og at der var store forandringer i vente. Bare det, at fængselsdirektøren selv var der, var et tegn. Rikard Fager var den mest hadede mand i spjældet – bortset fra et par af kvinderne i C-huset, som havde myrdet deres egne børn. Men for en gangs skyld så fangerne ikke kun på ham med fjendtlighed, men også med et vist håb. Måske ville restriktionerne blive mindre stramme nu, hvor Benito var væk?

Rikard Fager så på sit armbåndsur og affærdigede en af de indsatte, som ville klage over varmen. Rikard Fager var 49 år gammel og en stilfuld herre, om end med noget stift og tomt i blikket. Han var iført et gråt jakkesæt, rødt slips og nye Alden-sko. Selvom fængselsledelsen plejede at nedtone påklædningen for ikke at provokere, gjorde han ofte det modsatte for at styrke sin autoritet. Men i dag fortrød han det. Sveden piblede frem på panden, og han var generet af sin jakke og af buksebenene, som klistrede til lårene.

Han fik et opkald over sit bluetooth headset, nikkede sammenbidt og gik hen til den tilforordnede vagtchef, Harriet Lindfors, og hviskede noget i hendes øre. Så gik de hen til celle nummer syv, hvor Lisbet Salander havde siddet isoleret siden aftenen før.

LISBETH SAD OG regnede på et særligt aspekt af det såkaldte *Wilson loop*, som var blevet stadigt mere centralt for hendes forsøg på at kombinere den almene relativitetsteori med kvantemekanikken, da Rikard Fager og Harriet Lindfors trådte ind i hendes celle. Men hun så ingen grund til at se op eller afbryde sit arbejde. Derfor bemærkede hun heller ikke, at fængselsdirektøren puffede Harriet i siden for at få hende til at gøre opmærksom på hans tilstedeværelse.

"Fængselsdirektøren er her for at tale med dig," sagde Harriet skarpt og modvilligt. Først da vendte Lisbeth sig om, og hun bemærkede, at Rikard Fager børstede sine jakkeærmer af, som om han var bange for at blive beskidt inde i cellen.

Hans læber bevægede sig mærkeligt, og han kneb øjnene sammen. Det så ud, som om han undertrykte en grimasse. Han virkede ikke synderlig sympatisk indstillet over for hende, hvilket var fint, for hun brød sig heller ikke om ham – dertil havde hun læst for mange af hans mails.

"Jeg har gode nyheder," sagde han.

Lisbeth tav.

"Gode nyheder," gentog han.

Da hun stadig ikke svarede, blev Rikard Fager tydeligt irriteret.

"Er du døv, eller hvad?" udbrød han.

"Nej."

Hun så ned i gulvet.

"Nå, hm, godt så," fortsatte han. "Jo, du har jo ni dage tilbage af din straffetid. Men vi frigiver dig allerede i morgen tidlig. Lige om lidt vil du blive afhørt af kommissær Jan Bublanski fra Stockholm, og så ønsker vi, at du optræder samarbejdsvilligt."

"Så I vil ikke have mig herinde længere?"

"Vil og vil, men vi har vores direktiver, og så har personalet attesteret ..."

Rikard Fager syntes at have svært ved at få ordene over sine læber.

"... at du har opført dig godt, og det er nok til at begrunde en tidlig løsladelse," fortsatte han.

"Jeg har ikke opført mig godt," sagde hun.

"Ikke? Jeg har modtaget rapporter ..."

"Sminket lort, helt sikkert. Præcis som dine egne rapporter."

"Hvad ved du om *mine* rapporter?"

Lisbeth så stadig ned i gulvet og svarede sagligt og hurtigt, som om hun læste højt:

"Jeg ved, at de er dårligt skrevet og alt for floromvundne. Du har ikke styr på forholdsordene, og du skriver opstyltet, men først og fremmest er de leflende, uoplyste og indimellem direkte løgnagtige. Du fortier informationer, som du bevisligt har modtaget. Du har sørget for, at Kriminalforsorgsstyrelsen tror, at Sikringen er et fantastisk sted, og det er alvorligt, Rikard. Det bidrog til, at

Faria Kazis afsoningstid blev et helvede. Det var lige ved at koste hende livet, og det gør mig virkelig sur."

Rikard Fager svarede ikke. Han måbede bare, og det sitrede i hans mundvige. Han blev bleg, men forsøgte igen. Han rømmede sig og sagde stammende:

"Hvad er det, du siger, tøs? Hvad mener du? Har du læst mine rapporter, eller hvad?"

"Måske."

"Du lyver!" røg det ud af Rikard Fager.

"Jeg lyver ikke. Jeg har læst dem, og du skal ikke bekymre dig om hvordan."

Han rystede over hele kroppen.

"Du er ..."

"Hvad?"

Rikard Fager syntes ikke at kunne komme på noget, der var stærkt nok.

"Jeg vil gerne minde dig om, at din løsladelse kan ophæves nu med det samme," hvæsede han i stedet.

"Jamen så ophæv den da. Jeg er kun interesseret i én ting."

Sveden perlede frem på Fagers læber.

"Og hvad skulle det være?" spurgte han.

"At Faria Kazi får støtte og hjælp og holdes i absolut sikkerhed, indtil hendes advokat, Annika Giannini, får hende ud herfra. Derefter har hun brug for vidnebeskyttelse."

Rikard Fager brølede:

"Du befinder dig ikke i en situation, hvor du kan kræve noget som helst!"

"Der tager du fejl, og du burde slet ikke have den stilling, du har," svarede hun. "Du er en løgner og hykler, som har ladet en gangster overtage magten på den vigtigste afdeling i fængslet."

"Du ved ikke, hvad du taler om," stammede han.

"Jeg er ligeglad med, hvad du mener. Jeg har beviser mod dig, og jeg vil bare vide, hvad der sker med Faria Kazi."

Hans blik flakkede ukontrolleret.

"Vi skal nok passe på hende," mumlede han.

Det var, som om han skammede sig over sine egne ord, og han tilføjede truende:

"Jeg bør måske tilføje, at Faria Kazi ikke er den eneste, der er truet her."

"Ud herfra!" sagde hun.

"Jeg advarer dig. Jeg tolererer ikke ..."

"Ud!"

Rikard Fagers højre hånd skælvede. Hans læber dirrede, og et kort øjeblik stod han som lammet. Han ønskede tydeligvis at sige noget mere, men i stedet vendte han om og gav Harriet ordre til at låse. Derefter smækkede han døren, og hans skridt gav smældende genlyd ude fra gangen.

FARIA KAZI HØRTE skridtene og tænkte på Lisbeth Salander. Gang på gang så hun for sig, hvordan Lisbeth angreb, og hvordan Benito hamrede mod gulvet. Faria kunne dårligt nok koncentrere sig om andet. Hun genspillede scenen om og om igen inden i hovedet. Indimellem affødte den andre associationer og førte til andre minder om alt det, som havde ført til, at hun sad her.

Hun huskede for eksempel, hvordan hun nogle dage efter samtalen med Jamal havde ligget i sit værelse i Sickla og læst Tagores digte. Bashir havde kigget ind ved tretiden den dag og hvæset, at piger ikke skulle læse, for så blev de ludere og frafaldne, og givet hende en lussing. Men for en gangs skyld blev hun hverken vred eller krænket. Snarere hentede hun styrke i slaget, og hun havde rejst sig og gået rundt i lejligheden og fulgt sin lillebror, Khalil, med blikket.

Hun havde ændret sine planer minut for minut den eftermiddag. Hun overvejede at bede Khalil slippe hende ud i et ubevogtet øjeblik. Hun ville få ham til at ringe til de sociale myndigheder, politiet, hendes gamle skole. Hun ville sørge for, at han kontaktede en journalist eller imamen Ferdousi eller faster Fatima. Hun ville sige til ham, at hun ville snitte sine pulsårer over, hvis han ikke hjalp hende.

Men ingen af delene blev til noget. Lidt i fem havde hun åbnet sit klædeskab. Der var ikke længere andet der end slør og hjemmetøj. Hendes kjoler og nederdele var for længe siden blevet klippet i stykker og smidt ud. Hun havde imidlertid stadig et par jeans og en sort bluse. Hun tog bluse og jeans på samt gummisko og gik ud i køkkenet, hvor Bashir sad sammen med Ahmed og gloede mistænksomt på hende. Hun havde lyst til at skrige og knuse samtlige glas og tallerkener derude. Men hun stod bare helt stille og lyttede og hørte skridt ved yderdøren, Khalils skridt. Så reagerede hun lynhurtigt, som i en tåge af hast og uvirkelighed. Hun fandt en forskærerkniv i køkkenskuffen, gemte den under blusen og gik ind i dagligstuen.

Khalil stod ved yderdøren i sin blå træningsdragt og så ynkelig og rådvild ud. Han måtte have hørt hende komme, for han fumlede nervøst med nøglen i sikkerhedslåsen. Faria trak vejret tungt og sagde:

"Du må slippe mig ud, Khalil. Jeg kan ikke leve sådan her. Jeg vil hellere dø."

Khalil vendte sig om og sendte hende et ulykkeligt blik, der fik hende til at tage et skridt baglæns. I det samme hørte hun lyden af Bashir og Ahmed, som rejste sig ude i køkkenet, og hun tog kniven frem og sagde dæmpet:

"Lad, som om jeg truede dig, Khalil, eller gør hvad som helst. Men slip mig ud!"

"De slår mig ihjel," sagde han, og hun tænkte, at nu var det slut.

Det ville ikke lykkes. Den pris kunne hun ikke betale. Bashir og Ahmed nærmede sig, og hun hørte også stemmer ude fra trappeopgangen. Det var forbi. Hun var sikker på det. Men så skete det. Khalil åbnede døren med det samme ulykkelige ansigtsudtryk, og hun lod kniven falde til gulvet og løb. Hun løb forbi faren og Razan derude i opgangen og styrtede ned ad trappen, og et kort øjeblik hørte hun ikke andet end sit eget åndedræt og sine egne skridt. Så buldrede stemmerne deroppe, og tunge, vrede trin fulgte efter hende, og hun styrtede af sted. Det var så underligt. Hun havde ikke været ude i månedsvis. Hun havde dårligt nok bevæget sig, og hun var sikkert i elendig form.

Men det føltes, som om hun blev båret frem af efterårsvinden og den svalende kølighed.

Hun løb, som hun aldrig før havde løbet, på kryds og tværs mellem husene, ned langs vandet ved Hammarby-havnen og op igen langs vejene over broen til ringvejen. Dér sprang hun på en bus, der kørte hende til Vasastan, hvor hun fortsatte med at løbe og snuble. Hun blødte på albuerne, da hun omsider nåede døren på Upplandsgatan og løb de tre etager op til døren til højre og ringede på.

Hun hørte skridt inde fra lejligheden, og hun håbede og bad og lukkede øjnene. Så gik døren op, og hun blev bange. Jamal var stadig i slåbrok, selvom det var midt på dagen, og han var ubarberet og forpjusket og virkede desorienteret og forskrækket. Et kort øjeblik tænkte hun, at det hele var én stor fejl; men Jamal var bare chokeret. Han kunne næsten ikke rumme det. Så udbrød han:

"Tak, gode Gud!"

Hun faldt i hans arme, rystende over hele kroppen, og ville ikke give slip igen. Han førte hende ind i lejligheden og lukkede døren. Også her var der sikkerhedslås, men nu føltes det bare trygt. De klamrede sig tavse til hinanden på den smalle seng, og timerne gik, og de begyndte at snakke og kysse og græde og til slut elske. Langsomt opløstes knuden i hendes bryst. Rædslen fortonede sig, og hun og Jamal smeltede sammen på en måde, hun aldrig før havde oplevet med nogen. Men hvad hun ikke vidste – og heller ikke ville vide – var, at der samtidig fandt en forandring sted i hendes hjem i Sickla. Familien havde fået en ny fjende, og den fjende var hendes lillebror, Khalil.

MIKAEL HAVDE SVÆRT ved at forstå, hvad det var, Malin Frode ville sige. På den anden side var han så optaget af at få fat i Hilda von Kanterborg, at han dårligt nok hørte efter. Han sad i en taxa på Västerbron på vej mod Rutger Fuchsgatan ved Skanstull. Nedenfor i parken lå folk og solede sig. Ude på Riddarfjärden for speedbådene forbi.

"Hør nu efter, Micke," sagde hun. "Jeg beder dig. Det var dig, der fik mig ind i den her suppedas."

"Det er sandt, undskyld. Jeg er bare lidt ukoncentreret. Prøv lige igen. Det var det der med, da Leo sad og skrev inde på sit kontor, ikke?"

"Netop, jeg syntes nok, der var noget underligt ved det."

"Du troede, at han skrev testamente."

"Men det var ikke, *hvad* han skrev. Det var *hvordan*."

"Hvad mener du?"

"Han skrev med venstre hånd, Mikael. Leo har altid været venstrehåndet – det stod pludselig klart for mig. Han skrev altid med venstre hånd. Han greb æbler, appelsiner og alt andet med venstre hånd. Men nu er han pludselig højrehåndet."

"Det lyder virkelig underligt."

"Men det er sandt. Ubevidst må jeg have noteret det, allerede da jeg så Leo i fjernsynet for nogen tid siden. Han viste powerpointbilleder i indslaget, og han brugte højre hånd til det."

"Undskyld mig, Malin, men det virker ikke særlig overbevisende på mig."

"Jeg er ikke færdig. Jeg tænkte heller ikke nærmere over det. Jeg havde ikke engang rigtig bemærket det. Men der var noget, der var begyndt at nage mig, og derfor studerede jeg ham nøje på Fotografiska. Som du ved, var vi jo ret tæt på hinanden i min sidste tid hos Alfred Ögren, og derfor lagde jeg mærke til alt muligt – hele hans kropssprog og den slags."

"Jeg forstår."

"Men under foredraget gjorde han det på samme måde, bare spejlvendt. Han greb som alle højrehåndede vandflasken på bordet med højre hånd og skruede skruelåget af med venstre og hældte op i et glas, som han også holdt i sin højre hånd. Det var da, tanken slog mig for første gang. Bagefter gik jeg hen til ham."

"Og det var en temmelig mislykket samtale."

"Fuldstændig mislykket. Han ville bare af med mig, og så greb han vinglasset på bardisken med højre hånd. Jeg fik simpelthen kuldegysninger af det."

"Kan det være noget neurologisk?"

"Det er sådan cirka det samme, han selv siger."

"Hvad? Har du konfronteret ham med det?"

"Nej, men bagefter følte jeg mig helt skør. Jeg troede ikke mine egne øjne. Jeg så alle de tv-klip, jeg kunne finde på nettet, og så ringede jeg og snakkede med mine tidligere kolleger, og det var, som om det bare bekræftede, at jeg var blevet tosset. Ingen havde bemærket noget. Ingen bemærker nogensinde noget, har du tænkt på det? Men så fik jeg fat i Nina West. Hun er valutamægler og ret skarp, og hun havde også lagt mærke til det. Du forstår sikkert, hvor skønt det var at høre. Hun havde spurgt ham om det."

"Hvad svarede han?"

"Han blev forlegen og begyndte at mumle. Så forklarede han, at han var ambidekstral."

"Hvad betyder det?"

"Ligehåndet. At man kan bruge begge hænder lige godt. Jeg slog det op. Omtrent én procent af menneskeheden er det. Der findes en hel del succesrige idrætsstjerner, som er det, blandt andet Jimmy Connors, hvis du kan huske ham?"

"Selvfølgelig."

"Leo påstod, at han havde byttet hånd efter morens død, at det var en del af hans frigørelse. At han på alle måder forsøgte at finde nye måder at leve på."

"Kan det ikke være en forklaring?"

"Jeg ved det ikke. Lydoverfølsom og ambidekstral på én og samme tid? Det bliver ligesom lidt for meget for mig."

Mikael tav et øjeblik og så ud mod Zinkensdamm.

"Han kan naturligvis godt have to usædvanlige egenskaber. Men ..." Han tænkte sig om. "Du kan have ret i, at der er noget i den her historie, der føles helt forkert. Skal vi ikke snart ses?"

"Absolut," sagde hun.

De lagde på, og han fortsatte mod Skanstull og Hilda von Kanterborg.

Jan Bublanski havde med årene fattet stor sympati for Lisbeth Salander, men han følte sig ikke specielt afslappet sammen med hende. Han vidste, at hun ikke brød sig om ordensmagten, og selvom det var forståeligt – hendes baggrund taget i betragtning – hadede han den slags generaliseringer.

"I det lange løb bliver du altså nødt til at have tillid til folk, Lisbeth, selv politifolk. Ellers får du det svært," sagde han.

"Jeg skal prøve," svarede hun tørt.

Han sad over for hende på en stol i besøgsafdelingen i H-huset og rykkede sig uroligt i sædet. Hun så mærkværdigt ung ud, syntes han. Han kunne ane nogle røde stænk i hendes sorte hår.

"Tillad mig først og fremmest at kondolere med Holger Palmgrens død. Det må have været et hårdt slag for dig. Jeg husker, da jeg mistede min kone ..."

"Skip it!" afbrød hun.

"Okay, lad os være saglige. Har du nogen anelse om, hvorfor nogen kunne tænkes at ville myrde Palmgren?"

Lisbeth Salander tog sig til skulderen, hvor hun havde en gammel skade fra et skudsår. Så begyndte hun at fortælle, med en ejendommelig kølighed, som gjorde Bublanski endnu mere ubehageligt til mode. Men det, hun sagde, havde den fordel, at det var koncist og eksakt – enhver afhøringsleders drøm.

"For nogle uger siden fik Holger besøg af en ældre dame ved navn Maj-Britt Torell, som havde været sekretær for professor Johannes Caldin, tidligere chef for Sankt Stefans børnepsykiatriske klinik i Uppsala."

"Hvor du var anbragt?"

"Hun havde læst om mig i aviserne og gav Holger en række dokumenter, som han først ikke troede indeholdt noget nyt, men som alligevel viste sig at bekræfte det, vi egentlig altid har vidst, men ikke forstået rækkevidden af: at der var planer om at bortadoptere mig som lille. Jeg har altid selv troet, at det skete ud fra en misforstået velvilje på grund af mit svin til far. Men i virkeligheden var det en del af et videnskabeligt eksperiment, som var iscenesat af en myndighed, der hed Registret for Studier af Genetik og Miljø.

Myndigheden er hemmelig, og det lykkedes mig ikke at finde frem til navnene på de ansvarlige, og det irriterede mig. Derfor ringede jeg til Holger og bad ham om at se nærmere på de dokumenter. Jeg har ingen anelse om, hvad han fandt ud af. Jeg ved bare, at Mikael Blomkvist ringede og sagde, at Holger var død, muligvis myrdet. Så mit råd er, at I kontakter Maj-Britt Torell. Hun bor i Aspudden. Hun har måske kopier eller backup af dokumenterne. For øvrigt ville det være godt, hvis I kiggede til hende hurtigst muligt."

"Tak," sagde han. "Det var meget nyttigt. Hvad beskæftigede dette register sig med?"

"Jeg synes, navnet siger det hele."

"Navne kan være vildledende."

"Der er et svin ved navn Teleborian."

"Vi har afhørt ham."

"Gør det igen."

"Har du nogen anelse om, hvad det er, vi skal lede efter?"

"I kan jo forsøge at grille cheferne på genetikcentrum i Uppsala. Men jeg tvivler på, at I når særlig langt ad den vej."

"Kan du ikke være lidt mere præcis, Lisbeth. Hvad handler det her om?"

"Om videnskab – eller snarere om pseudovidenskab – og om idioter, som indbildte sig, at det kunne lade sig gøre at finde ud af noget om, hvordan vi påvirkes af vores sociale miljø og genetiske arv ved at bortadoptere børn."

"Det lyder ikke godt."

"Korrekt," sagde hun.

"Ikke flere ledetråde?"

"Nej."

Bublanski troede hende ikke helt.

"Du ved sikkert, at Holgers sidste ord var: *Tal med Hilda von* ... Siger det dig noget?"

DET SAGDE LISBETH noget. Det havde sagt hende noget allerede i går, da Mikael ringede. Men det beholdt hun foreløbig for sig selv. Hun havde sine grunde. Og hun nævnte heller ikke noget om Leo

Mannheimer eller om kvinden med modermærket. Hun svarede fortsat kun kortfattet på Bublanskis spørgsmål. Derefter sagde hun farvel og blev ført tilbage til cellen. Klokken ni næste morgen ville hun pakke sine ting og tage afsked med Flodberga. Hun gættede på, at Rikard Fager stadig gerne ville af med hende.

KAPITEL 12

Den 20. juni

Rakel Greitz var som sædvanlig misfornøjet med rengøringen. Hun burde have været strengere over for rengøringskonerne. Nu måtte hun selv vaske og tørre, vande potteplanterne og rette på bøger, glas og kopper. Det hjalp ikke noget, at hun havde det skidt og var ved at tabe håret. Hun bed tænderne sammen. Hun havde meget at gøre, og endnu en gang læste hun de dokumenter, hun havde taget fra Holger Palmgren. Det var ikke så svært at forstå, hvilke notater der havde fået ham til at ringe op.

De var ikke i sig selv særlig urovækkende, først og fremmest fordi Teleborian havde været så venlig kun at nævne hende ved forbogstaver. Der stod ikke noget om selve virksomheden eller nogen af de andre børn. Men det var heller ikke det, der var det ubehagelige. Det ubehagelige var, at Holger Palmgren havde læst dem nu efter alle disse år.

Det kunne naturligvis være helt tilfældigt, sådan som Martin Steinberg havde troet. Måske havde Holger haft disse papirer i år og dag og kun ved et tilfælde givet sig til at blade i dem og så undret sig over visse oplysninger uden at gøre noget stort nummer ud af det. Hvis det var sådan, det forholdt sig, var hele hendes aktion et afsindigt fejltrin. Men Rakel Greitz troede ikke på tilfældet, ikke nu hvor så meget balancerede på afgrundens rand, og hun vidste, at Holger Palmgren havde besøgt Lisbeth Salander i kvindefængslet Flodberga for ikke så længe siden.

Rakel Greitz havde ikke tænkt sig at undervurdere Lisbeth Salander en gang til, specielt ikke eftersom Hilda von Kanterborg var nævnt i dokumenterne. Hilda var det eneste forbindelsesled, hun kunne tænke sig, der ville kunne lede Lisbeth Salander til hende. Ganske vist var Rakel Greitz helt sikker på, at Hilda ikke havde talt over sig siden sit ulyksalige venskab med Agneta Salander. Men intet var hugget i sten, og det var ikke usandsynligt, at der var kopier af dokumenterne i omløb, og derfor var det naturligvis af yderste vigtighed, at hun spurgte sig selv, hvordan Palmgren havde fået fat i dem. Var det i forbindelse med den gamle undersøgelse af Teleborian? Eller havde han fået dem senere – og i givet fald af hvem? Rakel havde været overbevist om, at de havde fjernet alt ømtåleligt fra Sankt Stefans børnepsykiatriske klinik, men måske ... hun sank hen i tanker, og pludselig slog det hende: Johannes Caldin, chefen på klinikken. Caldin havde altid været en torn i øjet på dem. Kunne han have givet papirerne videre inden sin død? Eller havde en anden gjort det – som for eksempel hans ...?

Rakel bandede dæmpet:

"Selvfølgelig, den dumme kælling."

Hun gik ud i køkkenet og tog to smertestillende piller med et glas vand. Så ringede hun til Martin Steinberg – noget skulle det skvat bestille – og bad ham straks kontakte Maj-Britt Tourette, som Rakel mere eller mindre utilsigtet kaldte hende.

"Nu med det samme," sagde hun. "Nu!"

Derefter spiste hun en rucolasalat med valnødder og tomater og gjorde rent ude på badeværelset. Klokken var halv seks om eftermiddagen. Det var varmt, selvom altandøren stod åben. Hun længtes efter at tage rullekraveblusen af og iføre sig en lærredsskjorte i stedet for; men hun modstod fristelsen og tænkte endnu en gang på Hilda. Hun foragtede Hilda. Hilda var en fordrukken luder. Ikke desto mindre havde Rakel engang for længe siden været jaloux på hende. Mænd følte sig tiltrukket af Hilda, kvinder og børn med for den sags skyld, og hun havde tænkt frit og stort i de gode gamle dage, dengang de alle sammen havde haft så store forhåbninger.

Deres projekt var egentlig ikke unikt. Der fandtes en inspirationskilde i New York. Men Martin og hun havde drevet deres projekt længere, og selvom resultaterne havde forbløffet dem, og indimellem skuffet dem, havde hun aldrig ment, at omkostningerne var for høje. Visse børn fik det værre end andre, det var sandt. Men sådan var det nu engang i livets lotteri.

Projekt 9 var i grunden ædelt og vigtigt – sådan så hun på det. Det kunne få verden til at forstå, hvordan vi skaber stærkere og mere harmoniske individer, og derfor var det så fordømt, at L.M. og D.B. havde sat det hele over styr og tvunget hende til at gå til yderligheder. Overtrædelserne i sig selv plagede hende ikke så meget, og det fandt hun selv mærkeligt indimellem. Rakel Greitz var trods alt ikke uden selvindsigt. Hun vidste, at hun manglede anlæg for anger. Men hun var nervøs for konsekvenserne.

Ude på Karlbergsvägen hørtes fjerne råb og latter. Der lugtede af rengøringsmiddel og sygehussprit fra køkkenet og dagligstuen. Hun så på sit armbåndsur igen og rejste sig fra skrivebordet og fandt en anden lægetaske frem, en moderne sort en, og en ny diskret paryk, nye solbriller og et par kanyler og ampuller samt en lille flaske med en klar blå farve. Hun greb en stok med sølvbeslag fra garderoben og en grå hat fra hylden i entreen. Så gik hun ud og ventede på, at Benjamin skulle hente hende og køre hende til Skanstull.

Hilda von Kanterborg skænkede sig et glas vin. Hun drak langsomt. Hun var helt klart alkoholiker. Og dog drak hun ikke så meget, som mange troede. Hun overdrev sit misbrug, præcis som hun overdrev sine andre fejl og mangler. Hilda von Kanterborg var ikke nogen fornem adelsdame på vej ned ad skråplanet, sådan som mange troede. Og hun var heller ikke en kvinde, som bare tullede rundt og drak sig fuld. Hun publicerede stadig artikler om psykologi under pseudonymet Leonard Bark.

Hendes far havde heddet Wilmer Karlsson og været entreprenør og bedrager, indtil han blev dømt for groft bedrageri i retten i Sundsvall. Senere fik han øjnene op for en ung løjtnant ved livdragonregimentet ved navn Johan Fredrik Kanterberg, som var død i en duel i 1787 som den sidste af sin slægt. Ved en række forhandlinger og finter lykkedes det for Wilmer Karlsson at skifte navn, trods den svenske adelsforenings strikte regler –

ikke til Kanterberg, men til Kanterborg, og på eget initiativ tilføjede han så et *von*, som langsomt sneg sig ind i de offentlige registre.

Hilda syntes, at navnet var oppustet og kunstigt, specielt efter at faren havde forladt dem, og de flyttede ind i en nedslidt toværelses midt i Timrå. Von Kanterborg lød lige så forlorent i det miljø, som hun selv ville have følt sig i adelsforeningen, og måske formede hun en del af sin personlighed i trods mod navnet. I sine teenageår eksperimenterede hun med stoffer og hang ud med byens utilpassede unge mænd med store amerikanerbiler.

Alligevel var hun ikke bare en outsider. Hun var dygtig i skolen, og efter gymnasiet læste hun psykologi ved Stockholms Universitet. Selvom hun i starten mest festede, fik underviserne øjnene op for hende. Hun var flot og intelligent og nytænkende. Men hun var også moralsk, selvom det ikke var på den måde, som piger dengang forventedes at være det. Hun holdt sig ikke tilbage og var hverken stille eller nuttet. Men hun hadede uretfærdighed, og hun svigtede aldrig folks tillid.

Kort efter at hun var blevet ph.d., så hun ved et tilfælde sociologiprofessoren Martin Steinberg på en lille restaurant på Rörstrandsgatan i Vasastan. Som alle andre ph.d.'er kendte hun Martin. Han var høj og smuk og mindede med sit velplejede overskæg lidt om David Niven. Han var gift med en lidt sat kvinde ved navn Gertrud, som nu og da blev taget for at være hans mor. Hun var 14 år ældre end ham og mærkeligt uanseelig, specielt Martins egen stråleglans taget i betragtning.

Man sagde, at Martin Steinberg havde andre kvinder. Man sagde også, at han var en stor kanon med større magt, end hans cv viste, selvom hans cv i sig selv var ganske imponerende. Han havde været rektor for Socialhögskolan og stået i spidsen for adskillige statslige udredninger. Selvom Hilda allerede dengang betragtede ham som alt for dogmatisk og sløv, var hun fascineret af ham, ikke kun af hans ydre og hans aura. Hun betragtede ham som en gåde, der skulle løses.

Derfor gav det også et sæt i hende, da hun så ham på restauranten sammen med en kvinde med en helt anden udstråling end hans kone. Kvinden havde kort, askeblondt hår og smukke viljestærke øjne, en slank kvinde med en dronningeagtig udstråling og lange, elegante hænder med rødlakerede negle. Hilda var ikke sikker på, at det var et stævnemøde, men Martin Steinberg blev tydeligvis ilde berørt, da han opdagede hende. Der var egentlig ikke noget specielt ved scenen, men alligevel føltes det, som om hun havde fået et glimt af det hemmelige liv, hun altid havde forestillet sig, at Martin Steinberg levede ved siden af, og hun skyndte sig at gå igen.

De følgende dage og uger betragtede Martin Steinberg hende med en vis nysgerrighed, og en aften inviterede han hende på en spadseretur på skovstierne uden for instituttet. Himlen var mørk den dag. Martin tav længe, som om han forberedte sig på at sige noget hemmeligt og stort. Men så brød han tavsheden med et spørgsmål, som forbløffede hende ved sin banalitet:

"Har du nogensinde funderet over, hvorfor du er, som du er, Hilda?"

Hun svarede høfligt:

"Ja, det har jeg, Martin."

"Det er et af de store spørgsmål, ikke bare for din og min historie, men også for vores fremtid," sagde han.

Det var sådan, det startede. Hun blev inddraget i Projekt 9, og i begyndelsen virkede det så uskyldigt. Det virkede ikke mere specielt, end at et antal plejefamilieanbragte børn fra forskellige sociale forhold havde deltaget i en række tests og evalueringer, siden de var små. Nogle var meget begavede. Andre var det ikke. Men resultaterne blev ikke offentliggjort, og i starten så hun ingen tegn på kynisme, ingen udnyttelse. Tværtimod var der en omsorg og omtanke der, og på en del områder lancerede de nye, om end ikke banebrydende, forskningsresultater.

Alligevel rejste der sig efterhånden en del spørgsmål: Hvordan var børnene blevet valgt ud? Og hvorfor var så mange af dem havnet i så vidt forskellige miljøer? Langsomt gik sammenhængen op for hende. Men da havde døren allerede lukket sig bag hende, og egentlig betragtede hun stadig projektet som acceptabelt. Det var muligt at se ikke bare helheden, men også hvert enkelt tilfælde i et forsonende lys.

Men så fulgte et nyt efterår og beskeden om, at Carl Seger var blevet skudt under en elgjagt. Så blev hun for alvor bange. Hun besluttede at rive sig løs. Martin og Rakel Greitz fornemmede det straks. Hun fik mulighed for at gøre noget godt, og det holdt hende fast endnu en tid. Hun skulle redde en pige i projektet. Pigen levede sammen med sin tvillingesøster i et veritabelt helvede på Lundagatan i Stockholm. Alligevel greb myndighederne ikke ind, og Hilda skulle finde en løsning og en plejefamilie.

Men ingenting var så enkelt, som det var blevet beskrevet, og hun kom tæt på både moren og pigen. Hun tog deres parti, og det kostede hende karrieren og havde nær kostet hende livet også. Indimellem fortrød hun det. Men for det meste var hun stolt af det. I disse øjeblikke betragtede hun det, som det bedste hun havde gjort i sin tid ved Registret.

Nu hvor det var hen under aften, drak Hilda sin Chardonnay og kiggede ud ad vinduet. Overalt spadserede folk rundt og virkede lykkelige. Skulle hun selv gå ud og sætte sig med en bog på en fortovscafé? Hun nåede ikke længere end til tanken, for hun fik øje på en skikkelse, der steg ud af en sort Renault længere nede ad gaden. Det var Rakel Greitz, og det var i og for sig ikke så bemærkelsesværdigt, for Rakel kom nu og da på besøg og fyldte hende med smiger og elskværdigheder. Men her på det seneste havde noget føltes galt. Rakel havde lydt anspændt og nervøs i telefonen og var begyndt at komme med trusler ligesom før i tiden.

Nu stod hun på fortovet i forklædning, men det var umiskendeligt hende, og ved siden af hende gik Benjamin. Benjamin Fors var Rakels altmuligmand, som ikke bare løb ærinder for hende, men også blev tilkaldt, når der krævedes rå muskelkraft eller tvangsforanstaltninger. Hilda blev bange og traf en hurtig og drastisk beslutning.

Hun greb sin pung, frakke og mobilen, der var sat på lydløs og lå på skrivebordet. Så gik hun ud og låste efter sig. Men hun havde været for langsom. Nede i opgangen hørtes allerede skridt, og hun blev grebet af panik og styrtede ned, vel vidende at hun risikerede at løbe lige i armene på dem. Men gudskelov ventede de på elevatoren. Hilda nåede ud i gården, den eneste vej, hun kunne tage, hvis hun ville undgå hovedindgangen. Ude i gården var der en gul mur, hun kunne klatre over, hvis hun flyttede havebordet nærmere. Bordbenene skreg mod stenfliserne, da hun trak i det. Hun kravlede over muren som et klodset barn og sprang ned i nabogården og forsvandt ud på Bohusgatan. Der drejede hun ned mod Eriksdalsbadet og vandet. Hun gik rask til, selvom hendes venstre fod værkede efter springet, og hun ikke var helt ædru.

Nede ved Årstavikens træningsanlæg fandt hun mobilen frem. Nogen havde ringet til hende gentagne gange, og da hun aflyttede telefonsvareren, stivnede hun. Hun forstod, at der virkelig var noget galt. Journalisten Mikael Blomkvist ville have fat i hende, og selvom han undskyldte sig høfligt, lød han oprevet, specielt da han anden gang tilføjede, at det nu efter Holger Palmgrens død var "særlig vigtigt", at han fik fat i hende.

Holger Palmgren, mumlede hun. *Holger Palmgren.* Hvor kendte hun det navn fra? Hun søgte på mobilen, og pludselig forstod hun det. Holger Palmgren var jo Lisbeth Salanders gamle formynder. Noget var helt klart ved at krakelere, og det var ikke godt. Hvis medierne søgte informationer, var hun det svage led i kæden.

Hun gik raskere til og kiggede ud over vandet og træerne og alle menneskene, som var ude at spadsere eller sad i græsset med deres tæpper og madkurve. Umiddelbart efter idrætsanlægget på den åbne plads ved småbådehavnen lå der tre unge fyre med en fandenivoldsk, provokerende attitude og drak øl på et tæppe. Hun standsede op og så ned på sin telefon igen. Hilda von Kanterborg var ikke særlig teknisk anlagt, men hun vidste, at det var muligt at spore hende via telefonen. Hun foretog et sidste opkald til sin søster, men fortrød det straks. Samtalerne med søsteren efterlod altid en afsmag af skyld og skam. Så gik hun hen til fyrene og valgte en med langt tjavset hår og en laset cowboyjakke. Hun gav ham sin telefon.

"Her," sagde hun. "Det er en iPhone, helt ny. Du må få den. Du kan sikkert skifte SIM-kortet ud eller sådan noget."

"Hvorfor fanden skal jeg have den?"

"Fordi du virker som en sød fyr. Lykke til, og nu ikke noget med at købe stoffer," sagde hun, og så forsvandt hun med raske skridt i aftensolen.

En halv time senere hævede hun 3.000 kroner i en hæveautomat ved Hornstull og begav sig sveddryppende af sted mod Centralen. Hun skulle til Nyköping, til et lille afsides hotel, hvor hun engang for længe siden havde skjult sig, da kollegerne på universitetet havde beskyldt hende for at være en forhoret luder.

MIKAEL BLOMKVIST mødte en ældre kvinde i døråbningen. Hun havde hat og stok og virkede sky, og bag hende kom en kraftig mand på hans egen alder, som nok var omtrent to meter høj, med små øjne, rundt ansigt og kraftige arme. Men han skænkede dem ikke en tanke. Han var bare glad for at komme ind og kunne løbe op ad trapperne til Hilda von Kanterborgs lejlighed og ringe på. Der var ingen hjemme.

Han gik ud igen og spadserede af sted mod Clarion Hotel ved Skanstull, hvor han atter forsøgte at ringe. Nu var der en arrogant fyr, der tog den, måske hendes søn.

"Hej!"

"Hej!" svarede Mikael. "Er Hilda der?"

"Her er ikke nogen skide Hilda. Det her er min mobil nu."

"Hvad mener du?"

"Jeg fik den af en skør kælling."

"Hvornår?"

"Lige nu."

"Hvordan virkede hun?"

"Skør og dum i hovedet."

"Hvor er du?"

"Det rager ikke dig," sagde fyren og lagde på.

Mikael bandede. I mangel af bedre idéer gik han ind på baren i Clarion Hotel og bestilte en Guinness.

Han havde brug for at tænke, så han slog sig ned i en lænestol ved vinduet ud mod Ringvägen. Bag ham i receptionen stod en ældre, skaldet herre og diskuterede oprørt sin hotelregning. To piger sad og hviskede ikke så langt fra hans vinduesbord.

Tankerne hvirvlede rundt i hovedet på ham, og han tænkte på Lisbeth. Hun havde talt om navnelister og om Leo Mannheimer, hvis psykolog, Carl Seger, var død på mistænkelig vis efter et vådeskud for 25 år siden. Det var ikke vildt at gætte på, at historien gik langt tilbage i tiden, specielt ikke efter Holger Palmgrens død og de dokumenter, der var blevet fundet i hans entré.

Tal med Hilda von ...

Kunne han have ment nogen anden end Hilda von Kanterborg? Det var muligt, men ikke sandsynligt, og lige for lidt siden havde Hilda optrådt mærkeligt og foræret sin telefon til en teenageknægt. Mikael fik sin Guinness og kiggede på pigerne til højre i baren. Det virkede, som om de hviskede om ham. Han fandt mobilen frem og søgte på Hilda von Kanterborg. Han antog, at det, han søgte, ikke ligefrem ville være det første, Googles søgealgoritmer fandt frem til, måske var det ikke engang tilgængeligt på nettet. Men måske ville han kunne læse sig til noget mellem linjerne. Man kunne aldrig vide. Ledetråde kunne gemme sig i banale eller undvigende svar i interviews eller i emnevalg og interesser.

Han fandt ikke noget. Hilda von Kanterborg havde været en ganske produktiv forfatter af videnskabelige artikler, indtil hun mistede sit arbejde på Stockholms Universitet. Derefter var hun blevet stille, og i det gamle materiale kunne Mikael ikke finde nogen rød tråd, intet der virkede hemmeligt eller lyssky eller havde med bortadopterede børn at gøre, for da slet ikke at tale om drenge med overfølsom hørelse, der var gået fra at være venstrehåndede til at være højrehåndede.

Hun virkede derimod skarp og klog, når hun argumenterede mod den gedulgte racistiske agenda, som endnu på den tid dukkede op i forskningen om genetikkens betydning for intelligensen, og så havde hun skrevet et kort essay i *Journal of Applied Psychology* om den såkaldte Flynn-effekt, som viser, at menneskets målbare intelligens er vokset støt siden 1939, sikkert fordi vores hjerner kontinuerligt får øget stimulering.

Derudover fandt han ingen ledetråde. Han løftede blikket mod gaden igen og bestilte endnu en Guinness. Han overvejede, om han kunne ringe til nogen, og søgte i artiklerne efter medforfattere og kolleger. Derefter søgte han på navnet von Kanterborg, men fandt kun én anden levende person i landet, som hed sådan. Det var en kvinde, seks år yngre, som hed Charlotta, og som boede på Renstiernas Gata. Hun var tydeligvis frisør med egen salon på Götgatan. Mikael billedgooglede Hilda og Charlotta von Kanterborg og bemærkede ligheden, de var sandsynligvis søstre. Uden at gruble mere over sagen ringede han til Charlotta.

"Lotta," sagde hun.

"Jeg hedder Mikael Blomkvist og er journalist på bladet *Millennium*," sagde han og mærkede straks, at hun blev urolig.

Det var ganske vist ikke usædvanligt. Han beklagede det ofte og plejede at pjatte med, at han burde skrive flere positive artikler, så folk ikke blev så bange, når han ringede. Men denne gang fornemmede han, at der lå noget andet og mere i det.

"Undskyld, jeg forstyrrer. Jeg har brug for at få fat i Hilda von Kanterborg," sagde han.

"Hvad er det, der er sket med hende?"

Ikke: *Er der sket hende noget?* Men: *Hvad er det, der ...*

"Hvornår hørte du sidst fra hende?" sagde han.

"For en time siden."

"Hvor befandt hun sig da?"

"Må jeg spørge, hvorfor du ringer? Jeg mener ..."

Hun tøvede.

"Hvad?"

"Det er ikke ligefrem, fordi journalisterne ringer sådan til daglig mere for at få fat i hende."

Hun sukkede.

"Det var ikke meningen at skræmme dig," sagde han.

"Hun lød jaget og bange. Hvad foregår der egentlig?"

"Jeg ved det oprigtig talt ikke," sagde han. "Men en fin gammel mand ved navn Holger Palmgren er blevet myrdet. Jeg var der, mens han kæmpede for sit liv, og det sidste, han sagde, var at jeg burde tale med Hilda. Jeg tror, at hun sidder inde med vigtig information."

"Hvad skulle det handle om?"

"Det er det, jeg forsøger at finde ud af. Jeg vil gerne hjælpe hende. Jeg ønsker, at vi hjælper hinanden."

"Kan jeg stole på det?"

Han svarede med en ærlighed, der forbløffede ham selv:

"I mit job er det ikke så let at love noget. Sandheden – hvis jeg har held til at finde frem til den – kan godt risikere at skade selv dem, jeg vil det godt. Men de fleste af os plejer at få det bedre af at fortælle om det, der plager os."

"Hun har det skidt," sagde Lotta.

"Javel."

"Hun har sådan set haft det skidt de sidste 20 år. Men det føles værre nu end nogensinde."

"Hvorfor det, tror du?"

"Jeg har ... ingen anelse."

Han bemærkede den lette tøven i hendes stemme og huggede til som en kobra.

"Må jeg komme op et øjeblik? Jeg kan se, at du bor lige i nærheden."

Det virkede, som om Lotta von Kanterborg blev endnu mere nervøs. Alligevel følte han sig helt sikker på, at hun ville ende med at give sig og invitere ham hjem. Derfor overraskede det ham, da hun svarede med et skarpt og urokkeligt: "Nej!"

"Jeg vil ikke blandes ind i det," tilføjede hun.

"Blandes ind i hvad?"

"Altså ..."

Hun tav. Mikael hørte, at hun tog en dyb indånding, og han forstod, at det var på vippen. Han havde oplevet det mange gange som journalist. Mennesker når til et punkt, hvor de overvejer, om de skal tale eller tie. I den slags øjeblikke stivner de ofte i koncentration, mens de forsøger at få overblik over konsekvenserne. Han vidste, at det tit ender med, at de taler. Deres tøven har i sig selv blottet dem og givet plads for ubevidste kræfter. Men der findes ingen garantier, og han forsøgte at lade være med at lyde alt for ivrig.

"Er der noget, du gerne vil fortælle?"

"Hilda skriver nogle gange under pseudonymet Leonard Bark," sagde Lotta von Kanterborg.

"Hvad? Er det hende?"

"Kender du den skribent?"

"Jeg er ganske vist bare en gammel bladsmører; men jeg har da nogenlunde styr på kultursiderne også. Jeg kan godt lide ham – eller hende, mener jeg. Hvad vil du sige med det?"

"At hun som Leonard Bark skrev en artikel i *Svenska Dagbladet* under overskriften 'Født sammen, opvokset hver for sig'. Jeg tror, det er tre år siden."

"Okay."

"Artiklen handlede om en videnskabelig undersøgelse, som blev udført af folk fra universitetet i Minnesota. Der er ikke noget bemærkelsesværdigt ved artiklen. Men den var vigtig for hende, det var tydeligt, når hun talte om den."

"Okay," sagde han. "Hvad vil du sige med det?"

"Egentlig ikke noget. Man kunne bare mærke, at der var noget, der plagede hende med alt det der."

"Kan du være lidt mere konkret?"

"Faktisk ved jeg ikke mere. Jeg har aldrig orket at grave i det, og Hilda har aldrig sagt et ord om det, uanset hvor meget jeg pressede hende. Men jeg tænker, at du kan drage de samme slutninger som jeg af den artikel."

"Tusind tak. Jeg tjekker det."

"Lov mig, at du ikke skriver alt for dårligt om hende."

"Jeg tror, at der findes værre skurke i den her historie," svarede han.

De sagde farvel, og Mikael betalte for sine Guinness og forlod Clarion Hotel. Han gik over til Götgatan og fortsatte op mod Medborgarplatsen og Sankt Paulsgatan. Han affærdigede både bekendte og ukendte, der ville snakke – han var ikke i humør til det. Han ville bare læse artiklen. Alligevel ventede han, til han var hjemme, inden han fandt den frem på computeren.

Han gennemgik den tre gange, og bagefter læste han en række andre artikler om samme emne og foretog et par telefonopkald. Først klokken ét om natten stoppede han. Han drak et glas Barolo og overvejede, om han ikke trods alt begyndte at forstå lidt af, hvad der var sket, selvom han stadig ikke begreb Lisbeths rolle i historien.

Han måtte tale med hende, tænkte han – uanset hvad fængselsledelsen sagde.

Del 2

FORUROLIGENDE KLANGE

Den 21. juni

En mol 6-akkord består af grundtone, terts, kvint og sekst i den melodiske molskala.

I den amerikanske jazz- og popmusik er mol 7 imidlertid den almindeligste mol-akkord. Den anses for elegant og smuk.

Mol 6 anvendes kun sjældent. Den betragtes som streng og uheldsvanger.

KAPITEL 13

Den 21. juni

LISBETH SALANDER HAVDE forladt sikkerhedsafdelingen for sidste gang. Nu stod hun ude i vagten på Flodberga-anstalten og blev målt oppefra og ned af en plysklippet fyr på hendes egen alder med rødblakket hud og små, arrogante øjne.

"Mikael Blomkvist har ringet for at tale med dig," sagde fyren.

Lisbeth så ikke op. Hun ignorerede oplysningen. Klokken var halv ti om formiddagen, og hun ville bare ud. Hun var irriteret over bureaukratiet og kradsede nogle ulæselige kragetæer ned på de blanketter, hun fik udleveret. Så fik hun sin computer og mobil udleveret og blev løsladt.

Hun passerede lågerne, muren og jernbanen og satte sig på den slidte, rødmalede bænk ved landevejen og ventede på bus 113 mod Örebro. Det var en varm og klar formiddag, vindstille, et par fluer summede omkring hende. Selvom hun vendte ansigtet mod solen, som om hun nød vejret, følte hun ingen større glæde ved at være fri.

Men hun var glad for at få sin laptop tilbage, og som hun sad der på bænken i sine stramme, sorte jeans, tog hun den frem og loggede på. Hun kontrollerede, at Annika Giannini havde sendt politiudredningen om Jamal Chowdhurys død, som hun havde lovet. Materialet lå i mailen, og det var godt. Lisbeth ville kigge på det på turen hjem.

Annika Giannini havde en teori, en mistanke, som til dels grundede sig på det ejendommelige faktum, at Faria Kazi havde tiet under alle politiafhøringerne, dels på en lille videosekvens fra tunnelbanen i Hornstull, som Annika åbenbart havde diskuteret med en imam i Botkyrka ved navn Hassan Ferdousi. Imamen mente, at Annika muligvis var på rette spor. Tanken var nu, at Lisbeth med sin computerkundskab også skulle se på den, og hun søgte derfor efter filmen i udredningen. Men inden hun granskede den, kiggede hun ud mod vejen og de gule marker og tænkte på Holger Palmgren. Hun havde tænkt på ham næsten hele natten. *Tal med Hilda von ...*

Den eneste *Hilda von*, Lisbeth kendte til, var Hilda von Kanterborg, gamle Hilda med de store armbevægelser, som i tide og utide sad i køkkenet hjemme på Lundagatan i hendes barndom, og som havde været en af morens få venner i nøden. Hilda havde været en støtte, det var i hvert fald, hvad Lisbeth havde troet – ikke en der skjulte noget. Det var også derfor, Lisbeth en dag for ti år siden havde opsøgt hende. De havde siddet en hel aften og drukket billig rosévin, fordi hun havde villet vide noget mere om sin mor. Hilda havde også fortalt hende en del, og Lisbeth havde selv fortalt et og andet. Hun havde tilmed betroet Hilda detaljer, som hun end ikke havde delt med Holger. Det havde været en lang aften, og de havde skålet for Agneta og for alle kvinder, der havde fået ødelagt deres liv af skiderikker og pikhoveder.

Ikke med ét ord havde Hilda nævnt noget om, at hun havde kendskab til Registret. Havde hun fortiet det vigtigste for hende? Først nægtede Lisbeth at tro det. Hun plejede godt at kunne fornemme, når der lå noget begravet under overfladen. Hun huskede de filer, hun havde downloadet fra Alvars computer, og mindedes nogle initialer i dokumenterne. Initialerne var HK. Kunne det stå for Hilda von Kanterborg? Lisbeth begyndte at søge, og det gik op for hende, at Hilda havde været en mere indflydelsesrig psykolog, end hun havde troet. Vreden blussede op i hende. Men hun besluttede at vente med sin dom.

Bus 113 mod Örebro nærmede sig længere oppe ad landevejen i en støvsky. Hun betalte buschaufføren og satte sig allerbagerst. Dér kiggede hun på den aktuelle videosekvens fra tunnelbanen i Hornstull lige efter midnat den 10. oktober for snart to år siden. Langsomt blev hun mere og mere interesseret i en lille detalje, en uregelmæssighed i den mistænkte mands håndbevægelser. Var der noget dér? Hun var ikke sikker.

Bevægelsesgenkendelse er en ung videnskab. Lisbeth var imidlertid ikke i tvivl om, at alle har en art fingeraftryk i gestikken. Indtil videre er det bare svært at måle. Hver eneste lille bevægelse indeholder tusindvis af informationer og er ikke-deterministisk. Vi klør os i håret på en ny måde hver gang. Vi gestikulerer på beslægtede, men aldrig helt ens måder. Der kræves sensorer, signalprocessorer, gyroskoper, accelerometre, følgealgoritmer, Fourieranalyser, frekvens- og afstandsmålinger for præcist at kunne beskrive og sammenligne bevægelser. Der fandtes ganske vist en del programmer på nettet, man kunne downloade. Men nej, hun troede ikke på det. Det ville tage for lang tid, og hun fik i stedet en anden idé.

Hun tænkte på sine venner i Hackerrepublikken og det dybe neurale netværk, DNN, som Plague og Trinity havde arbejdet så længe med. Kunne det mon bruges? Det var ikke usandsynligt. Hun var nødt til at finde et større register med håndbevægelser, som algoritmerne kunne studere og lære af. Men det burde ikke være umuligt.

Hun arbejdede koncentreret i toget hjem, og pludselig fik hun en vild idé. Politiet ville næppe bryde sig om det, specielt ikke her på hendes første dag i frihed; men det kom jo ikke sagen ved. Hun steg af toget på Stockholms Centralstation og tog en taxa hjem til Fiskargatan, hvor hun fortsatte sit arbejde.

DAN BRODY LAGDE guitaren – en nyindkøbt Ramirez – fra sig på sofabordet og gik ud i køkkenet og lavede sig en dobbelt espresso, som han drak så hurtigt, at han brændte sig på tungen. Klokken var ti minutter over ni. Tiden var fløjet af sted. Han havde siddet fast i "Recuerdos de la Alhambra", og nu var han for sent på den til arbejdet. Ikke at nogen ligefrem ville tage sig af det, men han ville ikke virke nonchalant. Derfor skyndte han sig ud fra køkkenet igen og åbnede klædeskabet i soveværelset. Han valgte en hvid skjorte og et mørkt jakkesæt samt et par sorte Church-sko. Derefter skyndte han sig ned ad trappen og opdagede, at det allerede var trykkende varmt ude på gaden. Sommeren var for alvor kommet til byen, og det glædede ham ikke særligt.

Jakkesættet føltes forkert til årstiden. Tøjet føltes i det hele taget for stift og stramt i sollyset, og efter nogle få meter var han allerede svedig på ryggen og under armene. Det forstærkede hans utilpashed. Han så over mod gartnerne i Humlegården og plagedes af lyden fra græsslåmaskinerne, mens han i rask trav fortsatte ned mod Stureplan, og selvom han stadig følte sig plaget, bemærkede han med en vis tilfredsstillelse, at andre mænd i jakkesæt også var blanke i ansigtet og så forpinte ud. Varmen var kommet pludseligt efter en lang regnfuld periode. Længere borte på Birger Jarlsgatan stod en ambulance, og han tænkte på sin mor.

Hans mor var død i barselsseng. Han var blevet født som Daniel Brolin, og hans far var en omrejsende musiker, som aldrig havde taget sig af ham, og som var død af skrumpelever i en ung alder efter langvarig druk. Daniel voksede op på et børnehjem i Gävle og senere, fra seksårsalderen, som et af fire plejebørn på en bondegård nord for Hudiksvall. Fra barnsben af sled han hårdt i det med dyrene, høsten og mugningen og med at slagte og partere grisene. Bonden Sten lagde ikke skjul på, at han kun havde taget plejebørnene – alle sammen drenge – for at få arbejdshjælp. Sten havde været gift med en stovt rødhåret kvinde, som hed Kristina, da han blev plejefar for drengene. Men Kristina forsvandt på et tidligt tidspunkt og lod ikke siden høre fra sig. Man sagde, at hun var flyttet til Norge, og ingen, der kendte Sten, blev særlig overrasket over, at hun var blevet træt af ham. Sten var ikke grim. Han var høj og rank og havde et velplejet skæg, der tidligt grånede. Men der var noget bistert over munden og panden, som skræmte folk. Han smilede sjældent og brød sig ikke om unødig snak og socialt samvær, og han hadede prætentioner og udenomsværker.

Hans evige omkvæd var: "Lad være med at skabe jer. I skal ikke tro, I er noget." Og når drengene i et anfald af løssluppenhed bekendtgjorde, at de ville være fodboldspillere eller advokater eller millionærer, når de blev store, hvæsede han altid: "Man skal kende sin plads!" Han var nærig med ros, opmuntring og penge.

Han brændte sin egen sprit, spiste kun kød fra dyr, han selv havde skudt eller slagtet, og var så godt som selvforsynende. Der blev ikke indkøbt noget, der ikke var på tilbud, udsalg eller forsynet med røde rabatmærker. Møblerne var loppemarkedsfund samt arvestykker fra naboer og familie, og beboelseshuset var malet i en skriggul farve, som ingen forstod, før det blev afsløret, at Sten havde fået den gratis.

Sten manglede æstetisk sans, og han læste aldrig bøger eller aviser. Men det generede ikke Daniel. Han havde biblioteket i skolen. Det var værre med Stens aversion mod al musik, som ikke var svensk og munter. Daniel havde ikke arvet meget andet fra sin biologiske far end sit efternavn og en Levin-guitar med nylonstrenge, som længe stod gemt væk på loftet, men som Daniel fandt frem, da han var elleve og kom til at elske. Ikke kun fordi instrumentet syntes at have ligget og ventet på ham; men også fordi han følte det, som om han var født til at spille.

Han lærte sig hurtigt de grundlæggende akkorder og harmonier og opdagede, at han kunne planke melodier fra radioen efter bare at have hørt dem en enkelt gang. Længe spillede han det sædvanlige repertoire for en dreng i hans generation: ZZ-Tops "Tush", Scorpion-balladen "Still Loving You", Dire Straits' "Money for Nothing" og en håndfuld rock-klassikere. Men så skete der noget. En kold efterårsdag sneg han sig ud fra kostalden. Han var 14 år gammel, og skolen var et helvede. Han havde let ved at lære, men han kunne ikke koncentrere sig, fordi han blev forstyrret af al støjen og larmen omkring sig. Han længtes altid tilbage til gårdens ro og fred, selvom han hadede sliddet og de lange arbejdsdage. Han sneg sig væk, når han kunne, og forsøgte at få tid for sig selv.

Denne dag – klokken var lidt over halv seks – kom han ind i køkkenet og tændte for radioen, som spillede noget ligegyldig popmusik. Han drejede på knappen og fik pludselig P2. Han anede intet om P2. Han troede, det mest var noget for gamle knarke, og det, han hørte, bekræftede bare hans fordomme. Det var en enerverende klarinetsolo, der lød som en bi eller et alarmsignal.

Alligevel lyttede han videre, og så skete der noget. En guitar spillede, en tøvende, skælmsk guitar. Det gav et sæt i ham. Noget nyt fyldte rummet, noget andagtsfuldt og fortættet, og han blev fuldstændig nærværende. Han hørte ikke andre lyde, ingen drenge der bandede og larmede, ingen fugle og traktorer, fjerne biler eller skridt, der nærmede sig. Han stod bare der, opslugt af en pludselig og uventet lykke, og forsøgte at forstå, hvorfor tonerne adskilte sig fra alle andre, han havde hørt, og hvorfor de greb ham sådan. Så mærkede han et tag i hår og nakke.

"Dit dovne drog, tror du ikke, jeg ser, hvordan du pjækker hele tiden?"

Det var Sten. Sten trak ham i håret og råbte og bandede. Men Daniel mærkede det dårligt nok. Han var kun fokuseret på én ting: at lytte til musikken! Det var, som om den viste ham noget nyt og ukendt, som var rigere og større end det liv, han hidtil havde levet. Selvom han ikke fik at vide, hvem det var, der havde spillet, så lykkedes det ham at kaste et blik på det gamle ur i køkkenet oven over kakkelovnen, inden Sten halede ham ud. Han forstod, at tidspunktet var vigtigt, og næste dag lånte han en telefon i skolen og ringede til Sveriges Radio.

Han havde aldrig gjort sådan noget før. Han havde slet ikke den type driftighed og selvtillid. Han var typen, som ikke engang rakte hånden op i klasselokalet, selvom han kendte svaret, og han havde altid følt sig mindreværdig over for byfolk, og da særligt hvis de arbejdede med noget så glamourøst som radio eller fjernsyn. Nu ringede han alligevel og blev stillet om til en Kjell Brander på Jazzredaktionen. Med skælvende stemme spurgte han, hvad det var for et stykke, der var blevet spillet lidt over halv seks aftenen før. For en sikkerheds skyld nynnede han lidt af melodien også. Det sparede Kjell Brander for en masse bøvl.

"Ser man det! Kan du godt lide den?"

"Ja," svarede han.

"Så har du god smag, unge mand. Det var Django Reinhardts 'Nuages'."

Daniel, som aldrig før var blevet kaldt *unge mand*, bad om at få det stavet og spurgte endnu mere nervøst:

“Hvem er det?”

“En af verdens bedste guitarister, vil jeg mene. Og så spillede han endda sine soloer med kun to fingre.”

Nu langt senere kunne Daniel ikke huske, hvad Kjell Brander havde fortalt ham ved den lejlighed, og hvad han selv havde fundet ud af bagefter. Men gradvist gik det op for ham, at der lå en historie bag, som kun gjorde det hele endnu mere værd: Django havde været fattig og var vokset op i Liberchies i Belgien og havde tit stjålet kyllinger for at overleve. Allerede tidligt spillede han guitar og violin og blev betragtet som et stort talent. 18 år gammel væltede han imidlertid et stearinlys i den husvogn, han boede i, så der gik ild i hans kones papirblomster – hun levede af at sælge papirblomster – og husvognen brændte. Django blev alvorligt brandskadet, og i lang tid var der ingen, der troede, at han ville komme til at spille igen, specielt ikke, eftersom to af hans fingre på venstre hånd var blevet ubrugelige. Alligevel lykkedes det ham at udvikle en ny teknik, der tillod ham at fortsætte med at udvikle sig og blive verdensberømt.

Men først og fremmest var Django sigøjner, eller roma, som det hed nu om stunder. Daniel var selv roma. Han havde romarødder. Det havde han erfaret på den hårde måde, nemlig ved at blive frosset ud og blive kaldt for tater. Ikke et sekund havde han tænkt andet, end at det var en stor skam. Django fik ham til at bære denne arv med en ny stolthed, og han begyndte at tænke: Jeg er måske nok anderledes, men det kan sikkert vendes til noget godt. Hvis Django kunne blive verdens bedste med en brandskadet hånd, kunne Daniel også blive til noget.

Han lånte penge af en pige i klassen og købte et opsamlingsalbum med Django Reinhardts musik og lærte sig at spille alle hans klassikere, “Minor Swing”, “Daphne”, “Belleville” og “Djangology”, dem alle sammen, og i løbet af ingen tid forandredes hans guitarspil. Han opgav bluesskalaerne og spillede i stedet moltreklange med lille sekst, dimakkorder og mol maj-7, og for hver dag der gik, voksede hans passion. Han øvede og øvede med en glød, der aldrig slukkedes, end ikke når han sov, indtil han til sidst fik hård hud på fingerspidserne. Han tænkte ikke på andet, og så snart han fik chancen, stak han til skovs og sad på en sten eller træstub og improviserede time efter time. Og hele tiden sugede han ny viden og inspiration til sig, ikke kun fra Django, men også fra John Scofield, Pat Metheny og Mike Stern, alle de store moderne jazzguitarister.

Hans forhold til Sten blev dårligere og dårligere i samme takt. "Du tror måske, du er noget, hvad? Men du er bare en lille lort," hvæsede Sten i tide og utide. Han sagde, at Daniel "altid havde stukket næsen i sky". For Daniel, der altid havde følt sig mindreværdig og ynkelig, var det aldeles ubegribeligt. Han forsøgte at stille Sten tilfreds, så godt han kunne, selvom han hverken ville eller kunne holde op med at spille. Snart begyndte Sten at slå ham. Han tævede ham, og nu og da hjalp de andre plejebørn ham. De slog ham i maven og på armene og skræmte ham med høje lyde, med metal gnedet mod metal og grydelåg, som de knaldede mod hinanden. Daniel begyndte at hade arbejdet i marken med rasende lidenskab, specielt om sommeren, når der ikke var nogen flugt mulig, og der skulle gødes, pløjes, harves og sås.

Om sommeren arbejdede drengene ofte fra tidlig morgen til sen aften. Daniel kæmpede for at blive accepteret og afholdt igen, og indimellem lykkedes det også. Om aftenen spillede han gerne numre, som de andre plejebørn ville høre, og nogle gange fik han både applaus og en vis status. Ikke desto mindre vidste han, at han var en torn i øjet, og han gemte sig stadigvæk, når han kunne.

En eftermiddag, hvor solen brændte ham i nakken, hørte han en solsort langt borte. Han var 16 år gammel og skulle begynde i 2.g og drømte allerede om sin 18-års fødselsdag, hvor han blev myndig og kunne flygte langt bort. Han ville søge ind på Musikkonservatoriet eller prøve at få job som jazzmusiker og arbejde så hårdt og ambitiøst, at han en dag kunne indspille en plade. Drømmene fyldte ham dag og nat. Andre gange, som nu, hørte han noget i naturen, som lokkede en melodi frem i hans hoved og drev ham væk fra marken.

Han fløjtede et svar til solsorten, en variation over fuglesangen, som udviklede sig til en melodi i hans hoved. Hans fingre bevægede sig som over en usynlig guitar, og pludselig gøs han. Da han senere blev voksen, skulle han komme til at længes efter disse øjeblikke, hvor det føltes, som om noget uhjælpeligt ville gå tabt i ham, hvis han ikke straks satte sig og komponerede. I den slags øjeblikke var der intet i verden, der kunne forhindre ham i at snige sig væk og hente guitaren. Daniel huskede endnu den forbudte ophidselse i brystet, da han på bare fødder og i flagrende overall løb ned til Blackåstjärnen med guitaren i hånden og satte sig på den slidte bro og fandt den melodi frem, han havde fløjtet, og gav den et akkompagnement. Det var vidunderlige minutter. Sådan huskede han det altid senere.

Men det varede ikke længe. En af de andre drenge måtte have set ham forsvinde og sladret. Sten dukkede op i korte bukser og bar overkrop og var skruptosset, og Daniel, som ikke vidste, om han skulle undskylde eller bare forsvinde, tøvede et øjeblik for længe. Sten nåede at gribe fat i guitaren og rive den fra ham med et ryk, så han faldt baglæns og slog albuen. Det var ikke noget alvorligt fald. Det så mest komisk og hjælpeløst ud. Men noget brast i Sten. Han blev kokrød i hovedet, og da han kom på benene igen, hamrede han guitaren ned i broen, så den splintredes. Bagefter så han selv helt rystet ud – som om han ikke helt forstod, hvad det var, han havde gjort. Men det spillede ingen rolle.

For Daniel var det, som om et vitalt organ var blevet flået ud af hans krop, og han skreg "svin" og "idiot" – ord han aldrig før havde brugt mod Sten. Derefter styrtede han af sted over engene, ind i beboelseshuset og smed sine plader og lidt tøj ned i en rygsæk og forlod gården.

Han gik op til E4 og travede i timevis, indtil han fik et lift med en langturschauffør til Gävle. Han fortsatte sydpå, sov i skoven og stjal æbler og blommer og spiste bær, som han fandt undervejs. Han fik en skinkemad af en ældre kvinde, der kørte ham til Södertälje. Han blev budt på frokost af en ung mand, som kørte ham til Jönköping, og sent om aftenen den 22. juli ankom han til Göteborg. Der fik han nogle dage senere et lavtlønsjob på havnen, og efter seks uger, hvor han havde levet af stort set ingenting og sovet i trappeopgange, købte han en ny guitar, ikke en Selmer Maccaferri – Djangos guitar, som han havde drømt om – men en brugt Ibanez.

Han besluttede at påmønstre et skib for at komme til New York. Men ingenting var så enkelt, som han havde hørt og læst. Han havde hverken pas eller visum, og man kunne ikke bare sådan få arbejde på en båd længere, selv ikke som rengøringsassistent, og en tidlig aften, da han var færdig med sit arbejde på havnen, var der en kvinde, der ventede på ham ved kajen. Kvinden hed Ann-Catrine Lidholm. Hun var tyk, klædt i lyserødt og havde venlige øjne. Hun var socialrådgiver og havde fået nys om ham, fortalte hun, og det var ved den lejlighed, at han fik at vide, at han var efterlyst, meldt savnet. Modvilligt fulgte han med hende til socialkontoret på Järntorget.

Ann-Catrine forklarede, at hun havde talt med Sten i telefonen og fået et godt indtryk af ham, hvilket kun gjorde Daniel endnu mere mistænksom.

"Han savner dig," sagde hun.

Han svarede: "Gu' gør han røv!" og sagde, at han ikke kunne vende tilbage. Han ville få høvl. Hans liv ville blive et helvede. Så lod Ann-Catrine ham fortælle sin historie. Bagefter tilbød hun ham forskellige alternativer. Ingen af dem føltes rigtig gode. Han sagde, at han kunne klare sig selv – at hun ikke behøvede at bekymre sig. Ann-Catrine sagde, at han var for ung, og at han havde brug for støtte og vejledning. Og så var det, han kom i tanke om Stockholmfolkene, som han kaldte dem for sig selv. Stockholmfolkene var de psykologer og læger, der havde besøgt ham hvert år hele hans opvækst, og som havde målt og vejet og udspurgt ham og gjort notater og ladet ham tage alle mulige tests.

Han havde aldrig brudt sig særligt om dem. Indimellem havde han grædt bagefter og følt sig ensom og udleveret, og så havde han tænkt på sin mor og det liv, han aldrig havde fået med hende. På den anden side havde han ikke hadet dem. De smilede opmuntrende og roste ham og kaldte ham både dygtig og klog. Ingen havde egentlig sagt et ondt ord. Han havde aldrig opfattet deres besøg som særlig mærkelige. Han betragtede det som naturligt, at myndighederne ville vide, hvordan han klarede sig hos sin plejefamilie, og han havde ikke nogen problemer med, at der blev skrevet om ham i journaler og protokoller. Han så det snarere som et tegn på, at han trods alt betød noget. Alt afhængigt af hvem det var der kom, så han indimellem besøgene som velkomne afbræk fra arbejdet på gården, specielt de senere år, hvor Stockholmfolkene havde interesseret sig for hans musik og filmet ham, mens han spillede guitar. Nogle gange, hvor han syntes, han kunne se dem måbe og høre dem hviske til hinanden, havde han bagefter drømt om, at filmene blev spredt og havnede i hænderne på agenter eller pladeselskabsdirektører.

Psykologerne og lægerne - det var ofte forskellige personer - sagde aldrig mere end deres fornavne til ham, og han vidste ikke noget om dem. Bortset fra én kvinde, som - sikkert ved en fejltagelse - havde givet ham hånden en dag og præsenteret sig med hele sit navn. Men det var ikke kun derfor, han huskede det. Han havde været fortryllet, ikke kun på grund af hendes former og lange, rødblonde hår og høje hæle, som passede så dårligt til de bløde stier omkring huset. Kvinden havde smilet til ham, som om hun helt ærligt godt kunne lide ham. Hun hed Hilda von Kanterborg, gik med udringede bluser og kjoler og havde store øjne og tykke røde læber, som han havde drømt om at kysse.

Det var hende, han tænkte på, dér på socialkontoret i Göteborg, da han sagde, at han gerne ville låne telefonen. Han fik udleveret en telefonbog over Stockholm-området og bladede nervøst i den. Et kort øjeblik var han overbevist om, at hendes navn bare havde været et dæknavn. Det var samtidig første gang den tanke strejfede ham, at Stockholmfolkene ikke bare var almindelige funktionærer i det svenske omsorgsbureaukrati. Men han fandt virkelig hendes navn i telefonbogen og ringede op. Han fik ikke noget svar, men indtalte en besked på hendes telefonsvarer.

Da han vendte tilbage næste dag efter at have overnattet på Indre Missions herberg, havde hun ringet tilbage og lagt et andet nummer. Hun tog straks telefonen og virkede glad for at høre hans stemme. Han forstod, at hun vidste, at han var stukket af fra gården. Hun sagde, at hun var "vældig ked af det" og kaldte ham "højt begavet". Pludselig følte han sig så ubærligt ensom og måtte kæmpe med gråden.

"Så hjælp mig da," sagde han.

Hun svarede:

"Kære Daniel, jeg ville gøre hvad som helst, men vi skal studere og ikke gribe ind."

Den bemærkning skulle Daniel vende tilbage til igen og igen i årenes løb, og den bidrog til, at han skaffede sig en ny identitet, som han af al magt beskyttede. Men i dét øjeblik blev han bare grebet af et dybt ubehag og udbrød: "Hvad mener du?" Hilda blev mærkbart nervøs. Hun begyndte at tale om noget andet – om at han måtte tage en studentereksamen og ikke træffe forhastede beslutninger. Han sagde, at han bare ville spille guitar. Hilda von Kanterborg sagde, at han kunne studere musik. Han svarede, at han ville stå til søs og rejse til New York og spille på jazzklubberne der. Hun frarådede det på det bestemteste. Ikke i din alder og med dine forudsætninger, sagde hun.

Efter at have diskuteret frem og tilbage, indtil Ann-Catrine og de andre socialrådgivere blev utålmodige, lovede han at overveje det. Han sagde, at han håbede at træffe hende. Hun sagde, at hun håbede at møde *ham*. Men det blev aldrig til noget. Han så hende aldrig igen, og han fik heller ikke tid til at tænke mere over sin fremtid.

Han havde nævnt, at han ville stå til søs og spille i New York, og uden at han rigtig forstod, hvordan det gik til, dukkede der folk op, som hjalp ham med at få pas og visum og en plads som tjener og køkkendreng på en fragtbåd fra Wallenius-rederiet. Skibet skulle sejle ham, ikke til New York, men til Boston. På en seddel, fæstnet med en papirclips til hans ansættelseskontrakt, stod der skrevet med blå kuglepen: *Berklee College of Music, Boston, Massachusetts. Held og lykke! H.*

Hans liv skulle aldrig mere komme til at ligne sig selv. Han skulle blive amerikansk statsborger og tage navnet Dan Brody og opleve meget, som var fantastisk og spændende, men altid dybt i sit hjerte føle sig ensom og svigtet. I begyndelsen af sin karriere var han ganske vist lige ved at slå igennem. En dag han som kun 18-årig jammede på jazzklubben Ryles i Hampshire Street i Boston og spillede en solo, som på en gang var i Djangos ånd og alligevel noget nyt, gik der et sus gennem publikum. Man begyndte at snakke om ham, og han mødtes med både managere og pladeselskabsfolk. Men det var, som om han altid manglede noget, måske selvtillid. Det glippede altid lige i sidste øjeblik, og hele sit liv skulle han opleve at blive overstrålet af folk, der var mindre begavede, men mere driftige. Han skulle komme til at nøjes med et liv i skyggen og blive den, der sad bag stjernen. Han manglede noget, og med tiden kom han til at savne den glød, han havde haft, da han spillede på broen ved Blackåstjärnen.

Lisbeth havde fundet flere større registre over håndbevægelser – til brug for medicinsk forskning og udvikling af robotter – som hun havde lagt ind i Hackerrepublikkens dybe neurale netværk. Hun havde arbejdet så hårdt, at hun havde glemt at spise og drikke, varmen til trods. Omsider hævede hun blikket fra computeren og drak, dog ikke vand, som hun egentlig havde brug for. Hun drak Tullamore Dew.

Hun havde længtes efter alkohol. Hun havde længtes efter sex, sollys, junkfood, duften af hav og støjen fra barer og følelsen af frihed. Men nu nøjedes hun med whisky. Det gjorde ikke noget, at hun lugtede lidt af drukmås, tænkte hun. Ingen forventer sig noget særligt af en drukmås. Hun så ud over Riddarfjärden og lukkede øjnene. Så åbnede hun dem igen og strakte sig og lod algoritmerne i det neurale netværk arbejde, mens hun gik ud i køkkenet og varmede en pizza i mikroovnen. Så ringede hun til Annika Giannini.

Annika blev ikke særlig glad for at høre om hendes plan. Hun frarådede det på det bestemteste, men da det ikke lykkedes hende, sagde hun, at Lisbeth muligvis kunne filme den mistænkte, men ikke andet. Hun anbefalede hende at tage kontakt med imamen Hassan Ferdousi. Hassan Ferdousi kunne hjælpe hende med "de mere menneskelige aspekter". Lisbeth fulgte ikke rådet. Men det spillede ingen rolle. Annika kontaktede imamen i hendes sted og sendte ham ud til Vallholmen.

Lisbeth på sin side spiste pizza og drak whisky og hackede sig ind på Mikaels computer. Hun skrev:

Hjemme. Blev løsladt i dag.

Hilda von er Hilda von Kanterborg. Find hende.

Tjek også Daniel Brolin. Han er guitarist, dygtig. Jeg har andet at gøre. Lader høre fra mig.

MIKAEL SÅ LISBETHS besked og blev glad for, at hun var på fri fod, og forsøgte at ringe til hende. Han fik ikke noget svar og bandede over det og funderede over hendes besked. Så hun vidste også, at *Hilda von* var Hilda von Kanterborg? Hvad betød det? Kendte hun hende? Eller havde hun hacket sig til den information? Han anede det ikke. Men så meget vidste han, at han ikke havde brug for Lisbeths opfordring for at jagte von Kanterborg. Det var han allerede i fuld gang med.

Derimod forstod han ikke, hvad denne Daniel Brolin havde med sagen at gøre. Han fandt alle mulige Daniel Brolin'er på nettet, men ingen, der var guitarist eller bare musiker. Måske brugte han heller ikke så meget krudt på det, som han burde. Han var alt for optaget af andre spor.

Det hele var begyndt aftenen før med den artikel, som Hilda von Kanterborgs søster havde givet ham et tip om. Der var ikke noget bemærkelsesværdigt ved den. Ved første gennemlæsning virkede den alt for almen til at kunne indeholde noget enestående eller brandbart materiale. Emnet var det gamle klassiske – arv og miljø. Hvad er det, der former os?

Hilda von Kanterborg skrev – under pseudonymet Leonard Bark – hvad Mikael allerede så udmærket vidste: At emnet var stærkt politiseret. Venstrefløjen ser naturligvis helst, at det først og fremmest er sociale faktorer, som giver mennesker deres forudsætninger her i livet, mens højrefløjen foretrækker genernes magt.

Hilda von Kanterborg fandt politiseringen ulykkelig og påpegede, at videnskaben altid farer vild, hvis den styres af politiske fortegn eller ønsketænkning. Der var en vis nervøsitet over indledningen, som om hun stod på tærsklen til at formulere noget chokerende. Men artiklen var alt i alt velafbalanceret, selvom den polemiserede mod den ældre generations marxister og psykoanalytikere og påviste, at arvelige faktorer former vores personlighed mere, end forskerne og folk i al almindelighed forestillede sig i 60'erne og 70'erne.

Derimod var der ingen determinisme at spore i artiklen, intet om at vores gener skulle forudbestemme os til en bestemt skæbne, ikke andet end at det blev nævnt, at visse egenskaber, som for eksempel vores intelligens – vores kognitive formåen, har en kraftig arvelig komponent. Men i det store og hele var budskabet, at genetik og miljø påvirker os i lige høj grad, og det var vel også sådan cirka, hvad Mikael havde forventet.

Alligevel var der noget, der overraskede ham. Det var, at de miljøfaktorer, som angiveligt først og fremmest formede os, ikke var dem han havde forestillet sig: Det vil sige, hvordan vores opvækstforhold så ud, hvordan vores forældre var, eller hvordan de opdrog os. Hilda von Kanterborg skrev, at mødre og fædre ofte er overbeviste om, at de har haft en afgørende betydning for deres børns udvikling. "Men de smigrer sig selv."

Det, der formede folks skæbne, var snarere, ifølge von Kanterborg, det hun kaldte den enkeltes unikke miljø – dét man ikke deler med nogen, end ikke med sine søskende. Det er det miljø, man selv opsøger og skaber for sig selv, som for eksempel når man finder noget, der morer og fascinerer én, og som driver én i en vis retning, måske lidt som da Mikael selv som dreng så filmen *Alle præsidentens mænd* og blev grebet af en intens lyst til at blive journalist.

Arv og miljø virker altid i et samspil, skrev von Kanterborg. Vi opsøger aktiviteter og omstændigheder, som kan stimulere vores gener og få dem til at blomstre, og vi flygter fra andet, som skræmmer os eller gør os utilpasse. Det er det, mere end nogle almene forhold, som former vores personlighed, skrev hun. Vores kulturelle og økonomiske forudsætninger giver os naturligvis forskellige muligheder for at udvikle vores talenter, og vi arver selvfølgelig værdinormer og tankegange fra vores omgivelser. Men det, som først og fremmest former os, er oplevelser, vi ikke deler med nogen andre, og som for en overfladisk betragtning kan være usynlige, men som på længere sigt får en gennemgribende betydning og skridt for skridt bringer os videre i livet.

Grundlaget for sine konklusioner havde von Kanterborg hentet fra en række studier, blandt andet MISTRA, Minnesota Study of Twins Reared Apart, og undersøgelser fra Svenska Tvillingregistret på Karolinska. Enæggede tvillinger, såkaldte monozygote tvillinger, har så godt som identiske gener. De er derfor ideelle at undersøge, hvis man vil forstå betydningen af arv og miljø.

Rundtomkring i verden findes der tusindvis af enæggede tvillinger, som er opvokset adskilt fra hinanden, enten fordi den ene af dem eller begge er blevet bortadopteret, eller fordi de i visse ulykkelige tilfælde er blevet forbyttet på fødselsafdelingerne. Det har ofte handlet om hjerteskærende menneskeskæbner. Men det har også givet forskerne unikke muligheder for at studere betydningen af arv og miljø for menneskets udvikling.

Grupperne af enæggede tvillinger, som er blevet adskilt ved fødslen, er blevet sammenholdt med tvillinger, som er vokset op sammen, og med tveæggede tvillinger – som deler halvdelen af deres DNA med hinanden – som også tidligt er blevet skilt ad, eller som er opvokset sammen. Studierne er alle sammen nået frem til nogenlunde samme konklusion, skrev von Kanterborg: Arvelige faktorer former i samspil med det unikke miljø først og fremmest menneskets personlighed.

Mikael havde ingen problemer med at opstille kritiske modhypoteser til det resultat og finde problemer i tolkningen af forskningsmaterialet. Alligevel fandt han det interessant i en bredere forstand. Ovenikøbet fik han også et par mere eller mindre fantastiske historier om enæggede tvillinger, som var vokset op i forskellige familier, og som først havde mødt hinanden i en moden alder, for så at blive slået af, hvor meget de lignede hinanden, både udvendig og indvendig. Blandt andet læste han om de såkaldte Jim-tvillinger i Ohio i USA, som uafvidende om hinandens eksistens begge var vokset op og blevet kæderygere. De røg Salem-cigaretter, bed negle og led begge af en plagsom tendens til hovedpine. De havde begge indrettet træværksted i garagen, døbt deres hund Toy, giftet sig to gange med kvinder med det samme navn og døbt deres sønner James-Allen og meget mere.

Mikael forstod godt, at sensationspressen gik i selvsving over det. Selv gav han ikke meget for det. Han vidste, hvor let det var at stirre sig blind på ligheder og sammentræf – hvordan det sensationelle og iøjnefaldende altid vinder på bekostning af det ordinære, som måske netop i kraft af dets beskedenhed siger noget mere væsentligt om virkeligheden.

Alligevel forstod Mikael godt, at disse tvillingestudier havde ført til et paradigmeskifte for den epidemiologiske videnskab. Forskersamfundet var begyndt at tro mere på genernes magt og på deres intrikate samspil med miljøet. Tidligere, først og fremmest i 60'erne og 70'erne, havde der været en stærkere tiltro til de sociale faktorers betydning for menneskets personlighed. Dengang var mange forskere under indflydelse af den tids store ideologier overbeviste om, at vi kunne formes til noget nær hvad som helst. Der var en række mere eller mindre mekanistiske forestillinger om mennesket i omløb. Visse opvækstmiljøer eller opdragelsesmetoder mentes nærmest lovmæssigt at kunne skabe en særlig slags individer, og mange drømte om at kunne bekræfte det videnskabeligt og måske forstå, hvordan vi ville kunne skabe bedre og lykkeligere mennesker. Det var en af grundene til, at der var så mange tvillingeundersøgelser på den tid, også visse, som Hilda von Kanterborg med en lidt diffus formulering beskrev som "manipulerende og radikale".

Det var vel dér et eller andet sted, Mikael studsede og søgte videre i emnet. Han havde ingen anelse om, hvorvidt han var på rette spor. Men alligevel blev han ved med at grave, blandt andet ved at kombinere ordene "manipulere" og "radikal" med tvillingeundersøgelser. Og således stødte han på navnet Roger Stafford.

Roger Stafford var en amerikansk psykoanalytiker og psykiater, som var professor ved Yale. Han havde en nær samarbejdsrelation med Freuds datter, Anna, og gik for at være karismatisk og charmerende. Der fandtes billeder af ham sammen med Jane Fonda, Henry Kissinger og Gerald Ford. Han bevægede sig i kendis-kredse og lignede selv en filmstjerne.

Men det, som havde gjort Stafford mest berømt, var mindre smigrende og havde netop noget med "manipulerende" og "radikalt" at gøre. I 1989 kunne *Washington Post* afsløre, at Stafford i slutningen af 60'erne etablerede nære forbindelser med fem kvindelige forstandere for fem adoptionsbureauer i New York og Boston. Tre af kvinderne var psykologiuddannede, og to af dem havde tilsyneladende haft et forhold til ham. Muligvis havde han også stillet dem ægteskab i udsigt. På den anden side havde det næppe været nødvendigt. Stafford var en stor autoritet på den tid. Flere af hans bøger fandtes i referencebibliotekerne på adoptionsbureauerne. I en af dem, *Det egoistiske barn*, hævdede han, at enæggede tvillinger klarer sig bedre og bliver mere selvstændige, hvis de vokser op uden hinanden. Påstanden viste sig senere at være aldeles ubegrundet, men den bredte sig som en etableret sandhed blandt terapeuterne på Østkysten dengang, og forstanderne mente at have grund til at nære tillid til ham.

Der blev indgået en aftale om, at kvinderne skulle lade ham det vide, hvis der dukkede tvillinger op til adoption. Derefter blev børnene anbragt i samråd med Stafford. Det drejede sig sammenlagt om 46 spædbørn, hvoraf 28 var enæggede tvillinger og 18 tveæggede. Ingen af adoptivfamilierne fik at vide, at deres søn eller datter var tvilling, eller at der fandtes nogen søskende derude. Adoptivforældrene fik derimod pålæg om hvert år at lade Stafford og hans stab undersøge børnene og udsætte dem for en række personlighedstest. Det var for børnenes eget bedste, sagde man.

Man hævdede, at valget af adoptivforældre skete med stor omhu. Man hævdede alt muligt. Men der var helt åbenlyst andre interesser på spil. En af forstanderne – en kvinde ved navn Rita Bernard – mente fra starten, at det var ejendommeligt, at Stafford insisterede på at bortadoptere tvillingerne til forældrepar, som var så vidt forskellige som muligt i social status, uddannelsesniveau, religiøs tro, temperament, personlighed, etnicitet og opdragelsesidealer. I stedet for at sørge for tvillingernes ve og vel virkede det, som om Stafford ønskede at forske i arv og miljø, sagde hun.

Stafford nægtede ikke, at han arbejdede videnskabeligt og førte journal. Han betragtede det som en ypperlig mulighed for at forstå mere om, hvordan vi formes som individer. Han sagde – i et anfald af hovmod og selvforsvar – at hans arbejde ville blive en "uvurderlig videnskabelig ressource". Men han benægtede på det kraftigste, at han ikke skulle have haft børnenes ve og vel for øje, og han nægtede af "integritetsgrunde" at offentliggøre sit materiale. I stedet donerede han det til Yale med et krav om, at det først måtte åbnes for forskere og offentligheden i 2078, når alle involverede var døde. Han ville ikke udnytte tvillingernes skæbner, sagde han.

Det lød naturligvis ædelt, men hans kritikere mente, at han hemmeligstemplede materialet, fordi det havde skuffet hans forventninger. De fleste var enige om, at eksperimentet var dybt uetisk, og at Stafford havde berøvet disse søskende glæden ved at få lov at vokse op sammen. En psykiaterkollega fra Harvard sammenlignede endog hans virksomhed med Josef Mengeles tvillingeeksperiment i Auschwitz. Stafford slog vildt og hovmodigt igen med advokater i ryggen, og kort efter døde debatten hen. Roger Stafford blev ved sin død i 2001 begravet med pomp og pragt og under medvirken af flere kendte personer. Han fik fine nekrologer i fagpressen og aviserne. Eksperimentet fik ikke lov til at tilsmudse hans eftermæle, måske fordi børnene, som så brutalt var blevet skilt fra hinanden, alle tilhørte underklassen.

Det forholdt sig ofte sådan på den tid, det vidste Mikael allerede. Det var muligt, i videnskabens og det gode samfunds navn, at udsætte etniske og andre minoriteter for overgreb og slippe godt fra det. Derfor vægrede Mikael sig ved – som mange andre – at affærdige Staffords eksperiment som en enestående foreteelse. Han gravede i historien og fandt ud af, at Roger Stafford havde besøgt Sverige i 70'erne og 80'erne. Der fandtes billeder af ham sammen med den tids førende psykoanalytikere og sociologer: Lars Malm, Birgitta Edberg, Liselotte Ceder og Martin Steinberg.

På den tid var Staffords tvillingeeksperiment ikke offentligt kendt, og måske havde han besøgt Sverige af andre grunde. Mikael fortsatte med at undersøge sagen. Og hele tiden tænkte han naturligvis på Lisbeth, som også var tvilling, tveægget tvilling, skønt i hendes tilfælde havde søsteren Camilla været et mareridt. Han vidste, at myndighedspersoner også havde forsøgt at undersøge hende, da hun var lille, og at hun havde hadet det. Og han tænkte på Leo Mannheimer med den høje IQ, på Ellenor Hjorts oplysning om, at han muligvis var af roma-afstamning, og på Malins ord om, at Leo ikke længere var venstrehåndet. Han affærdigede det ikke længere som umuligt, tværtimod.

Han søgte på medicinske fænomener, som kunne forklare forandringen og fortabte sig i en artikel i *Nature* om, hvorfor et befrugtet æg i livmoderen deler sig og giver anledning til enæggede tvillinger. Bagefter rejste han sig fra skrivebordet og stod som forstenet et øjeblik eller to og mumlede for sig selv. Så ringede han til Lotta von Kanterborg igen og fortalte hende, hvad det var, han troede, der var sket. Eller rettere: Han tog chancen og præsenterede sin nye, vilde mistanke som et faktum.

"Det lyder helt sygt," sagde hun.

"Jeg ved det. Men hils Hilda og sig det, hvis du taler med hende, ikke? Sig at situationen er kritisk."

"Det lover jeg," sagde Lotta von Kanterborg.

MIKAEL VAR GÅET i seng med mobilen ved siden af sig på natbordet. Men der var ingen, der havde ringet. Alligevel havde han ikke sovet meget, og næste morgen sad han atter ved computeren. Nu granskede han de personer, som Roger Stafford havde mødtes med i Sverige, og stødte til sin overraskelse på Holger Palmgrens navn. Holger og sociologiprofessor Martin Steinberg havde arbejdet sammen på en sag for over to årtier siden. Mikael vægrede sig dog ved at tro, at det betød noget – Stockholm er trods alt en lille by. Alle møder på et eller andet tidspunkt hinanden.

Ikke desto mindre noterede han sig Martin Steinbergs telefonnummer og adresse på Lidingö og gravede videre i hans fortid. Men nu var han ikke længere lige så koncentreret. Han følte sig splittet. Skulle han sende en krypteret besked til Lisbeth og fortælle, hvad han havde fundet ud af? Eller skulle han konfrontere Leo Mannheimer og forsøge at finde ud af, om han var på rette spor? Han drak mere espresso og savnede pludselig Malin. I løbet af ingen tid havde hun indtaget en selvfølgelig plads i hans liv.

Han gik ud på badeværelset og stillede sig på vægten. Han havde taget på og besluttede sig for at gøre noget ved det. Han trængte også til at blive klippet. Håret strittede i alle retninger, og han rettede lidt på det. "Årh, pis med det!" udbrød han så pludselig og gik tilbage til skrivebordet, hvor han ringede, mailede og sms'ede til Lisbeth og skrev til hende på sin særlige fil i computeren.

Giv lyd! Jeg tror, jeg har fundet noget!

Han så på beskeden. Det gik ikke. Det var ordet *tror*. Lisbeth var ikke meget for den slags. Han rettede det til: **Jeg har fundet noget**. Han håbede, det var sandt. Så gik han hen til klædeskabet og tog en nystrøgen bomuldsskjorte på og gik ud på Bellmansgatan og fortsatte mod Mariatorgets tunnelbanestation.

På perronen fandt han sine notater fra natten frem og gennemgik dem endnu en gang. Han så på sine spørgsmålstegn og spekulationer. Var han blevet gal? Han stirrede på det digitale skilt oven over sig og bemærkede, at toget var på vej ind. I det samme ringede mobilen. Det var Lotta von Kanterborg, og hun trak vejret tungt.

"Hun ringede," sagde hun.

"Hilda?"

"Hun sagde, at det lød fuldstændig vanvittigt, det du sagde om Leo Mannheimer. Hun sagde, at det ikke kunne passe."

"Det forstår jeg godt."

"Men hun vil gerne mødes med dig," fortsatte hun. "Hun vil gerne fortælle dig, hvad hun ved, siger hun, og jeg tror hende. Hun befinder sig nu ... Måske burde jeg ikke sige det i telefonen."

"Det lyder klogt."

Mikael foreslog, at de mødtes på Kaffebar på Sankt Paulsgatan med det samme, og skyndte sig op ad trappen igen.

KAPITEL 14

Den 21. juni

JAN BUBLANSKI SAD i en gammeldags møbleret lejlighed i Aspudden og talte med Maj-Britt Torell, kvinden som ifølge Lisbeth Salander havde besøgt Holger Palmgren nogle uger tidligere. Maj-Britt var ganske vist – tænkte Bublanski – en velmenende gammel dame. Men der var alligevel noget underligt ved hende. Det var ikke bare, fordi hun fumlede så nervøst med det wienerbrød, hun bød ham på. Hun virkede også underligt usammenhængende og glemsom, hendes lange arbejdsliv som lægesekretær taget i betragtning.

"Jeg ved ikke rigtig, hvad det var, jeg gav ham," sagde hun. "Jeg havde bare hørt så meget om pigen, og så syntes jeg, at det var på tide, at han fik det hele at vide – hvor skrækkeligt hun var blevet behandlet."

"Så du gav Palmgren originaldokumenterne?"

"Det må man vel sige. Klinikken er jo lukket for længe siden, og hvad der er sket med alle journalerne, det ved jeg ikke. Men jeg havde en del papirer, som professor Caldin havde givet mig under fire øjne."

"I al hemmelighed?"

"Det kan man vel godt sige."

"Vigtige dokumenter, formoder jeg?"

"Formentlig."

"Burde du så ikke have haft kopier eller have scannet dem ind på en computer?"

"Det kan man jo synes, men jeg ..."

Bublanski tav. Han syntes, det var et godt tidspunkt at være tavs på. Men det eneste han fik ud af det var, at Maj-Britt smuldrede sit wienerbrød i endnu mindre stykker. Hun gjorde ikke sætningen færdig.

"Det er ikke sådan ..." sagde Bublanski.

"Hvad?"

"At du har haft besøg eller talt med nogen om papirerne, og at det gør dig lidt urolig nu?"

"På ingen måde," svarede Maj-Britt lidt for rask og lidt for nervøst, og så rejste Bublanski sig.

Han tænkte, at det var på tide nu. Han sendte hende sit mest vemodige smil, som han vidste, kunne gøre stort indtryk på mennesker, der kæmpede med dårlig samvittighed.

"Så skal jeg lade dig få fred," sagde han.

"Jaså, virkelig."

"Jeg ringer efter en taxa, som kan sætte dig af på en hyggelig café inde i byen. Det her er så tilpas vigtigt og alvorligt, at jeg tror, du har brug for lidt tid til at tænke, er det ikke rigtigt?"

Derefter rakte han hende sit visitkort og gik ud til sin bil.

December halvandet år tidligere

Dan Brody – eller Daniel Brolin, som han hed, inden han emigrerede – spillede sammen med Klaus Ganz-kvintetten på jazzklubben A-Trane i Berlin den aften. Årene var gået. Han var 35 år gammel, og han havde lige klippet sit lange hår og fjernet sin ørering og var begyndt at gå i gråt jakkesæt. Han lignede en funktionær, og det passede ham godt. Han tænkte, at det nok var midtvejskrisen.

Han var træt af turnélivet og rejserne. Men han så ingen anden udvej. Han havde ingen opsparing. Han ejede intet af værdi, ingen lejlighed, ingen bil, ingenting, og chancen for at slå igennem og blive rig og berømt syntes for længst at være forsvundet. Det virkede, som om han var dømt til at sidde i baggrunden, selvom han som oftest var den bedste musiker på scenen og altid var den, man henvendte sig til, om end med stadigt mindre honorarer. Sådan var tiderne. Det var blevet sværere at overleve som jazzmusiker, og måske spillede han heller ikke længere med samme glød.

Han øvede heller ikke særlig meget. Han klarede sig jo endda, og han følte sig tit understimuleret, specielt med al den døde ventetid på rejserne. I stedet for altid at øve som førhen, læste han. Han slugte bøger og isolerede sig. Han kunne ikke udholde al den tomme småsnak og endnu mindre barernes skrig og skrål. Han havde det helt klart bedre, når han drak mindre og levede sundere. Han var ganske enkelt blevet hellig, og han savnede i stigende grad et almindeligt liv – en kone og et hjem, en arbejdsplads og ganske almindelig tryghed.

Han havde prøvet alle mulige stoffer og haft masser af kærester og engangsaffærer. Men det var, som om der altid manglede noget, så han var flygtet ind i ensomheden og musikken. Musikken havde været hans trøst. Men selv det fungerede ikke længere, og han var begyndt at overveje, om han ikke havde valgt galt her i livet. Måske burde han bare være blevet lærer. Han havde haft en svimlende oplevelse på Berklee College of Music i Boston, hvor han var blevet bedt om at komme og undervise i Django Reinhardt.

Han havde været skrækslagen. Han havde troet, at han ikke ville magte at tale for et publikum – at det var én af grundene til, at pladeselskaberne ikke havde satset på ham: At han ikke brændte igennem på en scene. Ikke desto mindre havde han sagt ja. Han havde forberedt sig som en sindssyg og overbevist sig selv om, at han nok skulle klare den, hvis han bare holdt sig til manuskriptet og spillede mere, end han snakkede. Men da han endelig stod over for de 200 elever, var det alligevel ikke nok. Han blev svag i knæene, skælvede og kunne ikke få et ord frem. Først efter hvad der føltes som en evighed, lykkedes det ham at fremstamme:

"Her har jeg drømt om at fremstå cool på min gamle skole, og så står jeg her som en anden idiot!"

Det var overhovedet ikke noget, han sagde for sjov. Det

var den desperate sandhed. Men de studerende lo, og han fortalte om Django og Stéphane Grappelli og Hot-kvintetten og om alkoholismen og manglen på skriftlige kilder. Han spillede "Minor Swing" og "Nuages" og varianter af soloer og riff og blev stadigt dristigere. Han fik både komiske og alvorlige indfald og fortsatte med at fortælle om, hvordan Django havde været dømt til undergang. I Hitler-tiden var han, som alle romaer, truet af udryddelses- og koncentrationslejrene, men blev reddet af ingen mindre end en nazist, en Luftwaffe-officer, som elskede hans musik. Han overlevede og døde først under en spadseretur fra togstationen Avon i Frankrig den 16. maj 1953. Han var en stor mand, sagde Dan. "Han forandrede mit liv," og så blev der stille, og han vidste ikke, hvad der ventede ham.

Men øjeblikket efter drønede klapsalverne gennem salen. De studerende rejste sig endda op og hujede, og Dan gik lykkelig og fortumlet hjem.

Han havde båret denne oplevelse med sig siden da, og nogle gange, selv nu på turnéen i Tyskland, havde han skudt en bemærkning ind her og der mellem numrene, fortalt en anekdote, der fik folk til at le, selvom det ikke var ham, der var stjernen. Ofte havde det glædet ham mere end hans solo, måske netop fordi det var noget nyt.

Men han var skuffet over, at skolen ikke havde ladet høre fra sig igen. Han havde gået og forestillet sig, hvordan lærerne og professorerne talte om ham og sagde: *Der har vi virkelig én, der kan engagere de studerende.* Men der kom ingen nye forespørgsler, og han var for stolt og for fej til selv at henvende sig og sige, hvor gerne han ville komme tilbage. Han forstod simpelthen ikke, at det var et af hans problemer i tilværelsen: At han manglede gåpåmod i et land, hvor gåpåmod var selveste motoren og nøglen. Tavsheden fra Berklee plagede ham, og han havde været dyster og indadvendt og spillet uden større entusiasme.

Nu var klokken snart halv ti om aftenen. Det var fredag

den 8. december, og lokalet var propfuldt. Publikum var finere end sædvanligt, velklædt og snobbet og måske også mere nonchalant og uinteresseret. Han tænkte, at det nok var forretningsfolk. Det føltes, som om der var mange penge derude, og han blev ubehageligt til mode. Han havde haft perioder, hvor han havde tjent godt. Han havde ikke sultet siden det første år, da han flygtede. Men selv når han havde haft penge, var de bare forsvundet mellem fingrene på ham. Han havde aldrig haft nogen selvdisciplin i så henseende. Hans erfaringer med finansfolk var heller ikke særlig gode. Han var stødt på Wall Street-fyre, som behandlede ham som en bydreng. Fanden tage dem!

Han besluttede at blæse på publikum og koncentrere sig om musikken, selvom han nok først kørte mest på rutinen. Men så kom "Stella by Starlight", et nummer han havde spillet tusind gange, og som tillod ham at brillere. Han tog soloen næstsidst, før Klaus, og han lukkede øjnene. Nummeret gik i Bb, men i stedet for at følge to-fem-et-progressionerne legede han næsten helt uden for tonearten, og egentlig var det ingen lysende solo, ikke efter hans standard. På den anden side var den heller ikke så dårlig. Han hørte spontane klapsalver, allerede da han gik i gang. Han så op som for at vise sin anerkendelse, og så fik han øje på noget ejendommeligt.

En ung kvinde i en elegant, rød kjole og med et grønt, lysende smykke omkring halsen stirrede intenst på ham. Hun var blond og fint bygget og smuk, med et spidst, lidt ræveagtigt ansigt. Hun så rig ud. Hun tilhørte sikkert finansfolket. Men der var intet nonchalant eller uinteresseret over hende. Hun var henført. Han kunne ikke huske, at en kvinde nogensinde før havde set sådan på ham. Ikke en kvinde, han aldrig før havde set, og da allermindst en skønhed fra de øverste samfundslag. Men det var alligevel ikke det underligste ved det blik. Det underlige var følelsen af intimitet, af noget på én gang familiært og ophidset. Det var, som om kvinden ikke så på en ukendt guitarist, men på en kær ven, som hun så gøre noget, hun overhovedet ikke havde kunnet forestille sig. Hun virkede fortumlet og fortryllet, og hen imod slutningen af hans solo mimede hun noget med munden. Hun sagde et eller andet fantastisk og overvældende, som om hun kendte ham. Hun smilede med hele ansigtet og rystede på hovedet, og der var tårer i hendes øjne.

Bagefter kom hun hen til ham. Nu var hun noget mere genert. Måske havde han såret hende ved ikke at gengælde hendes blikke. Hun fingererede nervøst ved sit smykke og stirrede på hans hænder og guitaren. Hun havde en bekymret rynke mellem øjnene og virkede pludselig ængstelig og undrende. Han følte med ét både sympati og et beskytterinstinkt over for hende. Han trådte ned fra scenen og smilede til hende. Hun lagde en hånd på hans skulder og sagde på svensk:

"Du var utrolig. Jeg vidste, at du spillede klaver, men det her ... det var magisk. Det var helt fantastisk godt, Leo."

"Jeg hedder ikke Leo," svarede han.

*

LISBETH SALANDER VIDSTE, at hun og søsteren Camilla optrådte på en liste fra myndigheden Registret for Studier af Genetik og Miljø. Myndigheden var hemmeligstemplet og kun kendt af få, men hørte under Institut for Medicinsk Genetik i Uppsala, som frem til 1958 hed Statens Institut for Racebiologi.

På listen fandtes 16 andre personer, de fleste ældre end hun og Camilla. Personerne blev beskrevet med betegnelserne **MZA** og **DZA**. Lisbeth havde hurtigt forstået, at **MZ** betød *monozygotic* og henviste til tvillinger fra ét æg. **DZ** betegnede tveæggede tvillinger. **A** henviste til det engelske *apart* som i *reared apart*, opvokset hver for sig.

Det var ikke svært for Lisbeth at regne ud, at personerne var tveæggede tvillinger og enæggede tvillinger, som var vokset op adskilt fra hinanden efter en forud udarbejdet plan, specielt eftersom hun og Camilla til forskel fra de andre betegnedes **DZ – failed A**. Ellers var fordelingen jævn. Der var otte enæggede tvillinger og otte tveæggede, som var blevet adskilt som små. Under dem fandtes resultaterne for en serie intelligens- og personlighedstests.

Ét par havde tidligt skilt sig ud: Leo Mannheimer og Daniel Brolin. De blev beskrevet som spejltvillinger og som noget helt særligt. Deres testresultater var relativt samstemmende og på en række punkter enestående. De skulle angiveligt have rødder blandt romaerne. I et notat, underskrevet MS, stod der:

> **Meget intelligente og ekstremt musikalske. Vidunderbørn. Men med begrænset evne til initiativ. Anlæg for tvivl og depression, muligvis også for psykoser. Begge lider af parakusis, hørehallucinationer. Enspændere, men dog med et ambivalent forhold til deres isolering. Søger den. Vidner samtidig om "en stærk følelse af savn" og "en intens ensomhed". Begge empatiske og aggressionshæmmede – bortset fra enkelte vredesudbrud i forbindelse med høje lyde. Bemærkelsesværdige resultater i kreativitetstests. Gode verbale evner. Svag selvfølelse, naturligt nok noget bedre hos L, men ikke så meget bedre som forventet. Kan forklares med problematisk forhold til moren. Tilknytning ikke som håbet.**

Tilknytning ikke som håbet.

Lisbeth fik det skidt af formuleringen. Hun gav heller ikke meget for den øvrige karakteristik, specielt ikke efter at have set det lort, der stod om hende og Camilla. Camilla skulle eksempelvis være "**vældig smuk, om end noget kold og narcissistisk**". *Noget* kold og narcissistisk? *Noget?* Pis og lort! Hun huskede, hvordan Camilla havde stirret på psykologerne med sine dådyrøjne, og selvfølgelig havde hun fuldstændig fordrejet hovedet på dem. Men alligevel ... her og der i materialet var der ting, som var brugbart. Der var blandt andet noget om "**ulykkelige omstændigheder**", som havde tvunget myndigheden til at "**informere Leos forældre i streng for-**

trolighed". Informere dem om hvad? Det fremgik ikke. Men det var ikke umuligt, at det kunne dreje sig om hele eksperimentet, og det ville selvfølgelig være interessant.

Tvillingedokumenterne havde Lisbeth fundet ved at hacke sig ind i computersystemet hos Institut for Medicinsk Genetik i Uppsala og skabe en bro mellem servernettet og RGM-registrets intranet. Det var en avanceret operation, som havde kostet hende mange timers hårdt arbejde. Hun vidste, at der ikke var mange andre, der kunne lave denne type hackerangreb, specielt ikke med så lidt tid til forberedelse.

Hun havde derfor håbet at blive rigeligere belønnet. Men de involverede havde været ekstremt forsigtige. Ikke et eneste navn på de ansvarlige fandt hun – ikke andet end initialer, som for eksempel **HK** og **MS**. Det var håbløst, og hun endte med at se filerne om Daniel og Leo som sit bedste håb. Filerne var ikke komplette. Der manglede tydeligvis meget. Det måtte være arkiveret på anden vis. Alligevel vakte materialet hendes interesse – også fordi der stod et halvt udvisket spørgsmålstegn ved siden af Leos navn.

Daniel Brolin var åbenbart emigreret for at blive guitarist. Han havde gået et år på Berklee College of Music i Boston, finansieret af et stipendium, og derefter forsvandt han. Højst sandsynligt havde han taget navneforandring. Leo havde studeret på Handelshögskolan i Stockholm. Der stod i en senere optegnelse, at han var "**dybt bitter efter bruddet med en kvinde fra hans egen samfundsklasse. Drømmer for første gang om vold. Farlig? Nye anfald af parakusis?**"

Senere, sikkert for relativt nylig, fulgte et notat – atter signeret MS – om at RGM officielt blev nedlagt. **Projekt 9 afsluttes**, stod der. **Urovækkende faktorer med Mannheimer**.

Lisbeth vidste ikke, hvad det betød, og eftersom hun havde siddet i spjældet og ikke selv havde kunnet opsøge Leo eller andre, havde hun bedt Mikael om at se nærmere på det. Mikael havde været håbløs på det seneste, spillet far og været bekymret for hende. Nogle gange havde hun bare haft lyst til at flå tøjet af ham og hale ham ned på fængselsmadrassen for at få ham til at tie stille. Men den mand gav sig ikke, og indimellem – det måtte hun modvilligt medgive – så han også ting, hun selv havde overset. Derfor havde hun med vilje undladt at fortælle ham det hele og tænkt, at Mikael ville se klarere, hvis han fik lov at grave forudsætningsløst. Hun ville snart ringe til ham. Hun ville snart tage hånd om det hele.

Hun sad på en bænk på Flöjtvägen i Vallholmen med sin laptop, som var koblet op til hendes mobil, og så op mod de grågrønne højhuse, som skiftede farve i sollyset. Der var kvælende varmt, og hun var ikke klædt på til det. Hun var iført læderjakke og sorte jeans. Vallholmen blev ofte beskrevet som en ghetto, hvor der blev stukket ild til biler om natten, ungdomsbander løb rundt og bestjal folk, og voldtægtsmænd gik løs, og i pressen blev det ofte fremstillet som et samfund, hvor ingen vovede at tale med politiet.

Men lige nu føltes Vallholmen som den rene idyl. På græsplænen foran højhusene sad et par kvinder med tørklæder på og en madkurv. Et par smådrenge spillede fodbold. To mænd stod ved porten til venstre og sprøjtede med en vandslange og grinede som børn. Lisbeth tørrede sveden af panden og arbejdede videre med sit dybe neurale netværk.

Det var helt som forventet svært. Billedsekvensen fra overvågningskameraet var uskarp og alt for kort, og for meget af kroppen var skjult af andre passagerer, som kom op fra perronen. Ansigtet var heller ikke synligt på noget tidspunkt. Han – det var en ung mand – bar hue og solbriller. Hovedet var bøjet. Lisbeth kunne end ikke måle afstanden mellem skuldrene.

Hun havde egentlig kun en signifikant strittende fingerbevægelse og en nervøs, dysmetrisk gestik med højre hånd. Hun vidste ikke, hvor karakteristisk det var. Måske var det bare en nervøs reaktion, en anomali i hans normale bevægelsesmønster. Men det var specielt, mærket af en spasmodisk uregelmæssighed, som nu blev aktiveret i noderne i hendes netværk og sammenlignet med en sekvens, som hun lige havde optaget af en ung mand, der var løbet forbi hende på sin træningsrunde for knap tre kvarter siden.

Der fandtes korrespondenser i bevægelsesmønstrene, og det gav håb. Men det var ikke nok. Hun havde brug for at fange løberen i en situation, som mindede mere om den i tunnelbanen. Derfor løftede hun nu og da blikket og så over mod græsplænen og den asfalterede gangsti, hvor fyren var forsvundet. Der var stadig tomt derovre, og hun tog sig tid til at tjekke sine mails og beskeder.

Mikael havde fundet noget, skrev han, og endnu en gang havde hun lyst til at ringe til ham. Men det ville være ødelæggende at miste koncentrationen nu. Hun måtte være klar. Hun sad med sit netværk og kiggede nu og da ud mod stien. Efter et kvarters tid kom fyren løbende et stykke derfra. Han var høj og løb godt. Faktisk løb han som en professionel, selvom han var anorektisk mager. Men egentlig var hun ligeglad. Det eneste, der interesserede hende, var højre arm – den ujævne bevægelse opad og den strittende fingerbevægelse. Nu filmede hun ham med mobilen og fik straks feedback. Korrelationen var mindsket, måske som følge af trætheden efter løbeturen, eller måske fordi den aldrig havde været tilstrækkelig stærk. Hun blev usikker igen.

Det havde været et skud i blinde – men alligevel en rimelig antagelse. Manden på videosekvensen var en af de få, som var kommet op fra perronen efter Jamal Chowdhurys død, som ikke havde været til at identificere. Han var definitivt den, der optrådte mest sky, og der var åbenlyse ligheder med fyren derhenne. Hvis mistanken var rigtig, ville det også kunne forklare Farias tavshed under afhøringerne. Men det behøvede ikke nødvendigvis være den rigtige fyr af den grund. Selv fejlagtige antagelser kan virke som en forklaring.

Lisbeth var nødt til at få fat i mere materiale. Hun stoppede laptoppen ned i tasken, rejste sig fra bænken og råbte på manden. Han standsede op og missede med øjnene mod hende i sollyset. Hun fandt en lommelærke med whisky frem fra inderlommen og drak og tog et vaklende skridt frem. Fyren tog sig ikke af det. Han standsede bare og hev efter vejret.

"Hold da kæft, hvor du løber," snøvlede Lisbeth.

Han svarede ikke. Han ønskede tydeligvis bare at blive af med hende, så han kunne forsvinde ind ad sin dør, men hun gav sig ikke så let.

"Kan du gøre sådan her?" sagde hun og gjorde en bevægelse med hånden.

"Hvorfor det?"

Det havde hun ikke noget godt svar på. Hun trådte et skridt hen imod ham.

"Fordi jeg gerne vil have det."

"Er du dum i hovedet?"

Hun svarede ikke. Hun gloede bare på ham med sorte øjne. Det virkede, som om han blev bange, og hun besluttede at udnytte det. Hun nærmede sig ham med en truende, vuggende gang.

"Kom nu," hvæsede hun, og så slog fyren virkelig ud med hånden, enten fordi han var skræmt, eller fordi han ville gøre hende tilpas for at slippe væk. Derefter forsvandt han ind ad døren uden overhovedet at bemærke, at hun havde filmet ham med mobilen.

Hun blev stående og så på sin computer og så, hvordan noderne i hendes netværk aktiveredes. Pludselig blev alting tydeligt. Hun havde fået et match, en korrespondance i fingrenes asymmetri. Ikke noget der ville holde i en retssal, men alligevel nok til at gøre hende sikker i sin sag.

Hun gik hen mod døren. Hun vidste ikke, hvordan hun skulle komme ind, men det gik nemt. Hun trykkede døren op med et kraftigt skub og kom ind i en nedslidt opgang, hvor det meste så lurvet og medtaget ud. Elevatoren virkede ikke, og der lugtede af tis og tobaksrøg. Man kunne se, at væggene var grå og fulde af graffiti, eftersom stueetagen blev oplyst af sollyset, men allerede på første sal blev det mørkere. Der var ingen vinduer i trappeopgangen, og kun få fungerende lamper. Luften var indelukket og kvælende, og der lå skrald på trappen.

Lisbeth gik langsomt og koncentreret med sin computer. Hun bar den foran sig med venstre hånd. På anden sal standsede hun et øjeblik og sendte bevægelsesanalysen til Bublanski og hans kæreste, Farah Sharif, som var professor i datalogi, og så til Annika Giannini. På tredje sal stoppede hun laptoppen ned i tasken og kiggede på navneskiltene. Længst til venstre stod der K. Kazi, som i Khalil Kazi. Hun rettede ryggen og rustede sig. Khalil var ikke noget at være bange for, men ifølge Annikas oplysninger fik Khalil tit besøg af sine ældre brødre. Lisbeth bankede på. Der hørtes skridt, og så gik døren op. Khalil stirrede på hende, men ikke længere nær så forskrækket.

"Hej!" sagde hun.

"Hvad vil *du*?"

"Jeg vil vise dig noget. En film."

"Hvad for en film?"

"Det skal du få at se," sagde hun og gik ind. Det gik lige lovlig let, syntes hun, og hun forstod snart hvorfor.

Khalil var ganske rigtigt ikke alene. Bashir Kazi – hun genkendte ham fra sin research – stirrede foragteligt på hende, og hun indså, at det ville blive nogenlunde lige så besværligt, som hun havde frygtet.

December halvandet år tidligere

Dan Brody begreb ingenting. Kvinden ville ikke tro på, at han ikke var Leo. Hun fingererede ved sit smykke og rørte ved sit hår og sagde, at hun forstod, at han ville holde lav profil, og påpegede, at hun altid havde syntes, at han fortjente noget bedre.

"Du ved slet ikke selv, hvor fantastisk du er, Leo," sagde hun. "Det har du aldrig gjort. Det har ingen på Alfred Ögren. For slet ikke at tale om Madeleine."

"Madeleine?" sagde han undrende.

"Madeleine er godt tosset. At vælge Ivar frem for dig! Ivar er bare stor og tyk og dum."

Han syntes, kvinden udtrykte sig barnligt. Men måske beroede det på, at han havde mistet grebet om sit modersmål. Hun var også nervøs og så forskræmt ud. Der var masser af larm omkring dem. Folk masede sig forbi for at købe drinks i baren. Klaus og de andre fra bandet kom og spurgte, om Dan ville med ud at spise. Han rystede på hovedet og så atter på kvinden. Hun stod så underligt tæt på ham. Han kunne lugte hendes parfume og se hendes bryst bølge op og ned, når hun trak vejret. Hun var meget smuk. Det var som en drøm, en god drøm, tænkte han, selvom han ikke var helt sikker. Han var aldeles fortumlet.

Længere borte var der nogen, der smadrede et glas. En ung mand råbte op, og Dan skar ansigt.

"Undskyld," sagde kvinden. "I er måske stadig venner, du og Ivar?"

"Jeg kender ingen Ivar," svarede han lidt for skarpt.

Kvinden stirrede så ulykkeligt på ham, at han straks fortrød, og han tænkte, at han var parat til at sige hvad som helst – at han hed Leo og kendte Madeleine og syntes, at Ivar var et fjols, hvad som helst. Han ville ikke gøre hende ked af det. Han ville gerne gøre hende lige så glad og oprømt som under hans solo.

"Undskyld," sagde han.

"Det er okay," svarede hun.

Han strøg hende over håret, selvom han aldrig strøg ukendte kvinder over håret. Han var genert og sky af natur. Men pludselig var han det ikke længere. Han havde lyst til at spille komedie, om så bare for en kort stund. Han ville se hende lyse igen, så han gav hende ret: Han var Leo. Eller rettere sagt, han dementerede det ikke længere, og han lagde guitaren ned i kassen og foreslog, at de skulle tage et glas et roligere sted. Hun svarede: "Gerne, hyggeligt."

De gik ned ad Pestalozzistrasse. Han vidste ikke, hvad han skulle sige, eftersom hvert eneste ord kunne være en fælde. Indimellem tænkte han, at han var afsløret. Og indimellem tænkte han, at *hun* også spillede skuespil. Så hun ikke kritisk eller undrende på hans jakkesæt og sko? Tøjet, som nylig havde virket så elegant, føltes nu billigt og forkert. Legede hun trods alt bare med ham? På den anden side havde hun vidst, at han var svensk. Der var ellers ingen, der kendte til hans rødder længere.

De havnede på en lille bar længere henne ad gaden, hvor de bestilte Margaritas. Han lod hende snakke, og det gav ham en del ledetråde. Han vidste stadig ikke, hvad hun hed, og han turde ikke spørge. Men hun var ansvarlig eller medansvarlig for en lægemiddelfond i Deutsche Bank.

"Kan du forestille dig, hvilket fremskridt det er i forhold til det lort, Ivar satte mig til?"

Ivar noterede han, Ivar, som måske hed Ögren, som i Alfred Ögrens Kapitalfond, hvor kvinden havde arbejdet indtil for nylig, og hvor der også var en person ved navn Malin Frode, som kvinden opfattede som en konkurrent.

"Jeg hørte, at du og Malin var begyndt at se hinanden?" sagde hun.

Han svarede svævende:

"Ikke sådan rigtig, faktisk overhovedet ikke."

Han svarede svævende på alt, selvom han fortalte ret ærligt om, hvordan det kom sig, at han spillede sammen med Klaus Ganz. Kontakter, sagde han. Anbefaling fra Till Brönner og Chet Harold.

"Jeg spillede sammen med dem i New York. Klaus tog chancen," sagde han.

Det passede ind i sammenhængen, men det var selvfølgelig noget pis. Det var aldeles ikke nogen satsning for et jazzband at hyre ham, så meget vidste han trods alt om sin egen kapacitet.

"Men guitar, Leo? Du er jo helt utrolig. Du må have øvet som en sindssyg. Hvornår begyndte du på det?"

"Som teenager," svarede han.

"Jeg troede ikke, der var andet end flygel og violin, der var godt nok til Viveka."

"Jeg spillede i smug," sagde han.

"Men du må have haft nytte af klaveret. Jeg genkendte din usædvanlige stil, da du spillede din solo. Ikke at jeg ligefrem er nogen ekspert, men jeg kan huske, da jeg hørte dig hjemme hos Thomas og Irene. Det var samme følelse. Samme sug i maven."

Samme følelse på klaver? Hvad mente hun? Hvad betød det? Han havde lyst til at spørge for at få nogle flere ledetråde; men han turde ikke. Det meste af tiden sagde han ikke noget, eller også smilede han bare og gav hende ret. Nogle gange kom han med en uskyldig kommentar eller fortalte noget, han havde læst om. Som for eksempel – uvist af hvilken grund – at grønlandshajen kan blive 400 år gammel, fordi den lever sit liv i slow motion.

"Trist," sagde hun.

"Men langt," svarede han med komisk slæbende stemme, og så lo hun.

Der skulle ikke så meget til, og han blev modigere og modigere. Han dristede sig endog til at svare på, hvordan det ville gå på børsen nu, da "forventningerne er så usikre og renterne så lave."

"Op eller ned," svarede han.

Det var tydeligvis også sjovt. Det var, som om han lærte noget nyt om sig selv, nemlig at han godt kunne lide at gå ind i en rolle, at det lagde noget ekstra til hans personlighed og gav ham friere rammer. Han oplevede øjeblikke af befrielse. Rollen hjalp ham med at træde ind i en verden, som tidligere havde været lukket land for ham, en verden af penge og muligheder. Det var måske alkoholen. Eller måske var det hendes blik på ham. Han snakkede i hvert fald stadigt mere frit fra leveren og syntes godt om sine egne associationer og indfald.

Først og fremmest ville han gerne ses sammen med hende. Han var vild med hendes forfinelse, som var umulig at sætte ord på, og som ikke kunne reduceres til hendes tøj og smykker og sko. Den gav sig udtryk i hendes mimik og bevægelser, i hendes lette læspen, og i hendes utvungne måde at tale med bartenderen og betragte verden på. Han så på hendes hofter og ben og bryster og vidste, at han ville have hende. Han kyssede hende midt i en sætning. Han var langt mere frembusende, end han ville have været som Dan Brody. Uden for baren trykkede han sit køn ind mod hende.

På hendes hotel – Adlon Kempinski ved Brandenburger

Tor – tog han hende hårdt og dristigt. Han var ikke længere hæmmet som elsker, og hun sagde vidunderlige ting om ham bagefter. Han sagde smukke ting om hende, og han følte sig lykkelig – lykkelig på samme måde som en bedrager, der er sluppet godt af sted med et stort kup, men dog lykkelig. Måske også forelsket, ikke kun i hende, men også i sit nye jeg. Alligevel kunne han ikke falde i søvn. Han havde bare lyst til at google det navn, hun havde givet ham, for at forstå mere. Men han ventede med det, han ville være alene, når han gjorde det. Han overvejede at snige sig ud i morgengryet, men så ufølsomt kunne han ikke opføre sig over for hende. Hun så dejlig ud i sin søvn, så ren og klar, som om hun selv i drømme tilhørte en finere slags. Hun havde et modermærke på skulderen. Han kunne godt lide hvert eneste lille mærke på hende.

Klokken lidt i seks lagde han armene om hende igen, hviskede tak i hendes øre og sagde, at han var nødt til at gå. Han havde et møde, forklarede han. Hun sagde, at det var okay, og gav ham sit visitkort. Hun hed Julia Damberg, og han lovede at ringe "snart, snart". Han klædte sig på og gik ud og prajede en taxa.

Allerede i taxaen søgte han på Alfred Ögrens Kapitalfond på sin mobil. Den administrerende direktør hed netop Ivar Ögren. Han lignede ganske rigtigt et ærkefæ. Tyk, med dobbelthager og små vandede øjne. Men det var det mindste af det hele. Lige nedenunder var der et billede af analysechef og partner Leo Mannheimer, og det billede ... det slog ham i gulvet.

Han sad længe og stirrede vantro på det. Det var for sindssygt. Men det var *ham* på fotografiet. Eller det var det selvfølgelig ikke. Men personen på billedet lignede ham så fuldstændigt, at det svimlede for ham. Han tog sikkerhedsbæltet af og lænede sig frem i bilen for at se sit eget ansigt i bakspejlet.

Det gjorde det ikke bedre. Han kunne uden videre smile

præcis som Alfred Ögrens analysechef. Han genkendte furerne omkring munden, rynkerne i panden, blikket, næsen, det lokkede hår, alt, alt, endda kropsholdningen, selvom fyren på billedet var mere velplejet. Jakkesættet var så afgjort dyrere.

Oppe på sit hotelværelse fortsatte Dan søgningerne. Han glemte tid og rum, bandede og rystede på hovedet og var helt ude af sig selv. Ligheden var knusende. Kun rammerne var forskellige. Leo Mannheimer tilhørte en anden verden, en anden klasse. Han var lysår fra ham og så alligevel ikke. Det var umuligt at forstå, og det mest rystende var musikken. Dan fandt en gammel optagelse fra Konserthuset i Stockholm. Leo var nok 20 eller 21, og han var anspændt og højtidelig i udtrykket. Der var fuldt af mennesker, det var en officiel begivenhed, hvor Leo optrådte som gæstesolist.

Det var sandt, at ingen ville have forvekslet dem på det tidspunkt. Dengang var Dan en langhåret boheme, som gik i gamle jeans og sweaters, mens Leo var den samme velplejede fyr som på billedet hos Alfred Ögren, bare lidt yngre, med samme frisure og et tilsvarende, skræddersyet jakkesæt. Kun slipset manglede, men det betød alt sammen ingenting.

Da Dan så videoen, vældede tårerne op i øjnene på ham. Han græd, ikke kun over at opdage, at han havde en enægget tvilling, men også over sit liv – over opvæksten på gården, Stens tæsk og krav, arbejdet i marken, guitaren der blev knust mod broen, og over flugten og rejsen til Boston og de første måneder i fattigdom. Han græd over, at han ikke havde fået det at vide, og over det savn, han havde følt. Men allermest græd han over det, han hørte. Til slut tog han guitaren frem og spillede med – med femten års tidsforskydning.

Det var ikke bare det vemodige stykke – åbenbart Leos egen komposition. Det var også klangbunden og harmonierne. Leo Mannheimer spillede med samme treklangsarpeggio, som Dan gjorde på den tid, en halv tone op fra tonikaen, når han afsluttede sine to-fem-én-akkordprogressioner. Han brugte, præcis som Dan, de traditionelle dim-akkorder i stedet for mol7b5 og 7b9, som de fleste andre, og han landede ofte på sjette trin i den doriske molskala.

Dan havde troet, han var unik, da han opdagede Django og fandt sit eget spor, så fjernt fra hele sin generation, som dyrkede deres rock og pop og hiphop. Men så var der en fyr i Stockholm, som så ud ligesom ham, og som havde fundet frem til de samme harmonier og skalaer i en helt anden slags verden. Det var næsten ikke til at forstå, og der var så meget, der trængte sig på – længsel og håb og måske også kærlighed, men først og fremmest forundring. Han havde en bror.

Han havde en bror, der var havnet hos en rig familie i Stockholm. Det var ikke blot ubegribeligt, men også dybt uretfærdigt. Som han huskede det bagefter, fandtes vreden og raseriet der tidligt, som en dunkende kraft midt i alt det andet. Dan forstod naturligvis endnu ikke, hvad det var, der var sket. Men han anede det, og han tænkte på folkene fra Stockholm med deres tests og spørgsmål og film. Havde de vidst det?

Selvfølgelig havde de det. Han lagde to og to sammen og kylede et glas ind i væggen. Derefter fandt han Hilda von Kanterborgs nummer og ringede til hende. Klokken kan ikke have været særlig mange – selvom timerne var fløjet af sted, hurtigere end han havde indset. Men von Kanterborg lød ikke ædru. Det var formiddag, og hun virkede allerede fuld eller påvirket, og det irriterede ham.

"Det er Daniel Brolin," sagde han. "Kan du huske mig?"

"Hvad sagde du, dit navn var?"

"Daniel Brolin."

Han hørte hendes tunge åndedrag i telefonen og måske, han var ikke sikker, ren og skær rædsel.

"Kære Daniel," sagde hun. "Selvfølgelig kan jeg huske dig. Hvordan går det? Vi var så urolige, da du ikke lod høre fra dig."

"Vidste du, at jeg var enægget tvilling? Vidste du det?"

Hans stemme brast, og der blev stille i telefonen. Hun hældte noget op i et glas, og tavsheden og den klukkende lyd var ham alt nok. Han forstod, at hun havde vidst det – at det var selve grunden til besøgene på gården og hendes underlige ord: *Vi skal studere og ikke gribe ind.*

"Hvorfor sagde du ikke noget?"

Hun svarede stadig ikke, og han gentog sit spørgsmål, nu mere aggressivt.

"Jeg måtte ikke," hviskede hun. "Jeg havde tavshedspligt."

"Og det var vigtigere end mit liv?"

"Det var forkert, Daniel, forkert! Jeg arbejder der ikke længere. De fyrede mig. Jeg protesterede for meget."

Han mistede besindelsen. Han vidste ikke, hvad han sagde. Han huskede bare hendes spørgsmål.

"Har du og Leo fundet hinanden?"

Da brast det fuldstændig for ham, og først forstod han det ikke. Men det skyldtes sikkert den familiære måde, hun talte om ham og Leo, som om det for hende var et gammelt, velkendt begreb, mens det for ham var et jordskælv.

"Ved han det?"

"Leo?"

"Ja, selvfølgelig!"

"Det tror jeg ikke, Daniel. Det tror jeg ikke. Mere kan jeg ikke sige. Jeg kan virkelig ikke. Jeg har allerede sagt for meget."

"For meget? Jeg ringede, da jeg var i krise, da jeg ikke havde noget, og hvad sagde du? Ikke et ord. Du lod mig vokse op uden at vide det vigtigste i mit liv. Du har berøvet mig ..."

Han ledte efter ordene, men fandt ingen, der kunne yde hans følelser retfærdighed.

"Undskyld, Daniel, undskyld," stammede hun.

Han skreg noget upassende ad hende, så lagde han på og bestilte øl. Masser af øl. Han trængte til at berolige nerverne og tænke klart, for allerede på det tidspunkt indså han, at han måtte kontakte Leo. Han måtte møde ham. Men hvordan? Skulle han skrive, ringe, bare dukke op? Leo Mannheimer var rig. Han var anderledes og sikkert lykkeligere og mere hårdhudet, og måske – Hilda havde antydet muligheden – kendte Leo til hans eksistens, men havde valgt ikke at kontakte ham. Måske skammede han sig over sin fattige, forhutlede tvillingebror. Det var vel ikke usandsynligt?

Dan vendte tilbage til Alfred Ögrens hjemmeside og kiggede atter på billedet af Leo. Var der ikke en antydning af usikkerhed i hans blik? Dan syntes det, og det gav ham mod. Måske var Leo trods alt ikke så overlegen. Han tænkte på, hvor let han havde haft ved at tale med Julia aftenen før, og sank hen i dagdrømme. Han mærkede vreden vige og tårerne vende tilbage.

Hvad skulle han gøre? Han googlede sig selv og ledte efter optagelser af sine optrædener. Til sidst fandt han en optagelse fra et halvt år tidligere, da han lige havde klippet håret og købt det grå jakkesæt. Det var fra en jazzklub i San Francisco, og han spillede solo i "All the things you are" og brugte samme type melodisk klangbund som Leo i Konserthuset. Han vedhæftede linket til en lang mail. Han huskede endnu starten:

Kære Leo, kære tvillingebror

Jeg hedder Dan Brody og er jazzguitarist. Jeg har ikke anet noget om din eksistens før her til morgen, og jeg er så bevæget og rystet, at jeg dårligt nok evner at skrive.

Jeg vil ikke besvære dig eller give dig ubehageligheder. Jeg kræver intet, end ikke et svar. Jeg vil bare sige, at bevidstheden om, at du findes og tilsyneladende spiller samme slags musik som jeg, for altid vil være det største, der er hændt mig i mit liv.

Jeg ved ikke, om du overhovedet er interesseret i mit liv, på samme måde som jeg brænder af længsel efter at høre

om dit. Men nu fortæller jeg alligevel. Traf du nogensinde vores far? Han var en fordrukken sut, men han var utroligt musikalsk. Vores mor døde i barselsseng. Det må have været en svær fødsel, måske fordi hun fødte tvillinger. Jeg fik aldrig så meget at vide om det ...

Dan skrev 22 sider; men han sendte aldrig mailen. Han turde ikke. I stedet ringede han til Klaus Ganz og sagde, at der havde været et dødsfald i familien. Så bookede han en billet til Stockholm og fløj næste morgen.

Det var første gang i 18 år, han var i Sverige. Vinden var kold og bidende, og det sneede. Det var den 10. december, og der var Nobelprisfest. Juleudsmykningen lyste allerede gaderne op, og han så sig forundret om. I hans barndom havde Stockholm været den fine, fjerne by. Han var nervøs og febrilsk, men også forventningsfuld som et lille barn. Alligevel gik der fem dage, inden han turde tage kontakt. I mellemtiden levede han som Leo Mannheimers skygge, hans usynlige stalker.

KAPITEL 15

Den 21. juni

BASHIR KAZI HAVDE langt, tyndt skæg, militærbukser og en hvid jægervest på. Armene var muskuløse og veltrænede. Han var et imponerende syn rent fysisk. Men han sad i lædersofaen og sløvede foran fjernsynet, og efter at have synet Lisbeth med et nedladende blik tog han ingen videre notits af hende. Med lidt held var han skæv. For en sikkerheds skyld ravede hun lidt og tog en slurk af sin lommelærke. Bashir lo hånligt og vendte sig om mod Khalil.

"Hvad er det for en luder, du har slæbt med hjem?"

"Jeg har aldrig set hende før. Hun stod bare herude og talte om en film, vi skulle se. Få hende ud herfra!"

Khalil var tydeligvis bange for hende. Men han var endnu mere bange for sin bror, og det burde tjene hendes formål. Hun satte tasken med computeren fra sig på en grå kommode ved døren.

"Nå, hvem er du så, lille ven?" sagde Bashir.

"Ikke nogen," svarede hun, og heller ikke det affødte nogen særlig reaktion.

Men Bashir rejste sig i det mindste og gabte, formentlig mest for effektens skyld, for at vise, hvor træt han var af kællinger, der gjorde sig til.

"Hvordan kunne du flytte tilbage hertil," sagde han til Khalil. "Der bor jo kun ludere og idioter her."

Lisbeth så sig om i lejligheden. Det var en etværelses med et lille køkken til højre. Den var sparsomt møbleret og rodet, der lå tøj smidt over det hele. Der var en sovehems, en lædersofa og et sofabord. Ved siden af kommoden stod der en bandystav lænet op ad væggen.

"En lidt slap generalisering," sagde hun.

"Hvad sagde du?"

"En temmelig vidtløftig påstand, ikke, Bashir?"

"Hvorfra ved du, hvad jeg hedder?"

"Jeg er lige kommet ud fra spjældet. Jeg skal hilse fra din kammerat, Benito."

Det var en satsning. Eller måske ikke. Hun var ret sikker på, at der var en eller anden form for kontakt mellem dem, og Bashir vågnede da også op. Benito var ikke noget ukendt navn for ham. Det var, som om der tændtes en glød i hans svømmende blik.

"Hvad skulle det være for en hilsen?"

"En videohilsen. Vil du se den?"

"Det kommer an på ..."

"Jeg tror, det vil more dig," sagde hun og fandt mobilen frem og lod, som om hun havde problemer med den. I virkeligheden indtastede hun nogle kommandoer og koblede den op til den infrastruktur, som Hackerrepublikken dagligt vedligeholdt. Derefter tog hun et skridt fremad og så Bashir lige ind i øjnene.

"Benito gør gerne sine venner en tjeneste, det ved du, men der er nogle aspekter, der kræver en lille snak."

"Som hvad?"

"Det er et fængsel, og det er jo allerede en anelse problematisk. Det var sådan set ret godt gået af dig at få smuglet en kniv ind på afdelingen. Tillykke med det."

"Kom til sagen."

"Sagen er Faria."

"Hvad er der med hende?"

"Hvordan kunne I behandle hende så dårligt?"

"Hvad?"

"I opførte jer jo som svin."

Bashir så forvirret ud.

"Hvad helvede er det, du siger?"

"Svin. Pikhoveder. Idioter. Der er mange ord for det, alle sammen underdrivelser, omstændighederne taget i betragtning. I burde straffes, er du ikke enig i det?"

Lisbeth havde forventet en reaktion. Men hun havde undervurderet voldsomheden i den, det pludselige raseriudbrud, som efterfulgte den indledende forvirring. Uden et sekunds tøven langede Bashir ud og gav hende en kæberasler. Det lykkedes hende med nød og næppe at holde balancen; men hun koncentrerede sig først og fremmest om at holde mobilen i ro nede ved sin højre hofte, med skærmen rettet op mod hans ansigt.

"Du virker oprørt," sagde hun.

"Det her er kun begyndelsen!"

Han slog igen, og også denne gang vaklede hun, men hun gjorde ingen forsøg på at forsvare sig. Hun løftede end ikke hænderne for at beskytte sig. Bashir så på hende med et blik, der rummede både had og forbløffelse. Hun havde blod i munden. Hun satsede:

"Var det så smart at myrde Jamal?" sagde hun.

Bashir slog igen, og denne gang var det sværere at stå stille. Hun blev groggy og rystede på hovedet i håb om at se lidt klarere, og så fik hun øje på Khalils forskræmte øjne lige ved siden af sig. Ville han også kaste sig over hende? Hun var ikke sikker, det var ikke let at aflæse ham. Men hun tænkte, at han nok ville forblive stille og paralyseret. Der var noget ynkeligt over hans magre skikkelse.

"Var det så smart?" gentog hun og stirrede så hånligt på Bashir, som hun kunne.

Præcis som hun havde håbet, mistede han besindelsen og gik amok.

"Det var så allerhelvedes smart, at du ikke fatter det, din luder."

"Hvorfor egentlig det?"

"Han gjorde Faria til en luder," skreg Bashir. "En luder! De vanærede os alle sammen."

Han slog hende igen, og nu var Lisbeth ikke længere sikker på, at det lykkedes hende at holde telefonen rigtigt.

"Men så måtte Faria også dø, eller hvad?" stammede hun.

"Som en rotte, en lille gris. Vi helmer ikke, før hun brænder i helvede."

"Okay," sagde Lisbeth. "Så er det jo på plads. Vil du se min film nu?"

"Hvorfor helvede skulle jeg dog ville se den?"

"For ellers bliver Benito skuffet, og det er ikke så godt. Så meget forstår du vel?"

Bashirs blik og skælvende arm vidnede om, at han var i tvivl. Men det gjorde ikke den store forskel. Han var stadig stiktosset, ude af sig selv af raseri, og Lisbeth ville ikke kunne holde til ret meget mere. Hun foretog en hurtig beregning, målte afstanden med blikket, kalkulerede, gennemgik konsekvenserne. Skulle hun nikke ham en skalle? Et knæ mellem benene? Slå igen? Hun besluttede sig for at holde ud lidt endnu og virke nedbrudt og besejret. Hun behøvede ikke gøre sig særlig umage. Næste slag kom fra siden og var voldsommere end de andre. Hendes læbe flækkede, og det sortnede for øjnene af hende. Hun vaklede igen.

"Okay, vis mig den så," hvæsede han.

Hun tørrede sig om læberne, hostede og spyttede blod og faldt sammen i lædersofaen.

"Jeg har filmen på mobilen," sagde hun.

"Okay, vis mig den," hvæsede Bashir og satte sig ved siden af hende. Hun fingererede ved mobilen og virkede hjælpeløs.

Selv Khalil kom nærmere nu, og det var godt, tænkte hun. Uden at skynde sig eller fremstå som alt for fiks på fingrene tastede hun sine kommandoer ind, og snart trådte programkoderne frem på skærmen. Det var tydeligt, at brødrene blev nervøse.

"Hvad fanden er det for noget?" spurgte Bashir. "Er den i stykker? Er det en eller anden lortetelefon?"

"Nej, nej," sagde hun. "Det er helt normalt. Videofilmen ryger nu ind i et såkaldt botnet, og se så her! Nu døber jeg filen og trykker på *Command* og *Control* og spreder den.

"Hvad fanden mener du?"

Hun mærkede en besk lugt af sved.

"Det skal jeg sige dig," fortsatte hun. "Et botnet er et netværk af hackede computere, som er smittede med virus – med trojanske heste. Det er en lille smule ulovligt, men det er praktisk. Inden jeg fortæller mere, bør vi måske se filmen. Jeg har ikke selv set den endnu. Den er helt uredigeret. Lige et øjeblik ... Her er den!"

Bashirs ansigt dukkede op på skærmen. Han så forvirret ud, som en knægt, der ikke forstår et svært spørgsmål.

"Hvad fanden er det der?" spurgte Bashir.

"Det er selvfølgelig dig. Lidt ubarberet måske, og ikke helt skarp i konturerne. Det er svært at filme fra hoften. Men det bliver bedre. Mere dramatisk. Her slår du. Du er meget dygtig. Og hør her! Her virker det, som om du tilstår mordet på Jamal Chowdhury."

"Hvad fanden? Hvad fanden?"

På filmen råbte Bashir nu op om, hvordan Faria skulle dø som en rotte og en gris og brænde i helvede. Derefter blev det hele voldsomt rystet, og der lød nye ord og slag, som ikke kunne ses. Det var mest et virvar af billeder af loftet og væggene.

"Hvad fanden er det, du har lavet?" skreg han og hamrede næven ned i sofabordet.

"Rolig, rolig," svarede Lisbeth. "Der er ingen grund til panik."

"Hvad mener du? Svar mig, din luder!"

Hans stemme knækkede over.

"Der er stadig en stor del af jordens befolkning, som ikke har modtaget filen," svarede hun. "Der er nok kun cirka hundrede millioner, der har modtaget den, og du kan være sikker på, at mange af dem vil betragte den som spam og slette den med det samme. Men jeg nåede selvfølgelig at døbe den. *Bashir Kazi* kaldte jeg den. Så dine venner vil nok se den, og så politiet naturligvis, og Säpo, og dine venners venner og gud og hvermand. Måske bliver den et hit på YouTube. Den slags kan man aldrig styre. Nettet er sådan et sindssygt sted. Jeg har aldrig rigtig forstået det."

Bashir så halvvejs forrykt ud. Hovedet bevægede sig i nervøse ryk.

"Jeg forstår, at det føles ubehageligt," sagde Lisbeth. "Offentligheden er aldrig let at håndtere. Jeg husker første gang, de klistrede mig op på spisesedlerne. Helt ærligt er jeg dårligt nok kommet mig over det endnu. Men det gode er, at der er en udvej."

"Hvad?"

"Det skal jeg sige dig. Øjeblik ..."

Hun udnyttede hans fortvivlelse og forbløffelse, og med en lynhurtig bevægelse greb hun hans hoved, bankede det to gange mod sofabordet og rejste sig.

"Du kan flygte, Bashir," sagde hun. "Du kan løbe så hurtigt, at skammen ikke kan nå at indhente dig."

Bashir stirrede paralyseret og omtåget på hende. Hans højre arm rystede. Han tog sig til panden.

"Det kan fungere," fortsatte hun. "Ikke overdrevent længe, men en tid. Du kan løbe og løbe, ligesom din bror, ikke så hurtigt måske, du har lagt dig lidt ud, ikke? Men du kan sikkert stavre dig frem på en eller anden måde."

"Jeg myrder dig," mumlede Bashir. Han rejste sig, som om han ville kaste sig over hende. Men det virkede ikke, som om han selv troede på det. Han kastede nervøse blikke mod yderdøren og vinduerne.

"Så skal du skynde dig," sagde hun. "Jeg tror, du bliver nødt til at smutte lige om lidt."

"Jeg skal nok finde dig," hvæsede han.

"Så ses vi igen."

Hendes stemme lød kølig og upåvirket. Hun trådte et skridt frem mod kommoden og væggen og vendte ryggen til ham, så han havde alle chancer for at overfalde hende. Men han var præcis så forbløffet og lammet, som hun havde regnet med. Desuden ringede hans mobil.

"Det er sikkert nogen, der har set filmen. Men det er okay, ikke? Du skal bare lade være med at svare og se ned i jorden ude i byen," sagde hun.

Bashir mumlede truende og nærmede sig; men han kom ikke længere. Lisbeth greb bandystaven, som stod lænet op ad væggen og slog ham på halsen, kinden og i maven.

"Det var for Faria," sagde hun.

Bashir krummede sig sammen. Hun slog ham igen. Så lykkedes det ham at rette sig op, og med vaklende skridt forsvandt han ud ad døren, ned ad den mørke trappe og ud i eftermiddagssolen.

Lisbeth blev stående med bandystaven i hånden. Ved sofaen

lige bag hende stod Khalil Kazi med åben mund i sit løbetøj og røde løbesko. Hans blik flakkede vildt. Han var endnu teenager og senet og spinkel i kroppen. Blikket var skrækslagent. Han udgjorde næppe nogen trussel. Men han kunne flygte og miste besindelsen. Annika havde kaldt ham suicidal. Lisbeth holdt øje med døren og kiggede på sit ur.

Klokken var 16.20, og hun tjekkede mailen. Hverken Bublanski eller Farah Sharif havde svaret hende endnu; men Annika skrev: **Skidegodt, det tegner lovende. Tag hjem!**

Khalil stønnede, og hun så på ham. Det virkede, som om han ville sige noget.

"Det er dig, er det ikke?" mumlede han.

"Hvem?"

"Hende der fra aviserne?"

Hun nikkede.

"Vi to har også en film, vi skal se," sagde hun. "Den er ikke lige så spændende. Den handler mest om håndbevægelser."

Hun stillede bandystaven op ad væggen igen og greb sin taske med computeren på kommoden og bad ham sætte sig i sofaen. Han var bleg, og det virkede, som om benene kunne give efter under ham, hvad øjeblik det skulle være. Men han adlød og satte sig.

Hun fortalte, kort og sagligt, om bevægelsesgenkendelse og dybe neurale netværk, om hans løbetur lige for lidt siden og om videosekvensen i tunnelbanen. Hun mærkede straks, at han forstod det. Han stivnede og mumlede noget uhørligt. Hun satte sig ved siden af ham og fandt filerne frem, viste ham dem og forsøgte at forklare. Men han så ikke ud, som om han hørte noget af det. Han stirrede bare tomt og paralyseret på skærmen. Hans telefon ringede, og han så på hende.

"Tag den," sagde hun.

Khalil tog sin telefon, og det mærkedes straks på den respektfulde agtelse i hans stemme, at det var én, han nærede stor ærbødighed for. Det var hans imam, som befandt sig i kvarteret – det måtte være Annikas værk. Imamen spurgte tydeligvis, om han måtte komme op. Lisbeth tænkte, at det nok var meget godt, og nikkede. Bekendelser var sikkert mere imamens område, specielt eftersom Annika havde talt så varmt om ham.

Kort efter bankede det på døren. En høj, stilig herre i 50-årsalderen med små øjne, langt skæg og en rød turban på hovedet trådte ind i lejligheden. Han nikkede til hende og vendte sig mod Khalil med et vemodigt smil.

"Hej, min dreng," sagde han. "Er der noget, du vil fortælle?"

Der var en sørgmodig tyngde i hans ord, og et øjeblik tav de alle tre. Lisbeth følte sig pludselig akavet og vidste ikke, hvad hun skulle gøre. Så rejste hun sig.

"Jeg tror ikke, at der er sikkert her," sagde hun. "Jeg foreslår, at I går udenfor eller hen i moskéen."

Hun forlod dem uden at tage afsked og forsvandt ud i trappeopgangen med sin computer.

December halvandet år tidligere

Dan Brody sad på en bænk på Norrmalmstorg. Han var lige ankommet til Stockholm. Det sneede ikke længere. Himlen var klar og kold, og han var iført sort overfrakke, solbriller og en grå hue, som han havde trukket ned over panden. Han læste en bog om Lehman Brothers-konkursen. Han ville sætte sig ind i sin brors verden.

Han havde tjekket ind på Chapman-vandrehjemmet på Skeppsholmen. Det var en gammel ombygget båd. Et værelse dér kostede 699 kroner per nat, hvilket sådan omtrent var, hvad han havde råd til. Allerede på vejen derhen havde han mødt flere genkendende blikke, og det havde gjort ondt, som om han ikke længere var sig selv, men en fattigere kopi af et andet menneske. Han, som indtil for nylig havde været en verdensvant musiker, blev atter bondeknolden fra Hälsingland, der følte sig mindreværdig over for stockholmerne. Da han kom til Birger Jarlsgatan, sneg han sig ind i en tøjbutik og købte et par solbriller samt den grå hue og forsøgte at gemme sig bag dem.

Han spekulerede hele tiden over, hvad han skulle gøre.

Skulle han trods alt maile, sende et videolink eller måske ringe? Han turde ikke. Han ville se Leo først, og derfor sad han her uden for Alfred Ögrens Kapitalfond på Norrmalmstorg og ventede.

Ivar Ögren kom ud med faste, irriterede skridt og kørte af sted som en statsmand, en dignitar.

Men der var stadig ingen Leo. Han befandt sig deroppe i det røde murstenshus. Dan havde ringet og spurgt efter ham på engelsk og fået at vide, at han sad i møde, men snart ville være færdig. Hver gang døren gik op derovre, gav det et sæt i Dan. Men tiden gik, og mørket var for længst faldet på over Stockholm. Det trak koldt nede fra vandet, og det blev for koldt at sidde og læse.

Han rejste sig og vandrede frem og tilbage over torvet og masserede sine fingerspidser under læderhandskerne. Stadig ingen Leo. Myldretidstrafikken aftog, og han så over mod restauranten på torvet med de store glasruder. Gæsterne derinde lo og snakkede, og han følte sig udenfor. Livet syntes at gå ham forbi. Han hørte det kun som bruset af stemmer fra en fest, han ikke var inviteret med til, og han tænkte, at han altid havde stået udenfor og kigget ind.

I det samme kom Leo ud. Det var et øjeblik, Dan aldrig ville glemme. Det var, som om tiden stod stille, hans synsfelt indsnævredes, og der blev stille omkring ham. Men det var ikke nogen udelt lykkelig oplevelse, ikke i det øjeblik i kulden og lyset fra restauranten. Synet af Leo forstærkede bare hans smerte. Leo lignede ham i rystende grad. Han gik på samme måde, smilede på samme måde, bevægede hænderne på samme måde og havde de samme furer i kinderne og under øjnene. Alting var det samme og dog ikke. Det var som at se sig selv i et forgyldt spejl. Manden derhenne var *ham* og *ikke ham.*

Leo Mannheimer var den, Dan kunne have været, og jo mere han kiggede, jo flere forskelle opdagede han. Det var ikke kun frakken og skoene og det dyre jakkesæt indenunder. Det var spændstigheden i skridtene og blikkets glans. Leo Mannheimer syntes at udstråle en selvtillid, Dan aldrig havde haft. Det gav et stik i ham, og han hev efter vejret.

Hjertet hamrede i brystet, og han så på kvinden, der gik ved siden af Leo med armen om ham. Hun så intelligent og sofistikeret ud, og det virkede, som om hun var forelsket i Leo. Hun lo. De lo begge to, og han forstod, at kvinden var denne Malin Frode, som Julia havde talt om med et anstrøg af jalousi. Han stod som lammet uden at turde træde frem og så dem forsvinde op mod Biblioteksgatan. Uden rigtig at vide hvorfor fulgte han langsomt efter dem på afstand.

Der var ellers ikke den store risiko for, at han ville blive opdaget. De var helt optaget af hinanden og forsvandt fnisende i retning af Humlegården. Deres sorgløse latter hang i luften efter dem. Han følte sig tung, som om deres enkle, lette glæde tyngede hans krop mod jorden. Han slap dem med blikket og vendte tilbage til sit vandrehjem uden et øjeblik at tænke over, at skinnet kan bedrage, og at han måske selv tit og ofte havde set sådan ud – som en heldig mand.

Livet er tit smukkest på afstand. Men det forstod han ikke på det tidspunkt.

*

Mikael skulle til Nyköping. Han bar på en skuldertaske med notesblok, båndoptager og tre flasker rosévin. Vinflaskerne var Lotta von Kanterborgs idé. Hendes søster, Hilda, skulle angiveligt bo på Hotell Forsen ved Nyköpingsån under navnet Fredrika Nord. Angiveligt skulle hun være parat til at tale, såfremt visse specifikke vilkår blev tilgodeset. Vinflaskerne var ét af vilkårene.

Et andet var ekstrem forsigtighed. Hilda var bange for, at hun blev forfulgt, og det var ikke blevet bedre af det, Mikael havde fortalt. Lotta sagde, at det var, som om oplysningerne fik Hilda til at flippe helt ud. Derfor havde Mikael heller ikke sagt et ord til nogen, selv ikke til Erika, om hvor han skulle hen.

Nu sad han på en banegårdscafé i Stockholm og ventede på Malin. Det føltes vigtigt at tale med hende. Han havde brug for at vende hver en sten og granske sine teorier for at forstå, om de hang sammen eller ej. Malin kom ti minutter for sent. Hun var iført jeans og en blå bluse og så bedårende ud, selvom hun ligesom alle andre var gennemblødt af sved.

"Undskyld," sagde hun. "Jeg skulle lige aflevere Love hos min mor."

"Du kunne da have taget ham med. Jeg har bare et par korte spørgsmål."

"Det ved jeg godt, men jeg skal videre bagefter."

Han kyssede hende hurtigt og gik lige til sagen.

"Da du traf Leo på Fotografiska, var der da noget andet, du tænkte på, andre forskelle end at fyren pludselig var blevet højrehåndet?"

"Hvad skulle det være?"

Mikael så op mod banegårdsuret.

"Som for eksempel et modermærke der sad på den ene side i stedet for den anden. Eller at en hvirvel i hans hår vendte en anden vej. Han har jo lokket hår, Leo."

"Du skræmmer mig, Mikael. Hvad er det, du forestiller dig?"

"Jeg er i gang med at efterforske en historie om enæggede tvillinger, som er blevet adskilt ved fødslen. Mere kan jeg ikke sige lige nu, og du må ikke sige noget til nogen, lov mig det!"

Hun så pludselig forskræmt ud og greb ham i armen.

"Så du mener ..."

"Jeg mener ikke noget, Malin, ikke endnu," sagde han. "Men jeg spekulerer ..." Han tøvede. "Enæggede tvillinger er jo genetisk set ens, eller så godt som ens," fortsatte han. "Men der sker visse genetiske forandringer hos os alle, små mutationer."

"Kom til sagen."

"Jeg bliver bare lige nødt til at forklare lidt først, ellers virker det helt ubegribeligt. Enæggede tvillinger kommer fra ét æg, som deler sig ganske hurtigt. Det interessante i denne forbindelse er *hvor hurtigt.* Hvis ægget deler sig senere end fire dage efter befrugtningen, får tvillingerne en fælles moderkage, og det øger risikoen for fostrene. Men hvis ægget deler sig så sent som efter en uge eller mere, op til tolv dage senere, bliver børnene ofte spejltvillinger. 20 procent af alle enæggede tvillinger er spejltvillinger."

"Og hvad menes der med det?"

"At de bliver ens, men som hinandens spejlbilleder. Den ene bliver venstrehåndet og den anden højrehåndet. Deres hjerter kan endda havne i hver sin side af kroppen."

"Så det, du vil sige, er altså at ..."

Hun fremstammede ordene, og han strøg hende over kinden for at berolige hende.

"Hele idéen kan være fuldstændig langt ude i skoven," sagde han. "Og selv hvis den ikke er det, selv hvis det virkelig var Leos spejltvilling og ikke Leo, du mødte på Fotografiska, behøver der ikke være tale om en forbrydelse, ikke noget identitetstyveri som i *The Talented Mr. Ripley*. Måske har de bare byttet roller, leget lidt, prøvet noget nyt. Vil du følge mig til toget, Malin? Det kører lige om lidt."

Hun blev siddende som forstenet. Så rejste hun sig og fulgte med ham ned til spor 11. For at efterlade så få ledetråde som muligt, bildte han hende ind, at han havde en opgave i Linköping.

"Jeg har læst en masse om enæggede tvillinger, der først møder hinanden som voksne, og som indtil da ikke har kendt noget til hinandens eksistens," sagde han, "og de der møder beskrives altid som helt fantastiske, Malin. Det siges, at der ikke findes noget mere livsomvæltende. Tænk engang! Du har troet, du var alene, den eneste af din slags – og så dukker der en til op. Det siges, at enæggede tvillinger, der finder hinanden sent i livet, slet ikke kan få nok af at snakke med hinanden. De gennemgår det hele, talenter, skavanker, vaner, gestik, minder, alting. De heles og gror og bliver lykkeligere end før. Mange af de her historier har gjort mig helt bevæget, Malin, og du talte selv om, at Leo var helt euforisk en overgang."

"Ja, men så var han det pludselig ikke længere."

"Det sagde du."

"Han rejste væk, og vi mistede kontakten."

"Netop," sagde Mikael. "Det har jeg også tænkt på. Men er der noget, du kan komme i tanke om – enten ved hans udseende eller noget andet, som kan hjælpe mig til at forstå, hvad der er sket?"

De stoppede. De var fremme ved sporet. Toget holdt allerede og ventede.

"Jeg ved det ikke," sagde hun.

"Tænk dig om!"

"Jo, der er måske noget. Husker du, at jeg fortalte, at han forlovede sig med Julia Damberg?"

"Og det blev du ked af, eller hvad?"

"Egentlig ikke."

Han troede hende ikke rigtig.

"Det undrede mig bare," sagde hun. "Julia havde været ansat hos os tidligere. Så flyttede hun til Frankfurt, og ingen af os havde hørt fra hende i flere år. Men på et tidspunkt lige inden jeg forlod stedet, ringede hun og ville have fat i Leo. Jeg tror ikke, han ringede tilbage. Han virkede mest af alt irriteret. Men Julia sagde noget underligt."

"Hvad da?"

"Hun spurgte, om jeg vidste, at Leo var endnu bedre på guitar end på klaver. Han var den rene virtuos, sagde hun. Det havde jeg aldrig hørt, og jeg spurgte Leo om det."

"Hvad sagde han?"

"Han sagde ingenting. Han rødmede og lo. Det var i den periode, hvor han strålede som en sol."

"Det lader det til," sagde Mikael og hørte ikke rigtig resten af, hvad hun sagde.

Ordet guitarvirtuos ringede i hans ører med en foruroligende klang. Han var helt opslugt af sine egne tanker, da han tog afsked med Malin og steg på toget.

December halvandet år tidligere

Dan holdt sig væk i nogle dage. Han var nervøs og sad enten på sit værelse på skibet og læste eller gik hurtige, urolige ture på Skeppsholmen og Djurgården. Indimellem joggede han i sin grå træningsdragt. Om aftenen drak han mere end sædvanligt i skibets bar. Han sov dårligt, og om natten sad han og skrev om sit liv i røde notesbøger med læderomslag.

Onsdag den 13. december om eftermiddagen var han tilbage på Norrmalmstorg. Endnu en gang turde han ikke nærme sig. Om fredagen tog han guitaren med og satte sig på bænken ved siden af restauranten på torvet. Det sneede igen, og han frøs. Temperaturen var faldet, og hans overfrakke duede ikke længere i kulden. Men han havde ikke råd til noget varmere. Han begyndte så småt at få pengeproblemer, og han havde ikke overskud til at spille rundt om i diverse jazzklubber for at forsørge sig selv igen. Han kunne ikke tænke på andet end Leo. Alt andet forekom ham uvæsentligt.

Den fredag forlod Leo kontoret tidligt. Han var iført en mørkeblå kashmirfrakke og hvidt halstørklæde og gik i rask tempo. Dan fulgte efter. Han holdt sig tæt på nu, og det var en fejl. Uden for Park-biografen vendte Leo sig om med flakkende blik, som om han mærkede, at han blev forfulgt. Alligevel så han ikke Dan. Der var masser af mennesker på gaden, og Dan bar hue og solbriller og kiggede hurtigt ned mod Stureplan. Leo fortsatte fremad og krydsede Karlavägen.

Ud for Malaysias ambassade på Floragatan standsede Dan og lod Leo forsvinde ind i sin ejendom. Døren lukkede sig efter ham med et bump, og Dan stod derude på gaden i kulden og ventede. Han havde ventet sådan før, og han vidste, at det tog tid. Først efter nogle minutter tændtes lamperne i lejligheden øverst oppe.

Lyset tændtes som et genskin af en smukkere verden. Nogle gange hørtes tonerne fra et flygel, og ofte genkendte han harmonierne og fik tårer i øjnene. Nu frøs han mest og bandede dæmpet for sig selv. I det fjerne hørtes nogle sirener. Blæsten var bidende kold, og han nærmede sig ejendommen og tog solbrillerne af. Han hørte skridt bag sig.

Det var en kvinde med en hund. En ældre dame med sort hat og grøn frakke passerede ham med en lille hund i snor. Hun så venligt på ham.

"Har du ikke lyst til at gå hjem i dag, Leo?"

Han kastede et hastigt, forskræmt blik på hende. Så smilede han, som om det hele var en spøg.

"Nogle gange ved man ikke, hvad man vil," sagde han.

"Det er så sandt. Men kom nu med ind. Det er alt for koldt til at stå herude og filosofere."

Hun trykkede dørkoden, og de fulgtes ad indenfor, hvor de stod sammen og ventede på elevatoren. Hun kiggede atter på ham og sagde med et muntert smil:

"Hvad er det for en gammel frakke, du der har på?"

Det gav et jag af nervøsitet i ham.

"Det er bare en gammel las," svarede han.

Kvinden lo.

"En gammel las? Tænk, det plejer jeg altid at sige, når jeg har taget mit fineste tøj på og håber på komplimenter."

Han forsøgte at le ad det, men uden held. Kvinden bed sig i læben og så alvorlig ud, og han var sikker på, at hun havde gennemskuet hans bedrageri, som om ikke kun hans tøj, men også hans forlegne ansigtsudtryk havde afsløret hans mangel på stil og klasse.

"Undskyld, Leo," sagde kvinden så. "Jeg forstår, at du må have det svært lige nu. Hvordan går det med Viveka?"

Han begreb af tonefaldet, at "fint" ikke var det rigtige svar på spørgsmålet.

"Ikke så godt," sagde han.

"Vi må håbe, at hun ikke skal lide alt for længe."

"Det må vi håbe," sagde han og indså, at han ikke orkede at tage elevatoren sammen med hende.

"Ved du hvad? Jeg trænger til at røre mig lidt. Jeg tager trapperne," fortsatte han.

"Vrøvl, Leo. Du er slank som en ål. Giv Viveka et knus fra mig. Sig, at jeg tænker på hende."

"Det skal jeg gøre," svarede han og løb op ad trappen med sin guitar.

Da han nærmede sig Leos lejlighed, satte han farten ned. Hvis Leo hørte bare halvt så godt som ham selv, måtte han være musestille. Han listede sig det sidste stykke op. Leo boede alene øverst oppe, hvilket var godt. Det føltes isoleret. Han satte sig, så lydløst han kunne, i trappeopgangen med ryggen mod væggen. Hvad skulle han gøre? Hjertet hamrede, og han var helt tør i munden.

Der lugtede rent og nybonet, og han stirrede op i et maleri af en blå himmel i loftet. Hvem maler himle i loftet i en trappeopgang? Der hørtes fodtrin længere nede, skrabende lyde af sko, snurren fra tv-apparater, og inde fra lejligheden hørte han en stol der blev flyttet, et låg der blev åbnet, og en tangent der blev trykket ned. Et A.

Det var bare en række tøvende bastoner – som om Leo ikke rigtig vidste, om han skulle spille. Så kom han i gang. Han improviserede, eller måske ikke. En vemodig, foruroligende melodistump gik igen, og præcis som i den gamle indspilning fra Konserthuset sluttede Leo igen og igen på sjette trin i molskalaen, nærmest rituelt eller manisk, men også modent og raffineret, og på en eller anden måde lykkedes det ham at fremkalde en følelse af noget bristet eller tabt, sådan oplevede Dan det i det mindste, og han gøs.

Han kunne ikke helt forklare det, og det kom så pludseligt. Tårerne vældede op i øjnene på ham, og han rystede. Det skyldtes ikke nødvendigvis musikken i sig selv. Det var slægtskabet i harmonierne og selve det faktum, at Leo spillede med sådan en smerte, som om han, som ikke var musiker, bedre end Dan formåede at give udtryk for deres sorg.

Deres sorg?

Det var en mærkelig tanke, og dog føltes den sand i øjeblikket. Leo havde for nylig fremstået for Dan som en fremmed, en anden og lykkeligere slags menneske. Nu så Dan sig selv i ham, og han rejste sig vaklende. Han havde egentlig tænkt sig at ringe på. Men i stedet fandt han guitaren frem fra kassen, stemte den hurtigt og begyndte at spille med. Det var ikke så svært at finde akkorderne og følge tonerne i melodien. Leos facon med at dvæle ved synkoperne og erstatte triolfraseringen med lige ottendedele mindede om hans egen stil. Han følte sig ... hjemme. Der var ikke andre ord for det. Det var, som om han havde spillet sammen med ham mange gange før, og han spillede længe, i flere minutter. Måske hørte Leo ikke lige så godt som ham. Måske var han helt opslugt af sit spil. Det var ikke til at sige.

Så stoppede han pludselig midt i temaet, på fis, eller var det et dæmpet e? Men der hørtes ingen skridt, ingen bevægelse derindefra. Leo måtte sidde helt stille, og Dan blev også stille og ventede. Hvad skete der? Han hørte tunge åndedrag derindefra og spillede temaet igen, nu lidt hurtigere og i sin egen fortolkning. En variation over temaet. Så skrabede klaverbænken mod gulvet, og han hørte skridt, der nærmede sig døren. Han stod der med guitaren i hånden og følte sig som en tigger, en gademusikant, som havde forvildet sig ind i de fine saloner i håb om at blive accepteret. Men ... der var så meget andet også. Han brændte af håb og længsel, og han lukkede øjnene og hørte, hvordan sikkerhedskæden blev hægtet af med fumlende hænder.

Døren gik op, og Leo så på ham. Han virkede uforstående. Så tabte han underkæben og stod med åben mund. Han så bange og rystet ud.

"Hvem er du?"

Det var de første ord, og hvad skulle Dan svare? Hvad skulle han sige?

"Jeg hedder ..." begyndte han.

Han tøvede et øjeblik.

"Dan Brody," fortsatte han. "Jeg er jazzguitarist, og jeg tror, at jeg er din tvillingebror."

Leo svarede ikke. Det så ud, som om han kunne synke

sammen, hvad øjeblik det skulle være, så hvid i ansigtet var han.

"Jeg ..."

Mere kunne han ikke få frem, og Dan formåede heller ikke at sige noget. Hjertet hamrede, og ordene sad fast i halsen på ham; men så prøvede han sig også med et "Jeg".

"Jeg ..."

"Hvad?"

Der var en desperation i Leos stemme, som han havde svært ved at håndtere, og han måtte modstå impulsen til at flygte.

"Da jeg hørte dig spille på flyglet ..." sagde han.

"Ja?"

"Så tænkte jeg, at jeg har følt mig som et halvt menneske hele livet. Som om jeg savnede noget, og at jeg nu endelig ..."

Han kom ikke længere, og han vidste ikke, om ordene var sande eller bare halvvejs sande – eller om det bare var klichéer og fraser, der kom væltende af sig selv.

"Jeg forstår ingenting," sagde Leo. "Hvor længe har du vidst det?"

Hans hænder rystede.

"Kun nogle dage."

"Jeg forstår det ikke," gentog han.

"Nej, det er svært, det er så uvirkeligt."

Leo strakte hånden frem, og det føltes mærkeligt, omstændighederne taget i betragtning.

"Jeg har altid ..." sagde han.

"Hvad?"

Han bed sig i læben. Hænderne blev ved med at ryste.

"Følt det samme. Vil du ikke komme indenfor?"

Dan nikkede og trådte ind i en lejlighed, der var flottere end noget, han nogensinde før havde set.

Del 3

FORSVUNDEN TVILLING

21. juni – 30. juni

Så meget som hver ottende graviditet kan være en tvillingegraviditet, selvom et af fostrene som oftest dør tidligt, i overensstemmelse med det såkaldte Vanishing Twin Syndrome, VTS.

Andre mister deres tvilling efter fødslen på grund af adoption eller forveksling. Nogle mødes først som voksne, visse aldrig. De enæggede tvillinger Jack Yufe og Oskar Stohr mødtes første gang på en togstation i Vesttyskland i 1954. Jack Yufe havde boet i en kibbutz og været soldat i den israelske hær. Oskar Stohr havde været aktiv i Hitlerjugend.

Der er mange, der savner nogen.

KAPITEL 16

Den 21. juni

MIKAEL FULGTE ÅEN i Nyköping hen til Hotell Forsen. Det var et enkelt sted i brunt træ med rødt tegltag, et vandrehjem snarere end et hotel. Men det lå smukt ud mod vandet. Der stod en model af en vandmølle i forhallen, og på væggene hang der fotografier af sportsfiskere i gummistøvler.

I receptionen sad en ung, blond pige, formentlig en sommervikar. Hun kunne ikke være meget mere end 17, og hun var iført jeans og rød skjorte. Hun havde travlt med sin mobil. Mikael blev bange for, at hun skulle genkende ham og på en eller anden måde lægge hans besøg ud på nettet. Hendes ligegyldige blik beroligede ham. Han fortsatte to etager op og bankede på en grå dør, hvorpå der stod 214. Klokken var 20.30. Han hørte en sprukken stemme derindefra:

"Hvem er det?"

Han præsenterede sig, og hun åbnede. Han snappede efter vejret. Hilda von Kanterborg så vild ud. Håret strittede ud til alle sider, og blikket flakkede nervøst som hos et skræmt dyr. Hun var storbarmet og havde brede skuldre og hofter. Hendes lyseblå kjole strammede om hende, og sveden løb ned fra panden og halsen. Huden var fuld af pigmentpletter. Det så ud, som om nogen havde revet hende med en rive.

"Det var venligt af dig at tage imod mig," sagde han.

"Venligt? Jeg er bange. Det, du fortalte Lotta, virker jo helt sygt."

Han bad hende ikke om at uddybe det nærmere. Han ville først have hende til at falde til ro og trække vejret normalt.

Han fandt vinflaskerne frem fra tasken og stillede dem på det runde egetræsbord ved det åbne vindue.

"Jeg er bange for, at de ikke er særlig kolde længere," sagde han.

"Jeg har været ude for det, der var værre, tænker jeg."

Hun gik ud på badeværelset og hentede to vandglas, som hun stillede frem på bordet.

"Skal du være ædru og klog, eller skal du drikke sammen med mig?"

"Det der får dig til at slappe mest af," svarede han.

"Alle drankere vil have selskab, så nu må du drikke. Betragt det som en journalistisk strategi."

Hun fyldte hans glas til randen, og han drak en stor slurk for at vise sin gode vilje. Så kiggede han ud mod den mørknende himmel udenfor.

"Jeg garanterer ..." begyndte han.

"Du skal ikke garantere noget," afbrød hun. "Det kan du ikke, og jeg gider ikke høre noget højtravende ævl om kildebeskyttelse. Jeg siger det, jeg siger, fordi jeg ikke vil tie længere."

Hun tømte sit glas i ét drag og så ham ind i øjnene. Hun var på en eller anden måde indtagende. Der var noget på én gang skødesløst og åbent over hende, som føltes befriende.

"Godt, jeg er med, og jeg er ked af det, hvis jeg har gjort dig urolig. Men skal vi kaste os ud i det?"

Hun nikkede, og han fandt båndoptageren frem og startede den.

"Du har naturligvis hørt om Statens Institut for Racebiologi," sagde hun.

"Ja, gudfader bevares," sagde han. "En hæslig myndighed."

"Sandt, men rolig nu, hr. stjernereporter, det er ikke nær så spændende, som det lyder. Du finder ikke længere gamle racebiologer her i Sverige, og instituttet blev, som du sikkert ved, nedlagt allerede i 1958. Jeg nævner det kun, fordi der findes en lige linje her, en kontinuitet. Men det vidste jeg ikke i begyndelsen. Da jeg begyndte at arbejde for Registret, troede jeg bare, at jeg skulle arbejde med begavede børn. Egentlig ..."

Hun drak en slurk vin.

"... ved jeg ikke, hvor jeg skal begynde."

"Snak du bare," sagde han. "Så finder vi nok ud af det."

Hun tømte glasset igen og tændte en cigaret, en Gauloise, og så fornøjet på den.

"Det er forbudt at ryge herinde," sagde hun. "Og denne her historie kunne for så vidt begynde netop der, med rygning – med mistanken om, at det kunne være skadeligt. I 50'erne var der sågar en forsker, som hævdede, at rygning kunne forårsage lungekræft. Tænk engang!"

"Utroligt!"

"Nemlig, og som du kan forestille dig, mødte det også massiv modstand. Jo jo, sagde man: Rygerne får ofte lungekræft; men det behøver jo ikke at have noget med tobakken at gøre. Det kan lige så godt skyldes, at de spiser for mange grønsager. Det kunne ikke bevises. *Læger ryger Camel* lød et kendt slogan på den tid. Humphrey Bogart og Lauren Bacall blev fremhævet som stærke argumenter for, at det var cool at ryge. Men alligevel ... mistanken bed sig fast, og det var ikke nogen lille ting. Det britiske sundhedsministerium havde opdaget, at dødeligheden som følge af lungekræft var blevet femdoblet i løbet af 20 år, og på Karolinska i Stockholm besluttede en gruppe læger at undersøge sagen ved hjælp af tvillinger. Tvillinger er jo ideelle forskningsobjekter med deres identiske DNA, og i løbet af to år etablerede man et register med over 11.000 tvillinger. Tvillingerne blev udspurgt om deres ryge- og drikkevaner, og det blev et vigtigt bidrag til den triste indsigt, at det trods alt ikke er så rasende godt at ryge og drikke."

Hun lo sørgmodigt, inhalerede dybt og drak endnu et glas lunken rosé.

"Men det stoppede ikke der," fortsatte hun. "Man supplerede registret med nye tvillinger, også mange som ikke var vokset op sammen. I 30'erne var der flere hundrede tvillinger i Sverige, der var blevet adskilt ved fødslen, først og fremmest på grund af fattigdom. Mange havde først mødt hinanden som voksne. Det gav et uvurderligt videnskabeligt materiale, og forskerne begyndte ikke bare at undersøge nye sygdomme og deres årsager, men også at stille det klassiske spørgsmål: Hvad er det, der former et menneske? Hvor meget er arv og hvor meget miljø?"

"Jeg har læst om det," sagde Mikael, "og jeg kender godt det svenske tvillingeregister. Men det, der foregår der, er vel helt legitimt, eller hvad?"

"Absolut, der finder værdifuld og vigtig forskning sted der, og jeg forsøger bare at give dig baggrunden. Mens tvillingeregistret voksede frem, skiftede Racebiologisk Institut navn og blev til Institut for Medicinsk Genetik og kom til at sortere under universitetet i Uppsala. Instituttets sidste chef, Jan Arvid Böök, skiftede fra at være professor i racebiologi til at være professor i medicinsk genetik. Det var faktisk ikke bare ord og semantik. Langsomt begyndte de herrer at beskæftige sig med noget, der i det mindste lignede videnskab. Frenologien og alt ævlet om den svensk-germanske races overlegenhed blev opgivet."

"Men de gamle registre over romaer og andre minoritetsgrupper var der stadig?"

"De var der stadig, men først og fremmest var der også noget andet og betragteligt værre."

"Hvad da?"

"Menneskesynet. Der fandtes godt nok ikke nogen race, der var bedre end andre. Måske eksisterede der ikke engang menneskeracer. Men alligevel ... visse fuldblodssvenskere var jo mere stræbsomme og dygtigere end andre. Hvorfor? Skyldtes det måske, at de havde haft en god og ordentlig svensk opvækst? Kunne man måske ligefrem finde ud af, hvordan man skaber en ordentlig svensker – sådan en som ikke ryger Gauloises og fylder sig med rosévin?"

"Det lyder ikke godt."

"Nej, tidsånden var skiftet, og personer, som engang har været ekstreme i én retning, bliver det nemt i en anden, ikke? Snart begyndte den her bande i Uppsala at tro på Freud og Marx med samme lidenskab, som de engang havde troet på racebiologerne. Stedet hed godt nok Institut for Medicinsk Genetik, så de underkendte naturligvis ikke arvens betydning. Men først og fremmest troede de på de sociale og materielle faktorer. Og det er der selvfølgelig ikke noget forgjort ved, specielt ikke når nu klasseskellene tit udgør så uigennemtrængelige mure, som tilfældet er.

Men den her gruppe – hvis ledende skikkelse var sociologiprofessor Martin Steinberg – mente, at vi mere eller mindre lovmæssigt prægedes af omstændighederne. En bestemt slags mor og visse typer sociale og kulturelle faktorer ville mere eller mindre automatisk skabe en bestemt slags mennesker. Sådan er det ikke, overhovedet ikke. Mennesket er langt mere komplekst. Men herrerne ville eksperimentere og forsøge at fastslå, hvilken slags opvækst og baggrund der giver en rigtig, ordentlig svensker. De havde tætte forbindelser til tvillingeregistret og fulgte forskningen der, og så mødte de Roger Stafford, den amerikanske psykoanalytiker."

"Jeg har læst om ham."

"Ja, det forstod jeg; men du har aldrig mødt ham, vel? Han var utrolig karismatisk. Han lyste op i et hvilket som helst selskab, og først og fremmest gjorde han et dybt indtryk på en kvinde i den her gruppe. Kvindens navn var Rakel Greitz. Hun er psykiater og psykoanalytiker, og hun ... Jeg kunne tale længe om Rakel Greitz. Men hun faldt ikke bare pladask for Roger Stafford. Hun blev også besat af hans forskning og ville drive den endnu videre. På et eller andet tidspunkt, jeg ved ikke præcis hvornår, traf hun og gruppen en beslutning om forsætligt at skille tvillinger ad, både enæggede og tveæggede, og anbringe dem i diametralt modsatte familier. Men eftersom målsætningen fra begyndelsen af var elitistisk – at fremelske dygtige, fremragende svenskere – var gruppen omhyggelig med klientellet. Man ledte med lys og lygte overalt. Blandt andet gik man tilbage til de gamle registre over romaer og samer og så videre og søgte efter mennesker, som selv ikke racebiologerne havde tænkt på at tvangssterilisere. Man ledte efter højt begavede forældre, som havde fået tvillinger. Man ville – for nu at udtrykke det kynisk – have et førsteklasses forskningsmateriale."

Mikael tænkte endnu en gang på den guitarvirtuos, Lisbeth havde nævnt.

"Og et af disse tvillingepar var Leo Mannheimer og Daniel Brolin?"

Hilda von Kanterborg stirrede tavst ud ad vinduet. Så sagde hun:

"Ja, og det er vel også derfor, vi sidder her, ikke? Det lød helt vanvittigt, det du fortalte Lotta: At Leo ikke længere skulle være Leo. Men ærlig talt, så tror jeg ikke på det. Det kan jeg simpelthen ikke. Du ved, Anders og Daniel Brolin, som de oprindelig hed, var romaer. De kom fra en usædvanligt musikalsk familie. Moren, Rosanna, var en fantastisk sangerinde. Der findes en bevaret optagelse med hende, hvor hun synger Billie Holidays 'Strange Fruit' fuldstændig hjerteskærende. Men hun døde af barselsfeber få dage efter fødslen. Hun havde aldrig gået i gymnasiet, men man fandt hendes karakterbog fra skolen, og hun havde topkarakter i alting. Faren hed Kenneth og var maniodepressiv, men et geni på en guitar, og han var virkelig ikke noget dårligt eller følelseskoldt menneske, snarere en fuldblodsneurotiker, som ikke magtede at tage hånd om tvillingerne. Derfor blev de anbragt på et børnehjem i Gävle, og det var dér Rakel Greitz fandt dem og skyndte sig at skille dem ad. Jeg vil helst ikke vide, hvordan hun og Martin Steinberg bar sig ad, når de fandt familier til disse tvillingebørn. Men med Daniel og Anders, eller Leo, som han blev omdøbt til, var det særlig modbydeligt."

"Hvordan det?"

"Det var så uretfærdigt. Daniel blev boende på børnehjemmet i flere år, og senere blev han anbragt hos en væmmelig, fantasiforladt bonde uden for Hudiksvall, som bare ville have gratis arbejdskraft. Eller rettere sagt, der var også en kone der i starten. Men hun forsvandt snart, og derefter taler vi om regulært børnearbejde. Daniel og de andre plejebørn sled hårdt i det fra morgen til aften, og ofte fik de ikke engang lov til at gå i skole. Leo derimod ... han blev anbragt i en rig og indflydelsesrig familie i Nockeby."

"Hos Viveka og Herman Mannheimer."

"Nemlig, og Herman var en stor kanon og en hård banan, og han pulveriserede Martin Steinberg. Intet var vigtigere, end at adoptivforældrene ikke fik noget at vide om børnenes rødder, og frem for alt ikke at de var tvillinger. Men Herman Mannheimer insisterede, og måske har han vidst, at han var den stærkeste, eller måske har han haft en klemme på gruppen. Martin gav sig. Han blev knækket.

Under absolut tavshedspligt informerede han Herman, og det var galt nok. Men det blev værre. Herman begyndte at nære betænkeligheder. Han havde aldrig brudt sig om 'tatere' og 'omstrejfere', som han udtrykte det, og uden at Rakel eller Martin vidste det, bad han sin forretningspartner, Alfred Ögren, om råd."

"Jeg forstår," sagde Mikael. "Og på en eller anden måde fik sønnen Ivar det også at vide."

"Ja, men det var langt senere, og på det tidspunkt havde Ivar allerede længe været jaloux på Leo, som jo blev anset for at være så meget mere lovende og kløgtig. Og man skal ikke glemme, at Ivar ville gøre hvad som helst for at få overtaget og sætte Leo til vægs. Det udviklede sig til et minefelt mellem familierne, og min kollega Carl Seger blev kaldt ind for at hjælpe."

"Men hvis Herman Mannheimer var sådan en fordomsfuld idiot, hvorfor tog han så imod drengen?"

"Herman var nok bare stokkonservativ sådan i al almindelighed og egentlig ikke noget hjerteløst menneske, det tror jeg ikke, trods det der skete med Carl. Men Alfred Ögren ... han var et svin og en rigtig racist, og han frarådede adoptionen på det bestemteste, og det hele var nok løbet ud i sandet, hvis der ikke var kommet rapporter om, at drengen var ekstremt tidligt udviklet både motorisk og i det hele taget, og det afgjorde sagen. Viveka blev helt forelsket i ham."

"Så han fik lov at komme, fordi han var tidligt udviklet?"

"Sådan var det nok. Han var syv måneder gammel og meget kvik, og der blev tidligt næret store forhåbninger til ham."

"Der står i hans folkeregisteroplysninger, at han er Mannheimers biologiske søn. Jeg forstår ikke, hvordan forældrene ordnede det, hvis drengen blev adopteret så sent."

"De nærmeste venner og naboerne kendte naturligvis sandheden. Men det blev en æressag for dem. Alle vidste, hvor meget det smertede Viveka, at hun ikke selv kunne få børn.

"Vidste Leo selv, at han var adopteret?"

"Han fik det at vide, da han var en syv-otte år, og Ögrens sønner begyndte at drille ham. Viveka så sig nødsaget til at fortælle ham det. Men hun bad ham holde det hemmeligt – af hensyn til familiens ære."

"Jeg er med."

"Ja, det blev ingen dans på roser for familien."

"Leo led af hyperakusi."

"Ja, og af det vi i dag beskriver som særlig sensitivitet. Han var usædvanlig følsom. Verden var for hård for ham, og han trak sig ind i sig selv og blev et vældig ensomt barn. Indimellem tror jeg, at Carl var hans eneste rigtige ven. I begyndelsen vidste Carl og jeg og alle de yngre psykologer ingenting. Vi troede, at vi bare undersøgte en gruppe begavede børn. Vi vidste ikke engang, at vi arbejdede med tvillinger. Vi blev delt op, så vi kun mødte den ene af tvillingerne. Men langsomt forstod vi det, og langsomt accepterede vi det – mere eller mindre, må jeg vel sige. Carl var den af os, som havde det sværest med, at tvillingerne med fuldt forsæt var blevet skilt – sikkert fordi han havde sådan et nært forhold til Leo. De andre børn syntes ikke at have haft nogen følelse af, at de var blevet skilt fra nogen. Men det var anderledes med Leo. Han vidste heller ikke, at han var enægget tvilling, kun at han var adopteret. Men han anede noget og sagde ofte, at han følte sig halv, og det blev mere og mere uudholdeligt for Carl. 'Jeg holder det ikke ud,' sagde han, og han spurgte mig altid om Daniel: 'Har han det ligesådan?' Jeg sagde, at han heller ikke havde det godt. 'Han er ensom,' sagde jeg, og jeg nævnte, at Daniel indimellem udviste tegn på depression. 'Vi må fortælle dem det,' sagde Carl. 'Det går ikke,' svarede jeg, 'vi gør bare alle ulykkelige.' Men Carl fortsatte, og til slut begik han sit livs fejltagelse. Han gik til Rakel, og du ved ..."

Hilda åbnede den næste flaske vin, selvom den første ikke var helt tom endnu.

"Rakel Greitz," fortsatte hun, "virker måske nok seriøs og korrekt. Hun har duperet Leo. De har holdt kontakten gennem alle årene. De spiser julefrokost sammen og den slags. Men i virkeligheden er hun iskold, og det er på grund af hende, at jeg sidder her under falsk navn og ryster på hænderne og drikker. Hun har holdt mig under opsyn gennem alle årene og smigret og truet mig, og hun var på vej op til mig, da jeg flygtede hertil. Jeg så hende på gaden."

"Så Carl opsøgte hende?" sagde Mikael.

"Han mandede sig op og forklarede, at han ville fortælle det, koste hvad det ville. Nogle dage senere var han død, skudt som et stykke jaget vildt i skoven."

"Mener du, det var mord?"

"Jeg ved det ikke. Jeg har altid fortrængt det, vægret mig ved at indse, at jeg indgik i et foretagende, der var i stand til at slå ihjel."

"Men inderst inde har du altid haft en mistanke om det, ikke sandt?" spurgte Mikael.

Hilda svarede ikke. Hun drak bare mere rosévin og stirrede ud ad vinduet.

"Jeg læste udredningen," fortsatte Mikael. "Det føltes allerede forkert, og nu har du pludselig givet mig et motiv. Jeg kan ikke se nogen anden forklaring, end at de alle sammen må have været indblandet – Mannheimer, Ögren, Greitz, alle sammen. De risikerede at blive afsløret og associeret med et foretagende, hvor børn, der hørte sammen, blev skilt ad med et ... sværdhug. De var nødsaget til at skaffe sig af med en trussel, der kunne trække dem alle sammen ned i skidtet."

Hilda von Kanterborg så forskræmt ud og sad tavs en stund.

"Prisen blev i hvert fald høj," sagde hun. "Leo kom sig aldrig over det. Til trods for sine penge og alt det, der blev satset på ham, blev han aldrig lykkelig. Hans selvfølelse forblev lav, og kun modvilligt gik han ind i familiens virksomhed, hvor han måtte finde sig i at blive tromlet af en idiot som Ivar."

"Og broren, Daniel?"

"Han var på en måde stærkere, måske fordi han var nødt til at være det. Alt det, som Leo blev opmuntret til at være, en læsende, dannet, musikalsk dreng, måtte Daniel blive i smug og på trods. Men han havde det også skidt. Han blev mobbet af de andre plejebørn og fik tæsk og følte sig altid sær og udenfor."

"Hvad skete der med ham?"

"Han stak af fra gården og forsvandt fra Registret. Men jeg blev fyret fra organisationen kort tid efter, så jeg er ikke helt sikker på det punkt. Min sidste indsats for ham var, at jeg gav ham et tip om en musikuddannelse i Boston. Derefter hørte jeg ikke noget til ham, før ..."

Mikael kunne fornemme, at der var sket noget. Han så det på hendes måde at fingerere ved glasset på og på det flakkende blik.

"Hvad?"

"Jeg sad hjemme og drak. Det var en formiddag i december for halvandet år siden. Jeg læste morgenavisen og tog mig et glas. Så ringede telefonen. Vi havde fået strenge forholdsordrer på Registret om aldrig at sige vores rigtige navne. Men jeg ... jeg drak allerede dengang og har måske glemt det et par gange, for det var allerede lykkedes Daniel at spore mig langt tidligere, og nu ringede han pludselig igen, helt ud af det blå, og sagde, at han havde forstået det."

"Forstået hvad?"

"At Leo fandtes, og at de var enæggede tvillinger."

"Spejltvillinger, ikke?"

"Jo, men det vidste han nok ikke endnu, og det spillede jo heller ingen rolle, i det mindste ikke dengang. Han var frygtelig oprørt og spurgte, om jeg vidste det. Jeg tøvede, men så sagde jeg ja, og så blev han stille. Han sagde, at han aldrig ville tilgive mig. Derefter lagde han på. Jeg havde bare lyst til at skrige højt og falde sammen og dø. Jeg havde et nummer på displayet og ringede op. Jeg fik fat på et hotel i Berlin, og ingen kendte noget til en Daniel Brolin. Jeg forsøgte at få fat i ham på alle mulige måder. Men uden held."

"Tror du, at han mødte Leo?"

"Nej, det tror jeg faktisk ikke, trods alt."

"Hvorfor ikke?"

"Fordi den slags altid rygtes. Flere af vores enæggede tvillinger har mødt hinanden som voksne. Det er uundgåeligt nu i den digitale æra. Nogen ser et billede på Facebook eller Instagram og siger, at fotografiet ligner den eller den, og så går snakken, og ofte havner historien i medierne til sidst. Journalister elsker jo den slags historier. Men ingen af vores tvillinger har forstået den større sammenhæng. Der har altid været forklaringer – falske forklaringer, som har været forberedte fra starten – og aviserne har koncentreret sig om det fantastiske ved mødet. Ingen er gået i dybden med det. Jeg forstår ærlig talt heller ikke, hvordan *du* er kommet på sporet. Alle har været så utrolig samvittighedsfulde med tavshedspligten."

Mikael drak også mere rosévin, selvom han ikke brød sig om den. Han overvejede, hvordan han skulle belægge sine ord.

"Jeg tror, at det er ønsketænkning, Hilda," sagde han medfølende. "Jeg synes, der er meget, der tyder på, at de *har* mødt hinanden. Der er noget, der ikke stemmer. Jeg har en ven, som kender Leo godt. Han ..." (for en sikkerheds skyld omtalte han Malin som *han*) "... har studeret Leo nøje, og han er helt overbevist om, at Leo er blevet højrehåndet, som jeg også fortalte din søster. Desuden er fyren blevet vældig god til at spille guitar fra den ene dag til den anden."

"Så han har også skiftet instrument!"

Hilda krøb anspændt sammen på sin stol.

"Så du vil antyde ..." fortsatte hun.

"Jeg spørger bare, hvilke konklusioner du drager, hvis du forsøger at lade ønsketænkningen være."

"Hvis det, du siger, er sandt, så vil jeg sige, at Leo og Daniel har byttet identitet."

"Hvorfor det?"

"Fordi ..." Hun søgte efter ordene. "Fordi de er dybt melankolske personer og yderst begavede. De ville let kunne skifte sammenhæng, måske ville det være noget nyt og spændende for dem. Carl plejede at sige, at Leo følte sig som en fange i en rolle, han ikke brød sig om."

"Og Daniel?"

"For ham ... ja, det ved jeg jo ikke, men det ville sikkert være fantastisk at træde ind i Leos verden."

"Du mødte en vild vrede i telefonen, var det ikke det, du sagde?" fortsatte Mikael. "Det må være frygtelig smertefuldt for Daniel at indse, at hans tvillingebror voksede op i et velhavende hjem, mens han selv sled i det på en bondegård."

"Ja, men ..."

Hilda så på vinflaskerne, som om hun var bange for, at de ikke ville forslå.

"Du må forstå, at de her drenge, de er særlig følsomme og empatiske. Det talte Carl og jeg ofte om. Men de var ensomme. De var som skabt for hinanden, og hvis de virkelig har mødt hinanden, vil jeg gætte på, at det har været et fantastisk møde, måske det fineste og lykkeligste, der er overgået dem."

"Så du ser ingen mulighed for, at der skulle være sket noget slemt?"

Hilda rystede på hovedet – mere krampagtigt end overbevist, syntes han.

"Fortalte du nogen, at Daniel havde ringet til dig?"

Hilda von Kanterborg tøvede lige lidt for længe. Men hun var på den anden side ikke let at aflæse. Hun tændte en ny cigaret med det sidste af den gamle.

"Nej," sagde hun. "Jeg har ikke kontakt med Registret længere. Hvem skulle jeg have talt med?"

"Du sagde, at Rakel Greitz besøger dig med jævne mellemrum."

"Hende ville jeg aldrig sige et ord til. Jeg har altid været meget på vagt over for hende."

Mikael sank hen i tanker. Så fortsatte han i et strengere tonefald, end han havde tænkt sig:

"Der er en ting til, du skal svare på," sagde han.

"Drejer det sig om Lisbeth Salander?"

"Hvordan kunne du vide det?"

"Det er jo ikke ligefrem nogen hemmelighed, at I kender hinanden."

"Var hun indblandet i projektet?"

"Hun voldte Rakel Greitz flere problemer end alle de andre tilsammen."

December halvandet år tidligere

Leo Mannheimer gik ind i sit hjem sammen med manden, der så ud som ham selv. Manden var iført en slidt, sort frakke med hvid pelskrave, grå bukser og rødbrune, kortskaftede støvler, der så ud til at have gået langt. Han tog huen og frakken af og satte guitaren fra sig. Mandens hår var mere forpjusket, bakkenbarterne længere og kinderne mere vejrbidte. Men det forstærkede kun den isnende lighed.

Det var som at se sig selv i et andet liv, og Leo fik koldsved og kvalme. Det gik op for ham, at han havde været rædselsslagen. Han havde haft en følelse af, at jorden åbnede sig under ham. Han så på mandens hænder og fingre og på sine egne og længtes efter et spejl. Han ville sammenligne hver eneste rynke og fure i deres ansigter. Men først og fremmest ville han spørge og spørge og aldrig holde op igen. Han tænkte på de toner, han havde hørt fra trappeopgangen, og på mandens ord om, at han havde følt sig halv – præcis som han altid selv havde gjort. Han fik en klump i halsen.

"Hvordan er det muligt?" sagde han.

"Jeg tror ..." sagde manden.

"Hvad tror du?"

"At vi indgik i et eksperiment."

Leo magtede næsten ikke at tage ordene til sig. Han mindedes Carl og farens skridt op ad trappen den der efterårsdag, og han vaklede. Han satte sig i den røde sofa under maleriet af Bror Hjorth. Manden slog sig ned i lænestolen ved siden af, og bare det, i bevægelsen, i kroppen der sank ned i stolen, var der noget skræmmende velkendt.

"Det anede mig," sagde Leo. "At der var noget, der ikke var, som det skulle være."

"Vidste du, at du var adopteret?"

"Min mor fortalte mig det."

"Men du vidste ikke, at jeg fandtes?"

"Overhovedet ikke, eller ..."

"Hvad?"

"Jeg har tænkt, og jeg har drømt. Jeg har forestillet mig alt muligt. Hvor voksede du op?"

"På en bondegård uden for Hudiksvall. Senere flyttede jeg til Boston."

"Boston," mumlede Leo.

Han hørte hjertet slå, men det var ikke hans eget, det var hans tvillingebrors.

"Vil du have noget at drikke?" spurgte han.

"Det kunne jeg godt bruge."

"Champagne? Går det an? Det går direkte i blodet."

"Det lyder godt."

Leo rejste sig og gik ud mod køkkenet, men så stoppede han op uden rigtig at vide hvorfor. Han var alt for forvirret og oprørt til at forstå, hvad det var, der foregik.

"Undskyld," sagde han.

"Undskyld, hvad?"

"Jeg var så rystet lige før. Nu kan jeg slet ikke huske, hvad du hedder?"

"Dan," sagde manden. "Dan Brody."

"Dan?" gentog Leo. "Dan."

Derefter gik han ud og hentede en flaske Dom Pérignon og to glas, og det var måske ikke lige der, det begyndte. Samtalen var sikkert surrealistisk og ubegribelig endnu et stykke tid. Det sneede udenfor, og der var fredag aften-lyde af latter, stemmer og musik fra biler og lejligheder. De smilede og hævede glassene og åbnede sig for hinanden, og snart efter snakkede de, som ingen af dem nogensinde før havde snakket med nogen anden.

De gennemgik det hele, og bagefter kunne ingen af dem gøre rede for denne samtale og alle dens snirklede spor. Hvert emne og spor blev afbrudt af spørgsmål og afstikkere. Det var, som om ordene ikke slog til – som om de ikke kunne snakke hurtigt nok. Det blev nat og en ny dag, og kun nu og da holdt de pause for at spise eller sove og for at spille. De spillede i timevis, og for Leo var dét det største af alt.

Han var en enspænder. Han havde spillet i timevis hver dag hele sit liv, men altid alene. Dan havde jammet med hundredvis af amatører, professionelle, virtuoser, forbenede såvel som lydhøre, dem der kun kunne én genre, og dem der beherskede dem alle, samt dem der legende byttede toneart midt i et nummer og opfattede enhver rytmisk forskydning. Men han havde aldrig spillet sammen med nogen, der forstod ham så intuitivt og umiddelbart. De jammede ikke bare sammen. De kommunikerede og udvekslede erfaringer med deres musik, og fra tid til anden stillede Leo sig op på borde og stole og udbragte en skål:

"Jeg er så stolt! Du er så god, så fantastisk god!"

Det var sådan en overvældende glæde at spille sammen med tvillingebroren, at han selv voksede og blev friere og mere kreativ med sine soloer. Selvom Dan naturligvis var bedre og dygtigere, fik også han gløden tilbage i sin musik, og indimellem snakkede og spillede de på én gang.

De fortalte om deres liv som for første gang, og så betydninger og mønstre, de ikke før havde set. De lod deres historier flyde sammen og tage farve af hinanden. Men selvom Dan ikke sagde det ved den lejlighed, så var glæden ikke altid helt uforbeholden. Nu og da brændte jalousien i ham, og han huskede, hvordan han aldrig havde fået lov at spise sig mæt som barn. Han huskede flugten fra gården og Hilda von Kanterborgs ord: *Vi skal studere og ikke gribe ind.*

Han følte et stik af vrede, og indimellem, når Leo klagede over, at han ikke havde turdet satse på sin musik, men var blevet tvunget til at træde ind som partner i Alfred Ögren – *tvunget til at blive partner!* – forekom uretfærdigheden ham at være mere, end han kunne bære. Men det var undtagelsen. Den weekend i december levede også han i en stor og overstrømmende glæde.

Det var sådan et mirakel at møde ikke bare en tvilling, men også et menneske, der tænkte og følte og hørte ligesom ham selv. Hvor længe talte de ikke om kun det? Om lyden! De fortabte sig i emnet som to rigtige nørder, og det var overvældende omsider at få lov til at bore sig ned i det, som ingen andre forstod. Nu og da stillede også Dan sig op på en stol for at udbringe en skål.

De lovede at holde sammen. De svor på at forblive sammensvejsede. De svor meget, som var storslået og smukt, men også på at forsøge at finde ud af, hvad der egentlig var sket og hvorfor. De snakkede i alle detaljer om de personer, der havde undersøgt dem barndommen igennem, og om alle spørgsmålene, optagelserne og de mange tests. Dan fortalte om Hilda von Kanterborg og Leo om Carl Seger og om Rakel Greitz, som han stadig havde kontakt med.

"Rakel Greitz," sagde Dan. "Hvordan ser hun ud?"

Leo fortalte om modermærket på hendes hals, og Dan stivnede. Han indså, at han også havde truffet Rakel Greitz. Det var et afgørende øjeblik. Det var søndag aften, og klokken var 23. Udenfor var der mørkt og stille. Det var holdt op med at sne. I det fjerne hørtes sneploven.

"Er Greitz ikke lidt af en heks?"

"Hun er ganske kølig på overfladen," sagde Leo.

"Hun gav mig kuldegysninger."

"Jeg har egentlig heller aldrig brudt mig om hende."

"Men alligevel ser du hende stadig?"

Leo svarede defensivt:

"Jeg har aldrig rigtig kunnet sætte mig op imod hende."

"Vi er lidt svage indimellem," sagde Dan trøstende.

"Det er vi vel. Men Rakel har også været mit forbindelsesled til Carl. Hun har altid fortalt fine historier om ham, netop den slags jeg ville høre, antager jeg. Jeg skal spise julefrokost med hende i næste uge."

"Har du nogensinde spurgt hende om dine rødder?"

"Tusind gange, og hver gang har hun svaret ..."

"... at du blev efterladt på et børnehjem i Uppsala, men at de ikke kunne spore dine biologiske forældre."

"Jeg har også ringet til det forbandede børnehjem, og de har bekræftet historien."

"Hvordan passer det sammen med det der tater-noget?"

"Hun sagde, at det mest var et rygte."

"Hun lyver."

"Åbenbart."

Leos ansigt fortrak sig til en sammenbidt grimasse.

"Rakel Greitz er edderkoppen i nettet, tror du ikke?" fortsatte Dan.

"Formodentlig."

"Vi burde sørge for, at de kom i spjældet!"

En vild hævnlyst flammede op i lejligheden på Floragatan, og mens søndag aften blev til nat og til mandag morgen, blev de enige om at holde lav profil og ikke sige et ord til nogen om deres møde. Leo skulle kontakte Rakel Greitz og aflyse deres julefrokost ude i byen og i stedet invitere hende hjem og indgive hende en falsk tryghedsfornemmelse, mens Dan gemte sig i et tilstødende rum. Rakel Greitz skulle få sig sit livs overraskelse. Brødrene lagde en plan.

*

HILDA VON KANTERBORG drak det ene glas efter det andet. Alligevel virkede hun ikke beruset. Men hun var nervøs. Sveden perlede frem på hals og bryst.

"Rakel Greitz og Martin Steinberg ville gerne have både enæggede og tveæggede tvillinger med i projektet. Begge grupper var nødvendige for at have et sammenligningsgrundlag. Lisbeth Salander og søsteren Camilla optrådte i et af registrene fra Institut for Medicinsk Genetik. Døtrene blev betragtet som ideelle studieobjekter. Ingen havde vel egentlig nogen overdreven respekt for Agneta. Men faren var jo ..."

"Et monster."

"Men et højtbegavet monster, og det gjorde børnene interessante. Rakel Greitz ville skille dem ad. Hun blev besat af tanken."

"På trods af at pigerne havde et hjem og en mor."

"På trods af det, og jeg vil virkelig ikke forsvare Rakel, ikke et sekund, men alligevel ... Der var gode argumenter for det dengang, også set ud fra et menneskeligt perspektiv. Faren, Zalachenko, var voldelig og alkoholiseret."

"Det ved jeg alt om."

"Det ved jeg godt. Men jeg vil alligevel sige det til vores forsvar. Det hjem var et helvede, Mikael. Det var ikke kun farens voldtægter og mishandlinger. Faren favoriserede også Camilla, og stemningen mellem døtrene var katastrofal fra starten af. De var de fødte fjender."

Mikael tænkte på Camilla og på mordet på sin kollega Andrei Zander og knugede hårdt om glasset. Han kommenterede det ikke.

"Der var faktisk gode grunde – det mente jeg også selv en overgang – til at få Lisbeth anbragt i en plejefamilie," fortsatte Hilda.

"Men hun elskede sin mor."

"Det ved jeg, tro mig. Jeg lærte meget om den familie, og Agneta virkede måske nok nedbrudt, når Zalachenko havde været der og tævet hende sønder og sammen. Men i forhold til børnene var hun en fighter. Hun fik tilbud om penge, og hun blev truet. Hun fik ubehagelige skrivelser med myndighedsstempler. Men hun nægtede at finde sig i det. 'Lisbeth bliver hos mig,' sagde hun. 'Jeg slipper hende aldrig.' Hun sloges med næb og klør, og processen trak ud, og det blev faktisk for sent at skille pigerne ad, især efter den tids forestillinger. Men for Rakel var det blevet en principsag, en fiks idé, og jeg blev kaldt ind for at mægle."

"Hvad skete der?"

"I starten blev jeg mere og mere imponeret af Agneta. Vi havde en del kontakt på det tidspunkt, og vi blev praktisk taget venner, og jeg begyndte at kæmpe for, at hun skulle få lov at beholde Lisbeth. Jeg sloges virkelig for det. Men Rakel lod sig ikke så let overvinde, og en aften dukkede hun op med sin egen gorilla, Benjamin Fors."

Hvem er det ?"

"Han er egentlig uddannet socialarbejder, men han har arbejdet for Rakel i evigheder. Det var Martin Steinberg, der sørgede for at få ham tilknyttet hende. Benjamin er vel ikke overdrevent intelligent, men han er stor og ubrydeligt loyal. Rakel har hjulpet ham gennem mange svære situationer, blandt andet da han mistede sin søn i en bilulykke, og til gengæld vil han gøre alt for Rakel. Han må være godt på den anden side af de 50 efterhånden, men han er over to meter høj og utrolig veltrænet, og han ser på en måde rar ud, med et mildt, vemodigt blik og buskede bryn, som gør, at han nogle gange fremstår lidt komisk. Men hvis Rakel kræver det, kan han blive hårdhændet, og den der aften på Lundagatan ..."

Hilda tøvede og drak lidt mere af sin vin.

"Ja?"

"Det var oktober og koldt," fortsatte hun. "Det var kort tid efter, at Carl Seger var blevet skudt under elgjagten, og jeg var af sted til en mindeceremoni – det var sikkert ikke noget tilfælde. Aktionen var nøje planlagt. Camilla overnattede hos en kammerat, så Agneta og Lisbeth var alene hjemme. Lisbeth var seks år. Hun fylder år i april, ikke? Hun og Agneta sad ude i køkkenet og drak te og spiste ristet brød. Det stormede udenfor."

"Hvor ved du det fra?"

"Jeg har tre kilder, vores egen officielle rapport, som sandsynligvis er den mindst pålidelige kilde, og så Agnetas version. Vi talte om det i timevis bagefter."

"Og den tredje kilde?"

"Det er Lisbeth selv."

Mikael så forbløffet på hende. Han vidste, hvor fåmælt Lisbeth var omkring sit liv; og han havde end ikke hørt ét ord om det, selv ikke fra Holger.

"Hvordan det?"

"Det er vel ti år siden efterhånden," sagde hun. "Lisbeth havde en periode, hvor hun gerne ville vide mere om sin mor, og jeg fortalte, så godt jeg kunne. Jeg sagde, at Agneta havde været en stærk og intelligent person, og jeg kunne se, at det glædede hende. Vi sad længe og snakkede hjemme hos mig i Skanstull, og til sidst fortalte hun den her historie. Det ramte mig lige i solar plexus."

"Vidste Lisbeth, at du tilhørte Registret?"

Hilda von Kanterborg åbnede den tredje flaske vin.

"Nej," sagde hun. "Det anede hun ikke noget om. Hun kendte end ikke Rakel Greitz' navn. Hun troede, det hele bare var et omsorgstiltag, en tvangsfjernelse, som de sociale myndigheder stod bag. Hun anede ikke noget om tvillingeundersøgelsen, og jeg ..."

Hilda fingererede ved sit glas.

"Du sagde ikke noget."

"Jeg var under opsyn, Mikael. Jeg havde min tavshedspligt, jeg vidste, hvad der var sket med Carl."

"Forståeligt," sagde han og mente det også næsten.

Det kunne ikke have været let for Hilda von Kanterborg, og det var stort nok, at hun nu sad her og fortalte historien. Hun havde ikke brug for hans fordømmelse.

"Hvad skete der?" spurgte han.

"Den aften på Lundagatan?"

"Ja."

"Det stormede som sagt. Faren havde været der dagen før, og Agneta havde blå mærker og ondt i maven og underlivet. Hun drak te med Lisbeth i køkkenet. De havde en rolig stund sammen. Så ringede det på døren, og som du kan forestille dig, blev de bange. De troede, det var Zalachenko igen."

"Men det var Rakel Greitz."

"Det var Rakel og Benjamin, og det var ikke meget bedre. De forklarede højtideligt, at de ifølge den eller den paragraf skulle hente Lisbeth for at beskytte hende. Og så blev det modbydeligt."

"Hvordan det?"

"Lisbeth må have følt sig frygtelig svigtet. Hun var jo så lille, og i begyndelsen, da Rakel kom med sine forskellige tests, havde Lisbeth håbet på hende. Rakel Greitz, du ved, meget kan man sige om hende, men hun udstråler magt og pondus. Hun er faktisk lidt dronningeagtig med sin ranke ryg og sit flammende modermærke på halsen. Jeg tror, at Lisbeth havde drømt om, at hun ville kunne hjælpe dem og sørge for, at faren blev holdt væk fra hjemmet. Men senere indså hun, at Rakel var som alle andre."

"Som bare lod mishandlingerne og overgrebene finde sted."

"Som lod det hele fortsætte. Og nu ville Rakel ovenikøbet fjerne Lisbeth og bringe *hende* i sikkerhed. *Hende*! Rakel fandt en sprøjte med Stesolid frem. Hun havde tænkt sig at bedøve pigebarnet og bortføre hende. Men så blev Lisbeth stiktosset. Hun bed Rakel i fingeren og sprang op på spisebordet, der stod ved væggen i dag-

ligstuen, og kastede sig ud ad vinduet. De boede i stueetagen; men der var alligevel to og en halv meter ned til jorden, og Lisbeth var en lille, mager pige. Hun havde ingen sko på, kun strømper og jeans og en bluse, og det stormede derude, og det regnede vist også. Hun landede på fødderne, på hug, men hun faldt forover og slog hovedet. Alligevel rejste hun sig straks og løb videre i mørket. Hun styrtede af sted i siksak ned mod Slussen og ind i Gamla Stan, indtil hun gennemblødt og iskold nåede Mynttorget og Slottet. Jeg tror, hun sov i en trappeopgang den nat. Hun holdt sig væk i to dage."
Hilda tav. "Kære Mikael ..."

"Hvad?"

"Jeg har det ikke så godt," fortsatte hun. "Kan du ikke smutte ned til receptionen og fikse nogle kolde øl? Jeg har brug for noget koldere end det dér pjask," sagde hun og pegede på rosévinen.

Mikael så træt på hende. Men så nikkede han og gik ud i gangen og ned ad trappen til den unge pige i receptionen. Til sin egen overraskelse købte han dog ikke bare seks flasker Carlsberg. Han sendte også en krypteret besked, og det var måske ikke så smart. Men han syntes, han skyldte hende det.

Han skrev:

Kvinden med modermærket på halsen, som ville sende dig væk som barn, hedder Rakel Greitz. Hun var psykoanalytiker og psykiater og en af de ansvarlige for Registret.

Derefter gik han op til Hilda von Kanterborg igen med sine øl for at høre resten af historien.

KAPITEL 17

21. juni - 22. juni

LISBETH SAD PÅ Operabaren i et forsøg på at fejre sin løsladelse. Det var ikke nogen stor succes. En flok unge kvinder med blomsterkranse i håret – sikkert en polterabend – fjantede ved bordet lige skråt bag hende. Deres latter skar i hende, og hun stirrede ud mod Kungsträdgården. En mand med en sort hund passerede forbi derude.

Hun var gået herhen for at få en drink og måske også for stemningen og folkelivets skyld, men det fungerede ikke. Indimellem skottede hun til polterabendselskabet til venstre, måske kunne en af dem få lov til at følge med hende hjem, måske en af kvinderne? Eller måske en mand?

Hun sad og tænkte på det og på alt muligt andet og kiggede rastløst på sin mobil. Hun havde fået en mail fra Hanna Balder, moren til August, den autistiske dreng med den fotografiske hukommelse, som blev vidne til mordet på sin far, og som Lisbeth havde skjult i et lille hus på Ingarö.

Drengen var nu vendt hjem efter et længere udlandsophold og havde det ifølge moren "efter omstændighederne godt", og det lød lovende, selvom Lisbeth ikke kunne lade være med at tænke på hans blik, hans glasagtige blik, som ikke kun havde set og registreret langt mere, end det burde. Det var også, som om det havde skjult sig bag en skal, og hun konstaterede med en vis smerte, at nogle ting brænder sig fast. Man slipper aldrig af med dem. Man må leve med dem, og hun huskede, hvordan drengen havde dunket sit hoved mod spisebordet ude på Ingarö i et vildt, frustreret anfald, og et øjeblik følte hun trang til at gøre det samme: knalde panden ned i bardisken. Men hun nøjedes med at bide tænderne sammen og mærkede i det samme, at nogen nærmede sig.

Det var en ung fyr i blåt jakkesæt med mørkblondt hår og et syrligt drag om munden. Han satte sig ved siden af hende. "Sikke du ser ud," sagde han og kom med en bemærkning om hendes flækkede læbe. Det var en skidt idé. Hun nåede imidlertid ikke at sende ham et tilintetgørende blik, for i det samme modtog hun en krypteret besked fra Mikael. Hun læste den og stivnede. Så rejste hun sig, smed et par hundredlapper på bardisken og gik.

Byen glitrede. Det var en vidunderlig sommeraften for den, der havde sans for den slags, og man kunne høre musik i det fjerne. Men Lisbeth bemærkede ingen af delene. Hun havde mord i blikket. Hun søgte på mobilen på det navn, hun havde modtaget, men indså hurtigt, at Rakel Greitz havde navne- og adressebeskyttelse. Det var i og for sig ikke noget problem. Vi efterlader os alle spor. Vi køber ting og sager på nettet og er uforsigtige og udleverer vores adresser. Men som hun gik der på vejen over Strömbron til Gamla Stan, kunne hun ikke stille noget op, ikke engang hacke en hjemmeside, hvor Rakel Greitz kunne tænkes at have købt noget. I stedet tænkte hun på drager.

Hun tænkte på, hvordan hun som lille pige havde løbet på strømpefødder gennem Stockholm og var nået op til Slottet og til en kirke, der lå oplyst i mørket. Det var Storkyrkan. Men det vidste hun ikke noget om dengang. Hun blev bare draget imod den. Hun var iskold og våd om fødderne og havde brug for at hvile sig og få varmen. Hun passerede en høj søjle og en indre gård og trådte ind i kirken. Derinde var der så højt til loftet, at det var, som om det gik helt op i himlen, og hun huskede, hvordan hun havde søgt længere ind for at slippe for alle de nysgerrige blikke. Og så var det, hun fik øje på statuen, som hun først langt senere forstod var berømt. Den forestillede ridderen Sankt Georg, som dræber en drage og redder en jomfru i nød. Men det vidste Lisbeth ikke, og hun ville også have været ligeglad. Hun så noget helt andet i statuen den aften. Hun så et overgreb. Dragen – hun huskede det stadig tydeligt – lå på ryggen med et spyd gennem kroppen, mens en mand med et følelsesløst, tomt ansigt huggede mod dyret med et sværd. Dragen var forsvarsløs og ensom, og Lisbeth tænkte på sin mor.

Hun havde set sin mor i dragen, og hun havde med hver fiber i kroppen følt, at hun ville redde hende, eller endnu bedre: Hun ville selv være dragen og slå tilbage og spy ild og rive ridderen ned fra den høje hest og dræbe ham – for ridderen var selvfølgelig ingen anden end Zala. Han var faren. Han var den ondskab, der ødelagde deres liv. Men det var ikke det hele.

Der var endnu en person i gruppen, en kvinde, som var let at overse, eftersom hun stod ved siden af. Kvinden havde en krone på hovedet og holdt hænderne frem, som om hun læste i en bog. Det mærkeligste af alt var, at hun var så rolig, som om det ikke var et drab, men en eng eller et hav, hun stod og betragtede. I det øjeblik ville det have været umuligt for Lisbeth at forstå, at kvinden skulle forestille jomfruen, der blev reddet. I hendes øjne var kvinden bare iskold og ufølsom. Hun lignede damen med modermærket, som hun var flygtet fra, og som præcis ligesom alle andre bare lod voldtægterne og volden fortsætte derhjemme.

Hun havde tænkt, at det var sådan, det var. Moren og dragen blev ikke alene pint og plaget, verden så også ligegyldigt til. Lisbeth havde følt en dyb afsky for ridderen og kvinden ved siden af, og hun var styrtet ud i regnen og stormen igen, rystende af kulde og vrede. Det var længe siden, men alligevel så mærkeligt nærværende. Nu hvor hun så mange år senere krydsede broen til Gamla Stan på vejen hjem, mumlede hun navnet for sig selv: *Rakel Greitz*.

Hun havde fundet det forbindelsesled til Registret, som hun havde ledt efter, lige siden Holger besøgte hende på Flodberga.

Hilda von Kanterborg åbnede en øl. Hun skelede lidt på venstre øje nu, og indimellem tabte hun tråden. Nogle gange syntes hun plaget af uro, andre gange var hun forbløffende skarp, som om alkoholen bare skærpede hende.

"Jeg ved ikke, hvad Lisbeth gjorde, efter at hun havde forladt Storkyrkan, kun at hun dagen efter tiggede penge på Centralstationen og stjal et par for store sko og en vindjakke i et stormagasin.

Agneta var selvfølgelig helt ude af sig selv, og jeg ... jeg var rasende og sagde, at Rakel risikerede at sætte hele sit projekt over styr, hvis hun insisterede på at gennemføre sin plan. Til sidst gav hun sig og lod Lisbeth være. Men hun fortsatte med at hade hende, og jeg tror, hun havde en finger med i spillet, da Lisbeth blev spærret inde på Sankt Stefans."

"Hvorfor tror du det?"

"Fordi hendes gode ven Peter Teleborian arbejdede på klinikken."

"Så de var venner?"

"Teleborian var en af Rakels klienter på analysesofaen. De troede begge to på genfundne erindringer og den slags dumheder, og han var vældig loyal mod hende. Men det interessante er, at Rakel ikke bare hadede Lisbeth. Hun blev også stadigt mere bange for hende. Jeg tror, at hun tidligere end nogen anden forstod, hvad Lisbeth var i stand til."

"Tror du, at Rakel Greitz har noget med Holger Palmgrens død at gøre?"

Hilda von Kanterborg så ned på sine højhælede sko. Der hørtes stemmer fra kajen udenfor.

"Hun er skånselsløs. Det ved jeg om nogen. Den sladderkampagne, hun satte i gang mod mig, da jeg besluttede mig for at forlade Registret, knækkede mig på mange måder. Men mord ... Jeg ved det ikke. Jeg kan ikke tro det. Jeg *vil* i det mindste ikke tro det, og jeg kan endnu mindre ..."

Hilda skar ansigt.

"Hvad?"

"... tro det om Daniel Brolin. Han er sådan en sårbar og begavet fyr. Han ville aldrig gøre nogen ondt, specielt ikke sin tvillingebror. De var som skabt for hinanden."

Mikael tænkte på at sige, at det er præcis sådan, folk siger, når deres venner eller bekendte begår uhyggelige forbrydelser. *Vi forstår det ikke. Det er umuligt. Ikke ham, ikke hende.* Og alligevel sker det. Den, vi havde sådan en tillid til, forblindes af vrede, og så sker det utænkelige. Men han tav og forsøgte at lade være med at drage forhastede slutninger. Der fandtes en hel række tænkelige scenarier. De snakkede lidt længere og blev enige om, hvordan de kunne kommunikere i de næstfølgende dage, og gennemgik en række praktiske detaljer. Han opfordrede hende til at være forsigtig og passe på sig selv, og så fandt han telefonen frem for at se, om der gik et tog tilbage til Stockholm så sent. Der gik et femten minutter senere, og han takkede hende igen, pakkede båndoptageren ned, gav hende et knus og skyndte sig af sted til stationen. På vejen forsøgte han igen at få fat på Lisbeth Salander. Det var på tide, de sås, syntes han.

På togturen hjem kiggede han på en rystet video, som hans søster havde sendt ham, hvor en rasende Bashir Kazi tilsyneladende indrømmede, at det var ham, der stod bag mordet på Jamal Chowdhury.

Den rystede video var ikke bare blevet en viral succes. Den havde også skabt røre på politistationen på Bergsgatan, specielt da den blev efterfulgt af to komplekse analyser af håndbevægelser, som var blevet sendt til kommissær Jan Bublanski i drabsafdelingen. Filmene var også grunden til, at en ung mand med forvildet blik og atletisk bygning sad sammensunket i et af afhøringslokalerne på syvende etage sammen med sin imam, Hassan Ferdousi.

Bublanski kendte faktisk udmærket Hassan Ferdousi. Hassan Ferdousi var ikke blot gammel studiekammerat med hans kæreste, Farah Sharif, han var også en af dem, som i lyset af den voksende antisemitisme og islamofobi i landet forsøgte at bringe de religiøse samfund nærmere hinanden. Bublanski var ikke altid enig med imamen, specielt ikke hvad Israel angik, men han havde stor respekt for ham, og Bublanski havde ikke uden grund hilst ham velkommen med et respektfuldt buk.

Han havde fået at vide, at imamen havde hjulpet til med at afstedkomme gennembruddet i udredningen af Jamal Chowdhurys død, og han var naturligvis taknemmelig, men også tynget – og ikke kun fordi det afslørede den afgrundsdybe inkompetence hos hans kolleger. Bublanski var allerede i forvejen overbelastet med arbejde. Maj-Britt Torell havde omsider ladet høre fra sig og sagt, at hun faktisk havde fået besøg på grund af de dokumenter, hun havde givet Holger Palmgren, og det af en professor Martin Steinberg – tydeligvis en velanset herre, med opgaver for både Socialstyrelsen og regeringen. Martin Steinberg havde sagt til hende, at folk allerede var kommet galt af sted på grund af de papirer, og han havde fået hende til at sværge ved Guds og salig professor Caldins navn aldrig mere at tale om dem og endnu mindre om Steinbergs besøg, "af hensyn til de gamle patienters sikkerhed". Steinberg havde taget hendes backup i form af en USB-nøgle med sig. Maj-Britt Torell havde ikke andre oplysninger om, hvad den indeholdt, ikke andet end journaloptegnelserne om Salander. Men det føltes ikke godt, specielt ikke eftersom det ikke var muligt at få fat i Steinberg. Bublanski ville gerne have fortsat med at optrevle det. Men det kunne han naturligvis godt glemme alt om indtil videre. Han var blevet bedt om at tage hånd om den her afhøring, og så ville han også gøre det, uanset om han havde tid eller ej. Han måtte bare bide tænderne sammen.

Han så på sit ur. Den var kvart i ni om morgenen. Udenfor var det endnu en strålende dag. Men den ville han næppe komme til at se meget til. Han så på den unge mand, som sad tavs ved siden af imamen og ventede på sin beskikkede forsvarer. Manden hed Khalil Kazi og skulle angiveligt have tilstået at have myrdet Jamal Chowdhury på grund af kærlighed til sin søster. *På grund af kærlighed?*

Det var uforståeligt, men han ville forsøge at forstå. Det var Bublanskis ulyksalige lod her i tilværelsen. Mennesker gør uhyggelige ting, og han var sat til at forstå hvorfor og få dem dømt. Han så på imamen og den unge mand og tænkte af en eller anden grund på havet.

MIKAEL VÅGNEDE I Lisbeths dobbeltseng på Fiskargatan. Det var ikke helt, hvad han havde tænkt sig. Men det var hans egen skyld. Han var bare dukket op ved hendes dør og var blevet lukket ind med et tavst nik. Faktisk havde de først bare arbejdet og udvekslet informationer. Men de havde begge to haft en fortumlet dag, og til slut orkede Mikael ikke være så målbevidst længere. Han tørrede det levrede blod af hendes læbe og spurgte til dragen i Storkyrkan. Da var klokken halv to om natten, og himlen lysnede allerede udenfor, som de sad der i hendes røde Ikea-sofa.

"Var det på grund af den, du fik tatoveret dragen på ryggen?" spurgte han.

"Nej," svarede hun.

Hun ville åbenbart ikke snakke om det, og han havde ikke lyst til at presse hende. Han var træt og rejste sig for at gå hjem, men Lisbeth trak ham ned i sofaen igen og lagde hånden på hans bryst.

"Jeg fik den tatoveret, fordi den hjalp mig," sagde hun.

"Hvordan det?"

"Jeg tænkte på den, når jeg lå i spændetrøjen på Sankt Stefans."

"Hvad tænkte du?"

"At den så ud, som om den var ved at tabe kampen, som den lå dér, med spyddet gennem kroppen; men at den en dag ville rejse sig og spy ild og knuse sine fjender. Det var, hvad jeg tænkte på. Det holdt mig oppe."

Hendes øjne lyste med et mørkt, uroligt skær. De kiggede på hinanden, og et øjeblik så det ud, som om de var på vej til at kysse hinanden. Men det blev ikke til noget. Lisbeth sank hen i sine egne tanker. Hun stirrede ud over byen og et tog, der var på vej ind på Centralstationen. Så fortalte hun, at hun havde sporet Rakel Greitz. Hun havde fundet hende via en netbutik for desinfektionsmidler i Sollentuna. Mikael svarede, at det var godt, selvom han også blev urolig. Kort efter begyndte han, som en kontrast til øjeblikket forinden, at nikke med hovedet, og han spurgte, om han måtte lægge sig lidt i hendes seng. Det måtte han gerne. Kort efter gik hun også i seng og faldt hurtigt i søvn.

UD PÅ MORGENEN hørte Mikael lyde fra køkkenet. Han stod op og tændte for kaffemaskinen og så Lisbeth tage en Hawaii-pizza ud af mikroovnen og sætte sig ved køkkenbordet. Han rodede i hendes køleskab, men fandt ikke noget og bandede over det. Så slog det ham imidlertid, at hun havde siddet i fængsel og haft mere end nok at gøre på sin første dag i frihed. Han nøjedes med kaffe og tændte for P1 på køkkenradioen. Han havnede i slutningen af nyhederne og hørte, at der taltes om varmerekord i Stockholm-området. Han sagde godmorgen til Lisbeth og fik en mumlen til svar. Hun havde jeans og en sort T-shirt på og ingen sminke over sine blå mærker og opsvulmede læbe. Han sagde, at hun skulle tage den med ro, og hun nikkede. Lidt efter fulgtes de ud ad døren og snakkede kort om deres planer for dagen. Ved Slussen sagde de farvel.

Han skulle hen til Alfred Ögrens Kapitalfond.

Hun ville opsøge Rakel Greitz.

DEN BESKIKKEDE advokat Harald Nilsson sad og trommede nervøst med kuglepennen mod bordet, mens de lyttede til Khalil Kazi i afhøringslokalet. Indimellem var det mere, end Bublanski kunne holde ud. Khalil burde have haft en lys fremtid foran sig. Nu havde han i stedet styrtet sig selv og andre i ulykke. Det var sket i begyndelsen af oktober for knap to år siden.

Da Faria var flygtet fra lejligheden i Sickla, opretholdt hun i al hemmelighed kontakten med Khalil. Hun fortalte, at hun ville bryde med familien, og hun ville derfor tage afsked med sin lillebror. De aftalte at mødes på en café på Norra Bantorget. Khalil svor, at han ikke havde sagt et ord om det til nogen. Men brødrene måtte have skygget ham. De trak søsteren ind i en bil og kørte hende tilbage til lejligheden i Sickla, hvor de behandlede hende som et dyr. De første par dage holdt de hende bundet med tape over munden og en papskive på brystet. På papskiven stod der *luder*. Bashir og Ahmed slog hende. De spyttede på hende og lod også andre mænd, der kom på besøg, spytte på hende.

Khalil forstod, at Faria ikke længere blev betragtet som en søster eller overhovedet som et menneske. Hun var blevet frataget retten til sin egen krop, og han anede, hvad der ventede hende. Hun ville blive ført bort til en afkrog uden for politiets kontrol for at rense familiens ære med sit blod. Indimellem blev der ganske vist talt om, at hun kunne reddes gennem et giftermål med Qamar. Men Khalil troede ikke på det. Hun var jo allerede besudlet, og hvordan skulle de kunne føre hende ud af landet og holde hende i skak undervejs?

Khalil var sikker på, at Faria kun havde sin død i vente. Eftersom han selv var blevet frataget sin telefon og også blev holdt som fange, kunne han ikke slå alarm. Han kunne kun fortvivle og håbe på et mirakel, og der kom faktisk et lille mirakel, eller i det mindste en lettelse. Rebene blev fjernet fra hendes hænder, kartonskiltet smidt ud, og hun fik lov til at tage brusebad og spise i køkkenet og gå frit rundt i lejligheden uden tørklæde. Der blev delt gaver ud – som om Faria i stedet for at straffes mere nu skulle kompenseres for sine lidelser.

Brødrene gav hende en radio, og Khalil fik en brugt trappemaskine, som blev kørt hjem til dem fra en bekendt i Huddinge. Det gav ham fornyet styrke. Han havde savnet sin løbetræning. Savnet af fysisk bevægelse, af flugten i løbetræningen, havde forstærket hans krise. Nu trænede han time efter time på sin maskine og begyndte at se lys for enden af tunnelen, et glimt af håb, selvom han stadig ventede sig det værste. To dage senere trådte Bashir og Ahmed ind på hans værelse og satte sig på sengen. Bashir havde en pistol i hånden. Trods våbnet så brødrene ikke vrede ud. De var iført nystrøgne skjorter i samme blå farve. De smilede til ham.

"Vi har gode nyheder!" sagde Bashir.

Faria ville få lov at leve, eller snarere: Hun ville få lov at leve, hvis nogen betalte prisen for det. Ellers ville Allah blive vred, æren ikke genoprettet, og tilsmudsningen ville spredes og forgifte dem alle. Derefter fik Khalil et valg. Valget stod mellem at dø nu sammen med søsteren eller at myrde Jamal og dermed redde dem begge to. Først forstod han det ikke. Han ville ikke forstå det, fortalte han. Han trampede bare videre på sin trappemaskine. De spurgte ham igen.

"Hvorfor mig? Jeg har aldrig kunnet gøre nogen fortræd," svarede han, helt ude af sig selv.

Bashir forklarede, at Khalil var den eneste af dem, som ikke var kendt af politiet, og som havde et godt ry, selv blandt familiens fjender, og først og fremmest ville Khalil derved få mulighed for at sone sit forræderi over for familien. Det endte med, at han sagde ja. Han ville dræbe Jamal. Han befandt sig i en umulig situation, sagde han, og følte sig fuldstændig desperat.

Han elskede sin søster, og han var truet på livet.

Men der var noget, Bublanski ikke forstod: Hvorfor ringede Khalil ikke til politiet, da han blev sluppet fri for at myrde? Khalil hævdede, at det var præcis, hvad han havde tænkt sig. Han ville afsløre det hele og søge kildebeskyttelse. Men han blev overrumplet og lamslået, fortalte han, over hvor velforberedt aktionen var. Der var også andre indblandet, islamister, som aldrig slap ham af syne, og som ikke forpassede nogen chance for at fortælle ham, hvilket forfærdeligt menneske Jamal var. Der var udstedt en fatwa mod ham. Han var dødsdømt af fromme rettroende i Bangladesh og var værre end svin og jøder og de rotter, der bragte pesten med sig. Han var alt, hvad der var svinsk og smudsigt, og han havde ødelagt familiens ære og hans søster. Skridt for skridt blev Khalil draget ind i mørket og tågen og drevet til at gøre det utænkelige. Han skubbede Jamal ud foran toget. Han var ikke alene om forbrydelsen. Men det var ham, der løb frem og skubbede ham ned fra perronen.

"Jeg myrdede ham," sagde han.

FARIA KAZI SAD i besøgsrummet i H-huset på Flodberga. Foran hende sad kriminalassistent Sonja Modig og advokat Annika Giannini. Stemningen var anspændt og famlende, og for anden gang viste Annika den rystede video, hvor Bashir tilsyneladende indrømmede, at han stod bag mordet på Jamal. Annika forklarede, hvordan bevægelsesanalysen skulle tolkes, og fortalte, at Khalil havde givet en detaljeret redegørelse og tilstået, at han havde skubbet Jamal ud foran toget.

"Han troede, det var den eneste måde at redde dig på, Faria – og sig selv. Han siger, at han elsker dig."

Faria svarede ikke. Hun vidste allerede alt om det der, og hun havde bare lyst til at skrige: *Elsker mig? Jeg hader ham.* Hun hadede ham virkelig. Men hun vidste også, at det ikke var hele sandheden, og det var også derfor, hun havde tiet så længe. Hvor ondt han end havde gjort hende, nærede hun stadig en beskyttertrang over for ham. Det var egentlig mest på grund af deres mor, tænkte hun. Engang for længe siden havde hun lovet hende at passe på Khalil. Men nu var der ikke længere noget at beskytte, var der? Hun bed tænderne sammen, stirrede på kvinderne og sagde:

"Er det Lisbeth Salander, man kan høre på filmen?"

"Det er Lisbeth."

"Er hun okay?"

"Hun er okay. Hun har kæmpet for dig."

Faria sank en klump i halsen, stålsatte sig og begyndte at fortælle. Der opstod en andagtsfuld stemning i lokalet, som der altid gør, når et vidne eller en mistænkt efter lang tids tavshed endelig åbner sig. Derfor koncentrerede Annika Giannini og Sonja Modig sig så fuldkomment, at de ikke hørte kommunikationstelefonerne, der ringede ude på gangen, og de stadigt mere ophidsede vagter derude.

Der var ulidelig varmt i besøgsrummet, og Sonja Modig tørrede sveden af panden og gentog, hvad Faria Kazi havde sagt ad to omgange nu, i to versioner, der var ens og dog ikke helt ens. Det føltes, som om der stadig var noget, der manglede.

"Så du havde en følelse af, at det hele blev bedre. Du troede, at brødrene var blødt op, og at du måske trods alt kunne få en slags frihed."

"Jeg ved ikke, hvad jeg troede," sagde hun. "Jeg var helt ude af mig selv. Men de sagde undskyld," forklarede hun. "Bashir og Ahmed havde aldrig før undskyldt over for mig. De tilstod, at de var gået over grænsen. At de skammede sig. At de bare ville have, at jeg skulle leve et respektabelt liv, og at jeg var blevet straffet nok. De gav mig en radio."

"Du tænkte ikke på, at det kunne være en fælde."

"Jo, det tænkte jeg hele tiden på. Jeg havde jo læst om andre unge kvinder, som man indgav en falsk tryghedsfornemmelse for så at ..."

"Slå dem ihjel."

"Jeg indså, at der var en helt reel risiko for det, og jeg aflæste

Bashirs kropssprog og blev bange. Jeg turde dårligt nok sove. Jeg havde en knude i maven. Men måske ønsketænkte jeg også, det må I forstå. Ellers ville jeg ikke have kunnet holde det ud. Jeg savnede Jamal, så jeg var ved at blive sindssyg. Derfor håbede jeg også. Jeg håbede mest. Jeg tænkte, at Jamal var derude et eller andet sted og kæmpede for mig. Så jeg ventede og bildte mig ind, at ting og sager blev bedre. Khalil var helt rundt på gulvet. Han trampede bare løs på sin trappemaskine. Det var helt afsindigt. Jeg kunne høre dunket fra den hele natten igennem. Swosch, swosch. Jeg blev vanvittig af det. Jeg forstod ikke, hvordan han kunne. Han trampede og trampede, og en sjælden gang imellem kom han ud og gav mig et knus og sagde undskyld om og om igen. Jeg sagde, at jeg nok skulle passe på ham og sørge for, at Jamal og hans venner tog hånd om os begge to, og måske, jeg ved ikke ... Det er svært at sige nu bagefter."

"Prøv at være klar nu. Det er vigtigt," indskød Sonja Modig usædvanligt skarpt.

Annika Giannini så på sit ur og rettede på frisuren med en stram bevægelse. Så sagde hun vredt:

"Hold så op! Hvis Faria er uklar, er det, fordi situationen var uklar og vanskelig. Jeg synes, hun er beundringsværdigt klar, omstændighederne taget i betragtning."

"Jeg ønsker bare at forstå det," fortsatte Sonja. "Faria, du må vel have fattet, at noget var i færd med at ske. Du sagde, at Khalil var overspændt og febrilsk. At han trænede meget og kun var skind og ben."

"Han havde det skidt. Han var jo også fange. Men alligevel troede jeg, at han begyndte at få det bedre, det var først bagefter, jeg kom i tanke om hans blik."

"Og hvordan var det?"

"Desperat. Han så ud som et jaget dyr. Men på det tidspunkt ville jeg ikke se det."

"Og du hørte ikke, at brødrene forlod lejligheden den 9. oktober om aftenen?"

"Jeg sov eller forsøgte at sove. Men jeg husker, at de kom hjem midt om natten og hviskede i køkkenet. Jeg hørte ikke, hvad de sagde. Næste dag så de så underligt på mig, men jeg tog det som et godt tegn. Jeg bildte mig ind, at Jamal var i nærheden. Jeg følte hans nærvær. Men timerne gik, og stemningen blev mere og mere underlig og nervøs. Det blev mørkt, og så så jeg Ahmed, som jeg har fortalt."

"Han stod ved vinduet."

"Der var noget vredt og truende over hans kropsholdning, og han trak vejret tungt. Hjertet knugede sig sammen i brystet på mig, og så sagde Ahmed, at han var død. Jeg forstod ikke, hvem han talte om. Jamal er død, fortsatte han. Det sortnede for mine øjne, og jeg tror, jeg sank sammen. Men jeg forstod det stadig ikke.

"Du var i chok," sagde Annika.

"Alligevel får du i næste øjeblik en enorm styrke," tilføjede Sonja Modig.

"Men det forklarede jeg jo."

"Det gjorde hun faktisk," sagde Annika.

"Jeg vil gerne høre det igen."

"Pludselig var Khalil der," sagde Faria. "Eller også havde han været der hele tiden. Han råbte, at det var ham, der havde slået Jamal ihjel, og jeg forstod endnu mindre. Men han kørte løs om, hvordan han havde gjort det for min skyld. At de ville have myrdet *mig* ellers. At han havde fået valget mellem mig og Jamal. Og så var det, kræfterne kom, den der vrede. Det brast for mig, og jeg kastede mig over Ahmed."

"Hvorfor ikke Khalil?"

"Fordi jeg ..."

"Fordi du ...?"

"Fordi jeg midt i det hele må have forstået noget."

"Hvad? At de havde brugt Khalils kærlighed til dig som afpresning?"

"At de havde presset ham til det, at de havde ødelagt hans liv, samtidig med at de havde knust mit og Jamals, og derfor flippede jeg ud. Jeg blev sindssyg. Forstår du ikke det?"

"Det gør jeg," sagde Sonja. "Det gør jeg faktisk. Men der er andet, jeg har det sværere med – først og fremmest, at du tav under afhøringerne. Du sagde, at du ville have hævn. At du hævnede dig på Ahmed, da du kastede dig over ham. Men du kunne jo også have hævnet dig på Bashir, den største skurk af dem alle. Du kunne have fået ham fængslet for medvirken til mord og fået hjælp af os."

"Men I forstår det jo ikke!"

Hendes stemme knækkede over.

"Hvad forstår vi ikke?"

"At mit liv endte med Jamals død, og hvad skulle jeg vinde ved også at få Khalil fængslet? Han var jo den eneste i familien, som ..."

Hun stirrede stift på døren.

"Som hvad?"

"Som jeg elskede."

"Du må da have hadet ham. Han dræbte dit livs kærlighed."

"Jeg hadede ham. Jeg elskede ham. Jeg hadede ham. Er det så svært at forstå?"

Annika Giannini skulle lige til at afbryde afhøringen og sige, at den unge kvinde havde brug for en pause, da det bankede på døren. Fængselsdirektør Rikard Fager ville tale med Sonja Modig.

Sonja Modig forstod straks, at der var sket noget alvorligt, som havde rystet fængselsdirektørens selvfølelse, og hun blev irriteret over hans omstændelighed. Han fortabte sig i detaljer uden at komme til sagen, som om han hellere ville holde forsvarstale end forklare. Han sagde, at der havde været vagter og overvågning og metaldetektorer, og at Benito var slemt tilredt. Hun havde kraniebrud, hjernerystelse og en knust kæbe.

"Hun er kort sagt stukket af fra sygehuset, er det det, du forsøger at sige?" sagde Sonja.

Det var det. Alligevel fortsatte han: "Ingen troede, at hun ville kunne forlade stedet," sagde han. Alle besøgende blev visiteret. Eller burde i hvert fald være blevet det. Men der var sket noget med afdelingens computersystem. Det gik i sort, og en del medicinsk apparatur holdt op med at fungere. Det var en kritisk situation. Læger og sygeplejersker styrtede rundt, og netop i det øjeblik dukkede tre jakkesætklædte mænd op. Mændene oplyste, at de skulle besøge en anden patient, en ingeniør på ABB, som også lå på afdelingen. Derefter gik alting meget hurtigt. Mændene var bevæbnede med nunchaku-stokke. Rikard Fager, den idiot, syntes, at det var på sin plads at fortælle om nunchaku-stokke – at det var karatestokke af træ, som blev brugt i kampsport. Sonja slog affærdigende ud med hånden.

"Hvad skete der?"

"Mændene slog vagterne ned, befriede Benito og kørte væk i en grå kassevogn med falske nummerplader. En af mændene er identificeret som Esbjörn Falk fra Svavelsjö MC, den kriminelle motorcykelklub."

"Jeg ved godt, hvad Svavelsjö MC er," sagde hun. "Hvad har man foretaget sig indtil videre?"

"Vi har slået rigsalarm for at finde Benito. Vi er gået ud i medierne. Alvar Olsen er anbragt i sikkerhed."

"Og Lisbeth Salander?"

"Hvad er der med hende?"

"Idiot," mumlede hun og forklarede, at hun straks måtte af sted på grund af den akutte situation.

På vej ud fra anstalten ringede hun til Bublanski og fortalte om Benito og om Faria Kazi. Efter at have hørt en kort sammenfatning af den unge kvindes historie, citerede han – uvist af hvilken årsag – et jødisk ordsprog:

Man kan se ind i øjet, men ikke altid ind i hjertet.

KAPITEL 18

Den 22. juni

DAN BRODY KOM endnu en gang for sent til arbejde. Han var urolig og nervøs og plaget af dystre tanker. Men han var bedre klædt på. Han var iført en lyseblå hørhabit, T-shirt og intet slips, ingen varme lædersko, men gummisko. Solen brændte, som han gik der langs Birger Jarlsgatan og tænkte på Leo. En bil standsede med hvinende bremser, og han for sammen, ligesom på Fotografiska.

Han hev efter vejret, men fortsatte fremad og fortabte sig atter i sine minder. Dagene i december efter deres første weekend sammen rummede naturligvis både smerte og jalousi, men alligevel var det de lykkeligste i hans liv. De gik aldrig ud sammen, kun hver for sig. De havde allerede deres plan klar. De ville konfrontere Rakel Greitz, og hun måtte ikke vide noget på forhånd. De ville ikke have nogen rygter ud.

December halvandet år tidligere

Leo havde aflyst julefrokosten i byen sammen med Greitz og i stedet inviteret hende hjem lørdag den 23. december klokken 13. Mens de ventede på dette møde, legede brødrene deres identitetsleg. De var begge to Leo ude i byen, og det morede dem helt utroligt. Dan lånte Leos jakkesæt og skjorter og sko. De anlagde samme frisure og øvede rollen med parodiske improvisationer og komedier. Leo sagde altid, at Dan var langt den mest troværdige i rollen som Leo. "Du har ligesom mere bund i karakteren."

Leo holdt tidligt fri fra arbejde. En enkelt aften var han på Riche med kollegerne; men han kom tidligt hjem, og han fortalte, at han havde været *så* tæt på – han viste hvor tæt på med fingrene – at fortælle Malin Frode om deres møde.

"Men du gjorde det ikke?"

"Nej, nej, det virker, som om hun tror, jeg er forelsket."

"Blev hun såret?"

"Ikke specielt."

Dan vidste, at Leo havde en flirt med Malin, som lå i skilsmisse og snart skulle stoppe på Alfred Ögren. Men Leo sagde altid, at hun nok ikke elskede ham. Hun var forelsket i Blomkvist, journalisten, mente han, og formentlig elskede Leo heller ikke hende. Det var mest en leg, sagde han, eller måske alligevel ikke kun en leg.

Han og Leo analyserede hele tiden alting og udvekslede tanker og minder og sladder. De indgik en ubrydelig pagt og forberedte sig til mødet med Rakel Greitz. De gennemgik i alle detaljer, hvordan de skulle gøre – hvordan Dan skulle gemme sig i starten, og hvordan Leo skulle udspørge hende, forsigtigt i begyndelsen, så mere offensivt.

Dagen inden, fredag den 22. december, holdt Malin Frode afskedsfest hjemme på Bondegatan. Ligesom Dan havde Leo det svært med fester i små lejligheder. Der var for meget larm. Han orkede det ikke, sagde han. Han havde en anden idé. Han ville vise Dan sit kontor på Alfred Ögren. Firmaet var sikkert helt tomt. De fleste var hos Malin, og der var ingen, der arbejdede over en fredag aften. Det var snart jul, og Dan syntes, det lød som en god idé. Leos arbejde interesserede ham.

Klokken otte om aftenen gik Leo ud som den første, med en flaske rødvin og en flaske champagne i tasken. Dan fulgte efter ti minutter senere, også han klædt som Leo, men i et lysere jakkesæt og en mørkere frakke. Det var koldt. Det sneede. De havde noget at fejre.

Den følgende dag efter mødet med Greitz ville de gå ud med deres historie, og selvom Dan modsatte sig det, havde Leo lovet at give ham en stor donation. Det skulle være slut med uretfærdighederne, sagde han, og slut med banklivet og tristessen på Alfred Ögren. De skulle begynde at spille sammen. Det var en vidunderlig aften. De drak og skålede, og der var en løfterig følelse i luften. "I morgen," sagde de. "I morgen."

Alligevel var der noget, der gik galt. Dan tænkte, at det var Leos kontor på Alfred Ögren. Der var renæssanceengle i loftet, århundredgamle malerier på væggene og kinesiske vaser og guldhåndtag på kommoderne. Det var så prangende og ødselt, at Dan fik lyst til at provokere. Han stak til broren.

"Du sidder helt godt i det, hvad?" sagde han, og Leo gav ham ret.

"Du har ret. Jeg skammer mig. Jeg har aldrig brudt mig om rummet, det var min fars." Dan kunne ikke lade være:

"Men jeg skulle alligevel med herhen, hvad? Du skulle absolut blære dig og presse det her ned i halsen på mig?"

"Nej, nej, undskyld," svarede Leo. "Jeg ville bare vise dig mit liv. Jeg ved, at det er uretfærdigt."

"Uretfærdigt?"

Dan hævede stemmen. Det var, som om ordet *uretfærdigt* ikke rakte til. Det var mere. Det var uanstændigt. Det var grænseløst provokerende. Og sådan fortsatte de, Dan anklagede, tog sig sammen, bad om forladelse og angreb igen. Pludselig, det var svært at sige hvornår præcis, føltes det, som om noget var uopretteligt ødelagt. Det, der lige fra starten havde ligget og ulmet under overfladen, og som var blevet holdt stangen af den overvældende lykke over deres møde, vældede op i ham og åbnede ikke blot et sår i deres forhold, men satte tilsyneladende hele situationen i et nyt lys.

"Du har haft alt det her, og alligevel har du bare jamret og beklaget dig. *Min mor forstod mig ikke, min far begreb ingenting. Jeg fik ikke lov at spille. Det var så synd for mig, stakkels lille rige mig.* Jeg gider ikke høre et ord mere om det. Forstår du det? Jeg fik tæsk og aldrig nok at spise. Jeg havde ingenting, absolut ingenting, og du ..."

Han rystede over hele kroppen og vidste ikke helt, hvad der skete. Måske var de berusede begge to. Måske bidrog det til hændelsesforløbet. Men han anklagede Leo for at være en lort og en falsk idiot, en snob, som koketterede med sine depressioner. Han havde lyst til at smadre de kinesiske vaser. Men i stedet for gik han sin vej. Han smækkede med døren og forsvandt.

Han vidste ikke, hvor han skulle gå hen, så han vandrede hvileløst rundt i timevis og frøs og græd. Men til slut vendte han tilbage til vandrehjemmet Chapman på Skeppsholmen og sov der. Klokken 11 næste formiddag vendte han tilbage til Leo på Floragatan og omfavnede ham og bad om tilgivelse. De undskyldte begge to og forberedte sig til mødet med Rakel Greitz. Men der hang stadig noget uafklaret i luften mellem dem, som skulle komme til at påvirke det videre hændelsesforløb.

*

DAN MINDEDES DET og skar ansigt nu, da han halvandet år senere drejede ned ad Smålandsgatan. Han passerede Konstnärsbaren og kom ud på Norrmalmstorg. Det var kvælende varmt. Klokken var ti om formiddagen, og han havde det ikke særlig godt. Han følte sig ikke rigtig parat til at møde Sveriges berømteste undersøgende journalist.

RAKEL GREITZ OG Benito Andersson – som ikke havde det fjerneste til fælles, bortset fra almindelig sadisme og det faktum, at ingen af dem var rigtig raske – var derimod helt parate til at møde Lisbeth Salander. Ingen af dem vidste, hvem den anden var, og hvis de ved et tilfælde havde mødt hinanden, ville de begge have betragtet den anden med foragt. Men de var lige målbevidste og indstillede på at få ram på hende, og de havde begge to deres netværk, den enes ikke mindre intelligent end den andens, selvom deres cv'er så forskellige ud.

Benito var nært tilknyttet den gren af motorcykelklubben Svavelsjö, som modtog informationer fra Lisbeths søster Camilla og hendes hackere. Rakel Greitz havde sin organisation i ryggen, som også havde visse teknologiske kompetencer, og først og fremmest havde hun, kræften til trods, stadig sin viljestyrke og agtpågivenhed. For eksempel boede hun for tiden på et hotel på Kungsholmen.

Hun vidste godt, at ting og sager var ved at gå helt galt, og egentlig havde hun jo ventet det. Hun havde ventet det siden den 23. december for godt og vel halvandet år siden, hvor alting begyndte at kæntre. Sandheden var, at hun ikke havde set anden udvej dengang. Men det havde været et vovestykke, ligesom det var nu.

Allerhelst ville hun have startet med Salander og von Kanterborg; men de var umulige at opspore, så hun havde besluttet at begynde med Daniel Brolin. Han var svag. Han var kædens svage led. Derfor kom hun nu gående langs Hamngatan forbi NK. Hun var iført en let, grå spadseredragt og en sort rullekravebluse af bomuld. Trods kvalmen og smerterne følte hun sig stærk.

Men varmen plagede hende. Hvad var der gået af Sverige? Dengang hun var ung, var somrene ikke sådan. Det her var jo tropisk klima. Det var sindssygt, og hun var svedig og klæbrig. Men hun rankede ryggen og bed tænderne sammen. Længere borte anedes en muggen lugt i den kvælende, stillestående luft, og hun passerede et vejarbejde ved fortovskanten og to tykke, grimme mænd i blå overalls. Hun fortsatte frem til Norrmalmstorg og Alfred Ögren og skulle netop til at gå ind, da hun opdagede noget dybt foruroligende. Journalisten Mikael Blomkvist – som hun allerede var stødt på i Hildas trappeopgang ved Skanstull – var på vej ind ad døren til firmaet. Rakel trådte et skridt baglæns. Så ringede hun til Benjamin.

Benjamin kunne passende gøre lidt nytte for sin løn.

DAN BRODY ALIAS Leo Mannheimer, sad på sin stol i det alt for flotte kontor og mærkede blodet dunke og væggene presse sig sammen om ham. Hvad skulle han gøre? Hans *junior advisor* – som hans sekretær kaldte sig, fordi han var en *mand* – meddelte, at Mikael Blomkvist ventede på ham i receptionen. Dan svarede, at han kunne være der om 20 minutter.

Han følte sig uhøflig, da han sagde det. Men han havde endnu en gang – som så ofte før – brug for tid til at tænke og overveje, hvordan han skulle få ram på Rakel Greitz. Måske kunne Mikael Blomkvist hjælpe ham med det. Han havde allerede tidligere leget med tanken, uanset hvad omkostningerne for ham selv ville blive.

December halvandet år tidligere

Det havde sneet den dag, da de ventede på Rakel Greitz på Floragatan, og Dan havde undskyldt sig om og om igen.

"Det er okay," svarede Leo. "Jeg fik besøg på kontoret i går, efter at du var gået."

"Af hvem?"

"Af Malin," sagde han. "Vi drak champagnen. Det var ret mislykket, jeg var helt ude af mig selv. Bagefter skrev jeg noget. Vil du se det?"

Dan nikkede, og Leo rejste sig fra flyglet og gik. Han var væk et halvt minut, så kom han tilbage med et stykke papir i et plasticchartek. Han så højtidelig og skyldbetynget ud. Overdrevent langsomt rakte han ham dokumentet. Det var sandfarvet og let rillet med et vandmærke øverst oppe.

"Det skal nok også lige attesteres," sagde han.

Håndskriften var snørklet og sirlig. Der stod, at Leo gav halvdelen af sine aktiver til ham.

"Hold da kæft!" sagde Dan.

"Jeg mødes med min advokat mellem jul og nytår og informerer hende," fortsatte Leo. "Omstændighederne taget i betragtning burde det gå let. Jeg betragter det ikke som en gave. Du får bare det, som rettelig tilkommer dig." Dan blev stille, og han vidste selvfølgelig, at han burde falde sin bror om halsen og blive rørt og sige *det er alt for galt, det er jo sindssygt, det er alt for meget.*

Han forstod det ikke, men det var ikke, som om noget inden i ham blev bedre eller enklere af det. Han følte sig nærtagende og smålig; men så indså han, at der var noget aggressivt ved gaven. En positiv aggression, som psykologerne ville sige. Pengene blev givet bort i knusende overlegenhed, og hvor storslået denne gestus end var, så gjorde den ham lille.

Han sagde forskellige pæne ting. Så tilføjede han imidlertid:

"Jeg kan ikke tage imod det."

Han så fortvivlelsen i Leos blik.

"Hvorfor ikke?"

"Fordi det ikke er sådan, det fungerer. Man kan ikke bare sådan reparere det."

"Jeg troede ikke, at jeg skulle reparere noget. Jeg vil bare gøre det rigtige. Jeg er alligevel ikke interesseret i de skide penge!"

"Du er ikke interesseret?"

Dan blev splittertosset, og på et eller andet plan indså han godt det absurde i situationen. Han var lige blevet tilbudt snesevis af millioner, som ville kunne forandre hans liv i bund og grund, og alligevel følte han sig såret og vred. Det skyldtes måske, at de havde skændtes dagen før, og at han havde drukket og næsten ikke sovet. Det kunne være alt muligt, hans mindreværdsfølelse eller hvad som helst. Men han råbte bare:

"Du forstår ingenting. Man kan ikke bare sige sådan til et menneske, der altid har levet på kanten. Det er for sent, Leo. For sent!"

"Nej, nej, vi starter på en frisk."

"For sent," gentog han.

"Hold så op!" hvæsede Leo nu tilbage. "Du er urimelig."

"Jeg føler mig købt. Forstår du det? Købt!"

Han drev det for langt. Han vidste det, og det smertede ham, da Leo ikke svarede igen med samme vrede, men i stedet bare sorgfuldt svarede:

"Jeg ved det godt," sagde han.

"Hvad ved du?"

"At de ødelagde så meget. Jeg hader dem for det. Men alligevel ... vi har fundet hinanden. Det er da stort, ikke?"

Han lød desperat.

"Jeg er selvfølgelig taknemmelig, men ..." mumlede Dan.

Længere kom han ikke. Han brød sig ikke om sit *men*, og han skulle netop til at sige noget andet, måske: *undskyld, jeg er en idiot.* Noget i den stil. Han huskede det så godt bagefter. De var på nippet til at forsones, og de ville sikkert have fundet hinanden igen, hvis de bare havde fået tid til det. Men det blev ikke til noget. De hørte støj ude fra trappeopgangen, skridt der standsede. Klokken var knap 12. Der var over en time til, at Rakel Greitz skulle komme, og Leo havde ikke engang dækket bord eller stillet cateringmaden frem.

"Gem dig," hviskede han.

Leo tog papiret med sin donation, og Dan gik ind i det tilstødende soveværelse og lukkede døren.

Leo Mannheimer havde altid været en kilde til ængstelse, ikke kun på grund af det, de havde været nødt til at gøre med Carl Seger. Leo havde været ustabil på det seneste. Hun tænkte, at det havde noget med Madeleine Bard at gøre. Tabet af hende havde gjort ham paranoid, og hun var derfor straks begyndt at spekulere, da han aflyste deres julefrokost ude i byen og i stedet inviterede hende hjem. Rakel Greitz kendte Leo.

Hun vidste for eksempel, at Leo som så mange ungkarle ikke gerne lavede mad eller inviterede folk hjem, specielt ikke folk han ikke følte sig tryg ved. Rakel Greitz havde derfor besluttet at dukke op tidligere under påskud af at ville hjælpe til i køkkenet. I virkeligheden ville hun finde ud af, om noget var gået galt eller blevet afsløret.

Det sneede udenfor, og hun stod i opgangen under den malede blå himmel, da hun hørte oprørte stemmer fra lejligheden, stemmer som lød foruroligende ens. Hun gøs og indså, at der virkelig var noget galt. Et kort øjeblik vidste hun ikke, hvad hun skulle gøre. Leo hørte bedre end nogen anden, og det overraskede hende ikke, at stemmerne tav derinde. Hun sendte Benjamin en sms:

Hos Leo på Floragatan. Jeg har brug for din hjælp.

Så tilføjede hun:

Medbring min lægetaske, fuldt udstyret!

Derefter rankede hun ryggen, bankede på og forberedte sig på at smile sit varmeste julesmil. Men det var ikke nødvendigt. Leo lyste op ved synet af hende, og som altid kyssede han hende på kinderne – præcis som han var opdraget til – og hjalp hende af med frakken. Han var naturligvis alt for fintfølende til at påpege, at hun kom en time for tidligt.

“Elegant som altid, Rakel. Glædelig jul!” sagde han.

“I lige måde,” svarede hun.

Han spillede sin rolle godt, tænkte hun. Hun måtte granske ham nøje for at opdage de små tegn på anspændthed. Måske ville han under andre omstændigheder have kunnet narre hende. Men nu var hendes blik skærpet, og han havde også begået et par åbenlyse fejl. Han vidste det sikkert godt selv. Lige for lidt siden havde der lydt stemmer, nu var han alene. Men først og fremmest bemærkede hun, at der lå en guitar i sofaen. *En guitar!*

“Hvordan går det med Viveka?” spurgte hun.

“Hun har ikke langt igen, tror jeg.”

“Arme stakkel.”

“Ja, det er skrækkeligt,” sagde han.

Pis med dig, tænkte hun. *Du er sikkert glad for, at den kælling omsider dør.*

“Man bliver så ensom, når begge ens forældre forsvinder,” fortsatte hun og lagde hånden på hans arm, måske for at berolige ham eller for at vise, at hun havde medfølelse og ikke var helt så mistænksom, som hun følte sig. Men det var et fejlgreb. Leo for sammen, ubehageligt berørt, og vreden glitrede i hans blik. Hun blev bange og så atter på guitaren. Hun lod det ligge lidt endnu. Benjamin skulle have tid til at pakke hendes lægetaske og komme med den. Det lykkedes hende at gennemføre en helt dagligdags samtale i endnu cirka ti minutter. Til sidst kunne hun imidlertid ikke holde det ud længere.

"Hvem er det, der er her?" spurgte hun.

"Hvem tror du?"

Det vidste hun ikke, svarede hun. Hun havde ingen anelse. Men det var ikke sandt. Hun begyndte at indse det, og hun bemærkede, hvor anspændte Leos skuldre var, og at han så på hende, som han aldrig før havde set på hende. Hun forstod, at hun måtte slå hårdt og skånselsløst til, inden Daniel Brolin dukkede op fra rummet inde ved siden af.

KAPITEL 19

Den 22. juni

RAKEL GREITZ VAR ikke hjemme på Karlbergsvägen, og Lisbeth besluttede sig for at udsætte det. Hun tog tunnelbanen hjem, stod af ved Slussen og gik ad Götgatan. Annika Giannini havde fortalt hende, at Benito Andersson var flygtet fra Örebro Hospital, så hun var på vagt. Hun var altid på vagt, og livet i fængslet havde ikke gjort det bedre. Men måske undervurderede hun alligevel truslen. Flere alliancer, end hun indså, jagtede hende. Gamle mørke kræfter fra fortiden samlede styrkerne og udvekslede informationer.

Det var en hed junidag, og det var, som om livet var gået lidt i stå. Folk daskede langsomt omkring og kiggede vinduer eller sad og hang på caféer og fortovsrestauranter. Lisbeth fortsatte op mod Fiskargatan. Det snurrede i lommen. Hun havde modtaget en krypteret sms fra Blomkvist. Der stod:

Leo er Daniel. Jeg er så godt som sikker!

Hun skrev tilbage:

Vil han snakke med dig?

Han svarede:

Det ved jeg ikke endnu. Vender tilbage!

Hun overvejede at tage til Norrmalmstorg og se, om hun kunne hjælpe. Men hun skød tanken fra sig. Først ville hun have fat i Rakel Greitz. Hun overvejede, om det var muligt at spore hende til en anden adresse. Hun gik opad mod Fiskargatan. Hun var stadig på vagt, og hun spekulerede på, om hun nu også burde gå hjem. Der stod ingen steder i de offentlige registre, at hun boede der. Lejligheden var opført under hendes falske identitet, Irene Nesser, og hun havde lagt masser af røgslør ud. Men nettet strammedes. Man lagde mærke til hende i kvarteret. Hun var så småt ved at være et kendt ansigt, og hun hadede det. To personer – Kalle fucking Blomkvist og NSA-agenten Ed the Ned – havde allerede sporet hende hertil, og ting og sager rygtes. Der snakkes overalt. Hun burde sælge det lort. Lejligheden var alligevel alt for stor. Hun burde flytte langt væk. Hun burde muligvis rejse nu med det samme.

Men det var for sent. Hun anede det, i samme øjeblik hun så en grå kassevogn længere oppe ad gaden. Der var ikke noget specielt ved bilen – det var en ældre model, som stod parkeret helt normalt ved kantstenen. Alligevel gjorde den hende mistænksom. Bilen begyndte at rulle hen mod hende, og hun vendte om igen. Men hun nåede ikke ret langt. En mand med skæg dukkede pludselig op fra en opgang og pressede en våd klud mod hendes ansigt. Hun blev svimmel. Hun havde været en idiot. Hun var ved at besvime. Gaden og murene omkring hende sejlede, og hun magtede ikke at kæmpe imod. Det lykkedes hende kun med nød og næppe at finde mobilen frem og hviske ind i den:

"Skovheks."

Så blev hun vaklende ført ind ad bagdøren i kassevognen. Selvom hun ikke kunne se klart, mærkede hun duften af en sød parfume, som kun var alt for velkendt.

December halvandet år tidligere

Dan havde hørt stemmerne fra stuen og forstod, at det ikke var gået, som de havde planlagt. Rakel Greitz havde åbenbart straks afsløret dem, og han så ingen anden udvej end at styrte ud og konfrontere hende nu med det samme, uden den overraskelseseffekt, de havde håbet på.

Måske var det også derfor, så meget gik galt fra starten, eller også havde Dan undervurderet det indtryk, Rakel Greitz gjorde på ham. Hendes blotte tilstedeværelse sendte ham direkte tilbage til drengeårene. Han mindedes, hvordan hun havde stået oppe ovenpå i bondegården for mange år siden og køligt betragtet ham, når han spillede guitar. Han indså, at hun allerede dengang måtte have sammenlignet ham med Leo og analyseret lighederne, og det bragte ham helt ud af fatning.

"Kan du genkende mig?" spurgte han.

Rasende trådte han et skridt fremad, men han følte sig samtidig uhjælpeligt usikker.

Rakel Greitz blev roligt stående, mærkeligt fattet.

"Jeg kan godt genkende dig," sagde hun. "Hvordan går det?"

"Vi vil have klar besked om, hvad det var, der skete," hvæsede han, og først da trak hun sig lidt baglæns. Ikke desto mindre rettede hun roligt på sin krave og så på armbåndsuret. Hun var iført sort spadseredragt og sort rullekravebluse. Håret var kort og farvet mørkeblondt. Selvom hun var synligt nervøs – det sitrede ved mundvigene – stod hun rank og iskold som en skolelærerinde, og det gav Dan følelsen af, at det snarere var ham end hende, der stod skoleret.

"Tag det roligt," sagde hun.

"Aldrig i evighed," svarede han. "Du skylder os en forklaring."

"Og den skal I få. I skal få hele sandheden. Men først må jeg vide, om I er gået til medierne."

Han svarede ikke.

"Jeg forstår, at I er oprørte. Men det ville være skidt, hvis historien kom ud nu, inden I har forstået hele sammenhængen. Det er overhovedet ikke, som I tror."

"Vi har ikke sagt noget – endnu," sagde Dan og overvejede straks, om det var en fejl, specielt da han så et anstrøg af tilfredshed i Rakels ansigt. Han skottede til Leo.

Leo stod tavs som en støtte, som i chok, og gav ham ingen ledetråde til, hvad han skulle gøre. Han kunne ikke lide, at Rakel Greitz fortsat havde initiativet.

"Jeg er en gammel kone nu," sagde hun, "og jeg har haft ondt i maven. Tilgiv mig min åbenhjertighed. Er det i orden, at jeg sætter mig i sofaen? Så skal jeg gerne fortælle."

"Værsgo," sagde Leo. "Sæt dig ned og fortæl. Vi vil have svar på alle vores spørgsmål."

Rakel Greitz begyndte tøvende, i håb om at Benjamin ville dukke op, inden hun kunne nå at sige noget af betydning eller forvilde sig ud i nogle uigennemtænkte løgne. Leo og Daniel sad ved siden af i hver sin lænestol og stirrede på hende, og trods anspændelsen og krisen blev hun overrumplet. Brødrene var forbløffende ens, mere end enæggede tvillinger plejede at være i den alder. Ligheden forstærkedes af, at de havde samme frisure og samme slags tøj på.

"Sagen var," sagde hun, "at vi befandt os i en yderst vanskelig situation. Vi fik rapporter fra flere børnehjem og sygehuse om enæggede tvillinger, som forældrene ikke magtede at tage sig af."

"Hvem er *vi*?" afbrød Daniel, og selvom han lød vred og hadefuld, var hun glad for alle afbrydelser, og efter en pludselig indskydelse fandt hun på at sige, at hun havde noget i sin frakke, som hun netop havde modtaget, og som måske ville kunne hjælpe dem til at forstå sammenhængen lidt bedre. Om hun skulle hente det? Hun spekulerede på, om det overhovedet lød troværdigt. Men de lod hende gå ud i gangen, og hun fyldtes af en følelse, der gav hende fornyet styrke. Hun fyldtes af foragt. Daniel og Leo var svage og ynkelige. Henne ved døren begyndte hun at hoste for at distrahere dem, samtidig med at hun med en hurtig bevægelse åbnede døren. Så rodede hun for et syns skyld lidt rundt i frakken og udbrød:

"Pokkers også!"

Hun vendte hovedrystende tilbage til sofaen og snakkede omstændeligt og vagt i lang tid. Det provokerede Leo, specielt da hun kom til at nævne Carl Seger. Leo blev rød i hovedet og vild i blikket, han tabte fatningen og kaldte hende et udyr og et monster og krævede, at hun skulle forklare, hvad der var sket med Carl. Pludselig blev hun alvorligt bange. Hun mindedes drengenes vredesudbrud som yngre. Men hans ophidselse viste sig senere at være en lykkelig omstændighed, for netop i det samme trådte Benjamin ind ude i entreen. Råbene og vredesudbruddene forstærkede kun hans målrettethed, og han styrtede ind uden at banke på eller tøve og greb fat i Leo. Han greb ham om armene bagfra, og selv bøjede hun sig hurtigt ned og rodede i sin lægetaske, som Benjamin havde sat på gulvet. Tvillingerne begyndte at råbe om hjælp, og Daniel kastede sig over Benjamin. Hun forstod, at der mere end nogensinde var brug for, at hun var så beslutsom og effektiv som muligt, og hun gennemgik i al hast indholdet i tasken: stesolid, opiater, morfin og så videre, og så ... det isnede i hendes krop: Pancuroniumbromid, syntetisk kurare, udtrukket af den samme plantegift, som de sydamerikanske indianere bruger til pilegift. Det ville være brutalt og fuldstændig grænseoverskridende. Men hov ... der var også fysostigmin, en modgift, som helt eller delvist kunne ophæve effekten. Hun fik en idé. Det var en dristig og vild idé. Den skyldtes noget, Daniel havde hvæset under deres samtale, noget om uretfærdighed og grusomhed, som lod ane en dyb bitterhed. Hun tog et par tynde plastichandsker på og så op.

Benjamin var som altid urokkelig og holdt fast på Leo, som nu skreg *udyr* og *monster*, mens Daniel forsøgte at vriste ham fri. Det afgjorde sagen. Hun gjorde en sprøjte klar. Det tog lidt tid. Det skulle doseres rigtigt. Så rejste hun sig og forstod straks, at hun ikke havde tid til at finde en vene. Hun måtte give injektionen intramuskulært, og det var der måske en pointe i. Det var i hvert fald, hvad hun sagde til sig selv, og hun huggede den direkte ind gennem Leos bluse. Han så chokeret på hende, og Daniel skreg: "Hvad laver du? Hvad laver du?" Hun skar ufrivilligt ansigt.

Larmen ville kunne tiltrække sig naboernes opmærksomhed, og hvis der kom nogen, ville Leo måske allerede have kramper og være ved at blive kvalt, når åndedrætsmuskulaturen blev lammet. Situationen var akut, og hun var i fare. Hun havde overskredet en ny grænse, og hun måtte handle klogere end nogensinde før. Derfor sagde hun med sin mest autoritære lægestemme:

"Tag jer nu sammen. Jeg har bare givet ham noget beroligende, ikke andet. Træk vejret dybt, Leo! Godt! Lige om lidt får du det bedre. Vi må snakke sammen som fornuftige mennesker, ikke? Ikke noget med at hyle *udyr* og *monster* og den slags dumheder. Det her er ... John, han arbejder sammen med mig. Han har en sundhedsuddannelse. Jeg er sikker på, at vi nok skal finde ud af det alt sammen, og det er virkelig på høje tid at fortælle hele denne her sørgelige historie. Jeg er glad for, at I omsider har mødt hinanden."

"Du lyver," spyttede Daniel.

Det var en uhåndterlig situation. Der var for meget larm og ballade, og hun blev bange for, at en af naboerne skulle komme farende ind. Hun plaprede løs og forsøgte at få ro på gemytterne, mens hun talte ned til det, der uundgåeligt ventede – at giften trængte ind i blodet og påvirkede nikotinreceptorerne og lammede musklerne. Heldigvis kom der ingen naboer. Ingen tilkaldte politiet. Leo Mannheimer vaklede bare, præcis som hun havde vidst, han ville gøre, inden han faldt om på det røde, ægte tæppe med en krampagtig bevægelse. Selvom det her var et dramatisk skridt for hende, nød hun det et svimlende sekund. Hun vidste naturligvis, at hun hvert øjeblik kunne vælge at redde ham. Hun kunne også lade ham dø. Det kom an på omstændighederne, og hun måtte tænke klart, være skarp og overbevisende og spille på Daniels bitterhed og mindreværdskompleks.

Hendes plan var at få ham til at spille sit livs rolle.

ALLEREDE DA LEO faldt om på gulvtæppet, indså Dan Brody, at der var noget helt forfærdeligt galt. Leo faldt sammen, som om hans krop ikke længere fungerede. Han greb sig til halsen og virkede fuldstændig paralyseret. Dan glemte alt andet. Han sank ned ved siden af broren og skreg og ruskede i ham. Så begyndte Rakel Greitz at tale. Han hørte dårligt nok efter. Han koncentrerede sig om at få liv i Leo, og det, Rakel Greitz sagde, lød alt for underligt, til at han forstod det.

"Daniel," sagde hun. "Her er, hvad vi gør: Vi sørger for, at du får det bedre, end du har kunnet drømme om. Du får et fantastisk liv med ubegrænsede ressourcer."

Det var nonsens, tomme ord, og samtidig blev Leo dårligere. Han havde krampetrækninger og jamrede sig, og han var blevet askegrå i hovedet og blå om læberne. Han hev efter vejret, som om han var ved at blive kvalt, og blikket var svømmende og panisk. Den blå tone bredte sig fra læberne op mod kinderne, og Dan skulle lige til at give ham kunstigt åndedræt – noget han havde lært sig i Boston, efter at en af hans veninder havde været nær ved at dø af en overdosis kokain. Men Rakel standsede ham blidt og sagde noget, han ikke kunne lade være med at lytte til, måske fordi han befandt sig i en situation, hvor han greb efter det mindste halmstrå. Faktum var, at Rakel også lød anderledes nu – mere som en beroligende læge. Hun tog Leos puls og smilede beroligende til ham.

"Der er ingen fare," sagde hun. "Han har bare lidt kramper. Han får det bedre lige om lidt. Det var en kraftig, men næppe særlig risikabel dosis sedativ, jeg gav ham. Se selv?"

Hun rakte ham sprøjten, og han tog den uden at forstå, hvad den skulle kunne bevise eller fortælle ham.

"Hvad skal jeg med den?"

Hun tog opstilling ved siden af den store mand, som stadig havde overtøj på – en krøllet, blå vindjakke og vinterstøvler – og som smilede nervøst og indsmigrende ligesom Rakel. Så slog en forfærdelig tanke ned i ham.

"Du vil have mine fingeraftryk på den!"

Han slap sprøjten.

"Rolig, Daniel. Hør nu på mig."

"Hvorfor skal jeg lytte til dig?"

Han flåede telefonen frem. Han måtte ringe efter en ambulance. Men han blev bryskt stoppet af manden. Han blev stadigt mere panisk. Ville de slå Leo ihjel? Var det muligt? En skræmmende angst fyldte ham, og ved siden af ham stønnede Leo og så virkelig døende ud. Dan skreg. Han skreg lige ind i Leos overfølsomme øre.

"Kæmp! Du klarer den!" og så grimasserede Leo faktisk. Han rynkede panden, bed tænderne sammen og fik lidt farve tilbage i kinderne. Men det holdt ikke. Han blegnede igen og syntes atter at være ved at blive kvalt. Dan vendte sig mod Rakel Greitz.

"Så red ham da for helvede! Du er jo læge. Du vil vel ikke myrde ham, eller vil du?"

"Nej, nej, sikke noget sludder! Selvfølgelig ikke. Han er snart på benene, skal du se. Flyt dig, så skal jeg snart få liv i ham," svarede hun, og da han så, hvor resolut hun handlede og fandt tasken frem, så han ikke anden udvej end at stole på hende.

Det var et tegn – om noget var – på hans desperation. Han holdt Leos hånd, mens han håbede på, at den person, som havde sprøjtet giften ind i ham, også ville redde ham.

Rakel Greitz havde været helt klar over netop dette: Hvor livsvigtigt det var for hende i det øjeblik at opføre sig som læge og indgyde tillid. Derfor undertrykte hun også sin umiddelbare impuls til bare at lukke Leos luftveje til og gøre kort proces med ham. I stedet præparerede hun, stadig med plastichandskerne på, en injektion med fysostigmin, rullede Leos trøjeærme op og gav ham injektionen i en vene i armen. Straks efter fik han det bedre, selvom han stadig var svært omtåget. Hun følte – hvilket var det vigtigste – at hun genvandt lidt af Daniels tillid, og hun fortsatte med at snakke.

"Bliver han rask nu?" spurgte han.

"Det gør han, ja," sagde hun og fortsatte.

Hun improviserede selvfølgelig. Men hun støttede sig til den krisestrategi for Leo Mannheimer, som længe havde ligget klar. Denne strategi involverede Ivar Ögren. Ivar havde fået fat i Leos log on på arbejdet og havde foretaget en række illegale transaktioner på aktie- og optionsmarkederne i hans navn eller rettere via stråmænd. Transaktionerne fandtes samlet i en mappe, som kunne bringe Leo i fængsel og fornedre ham socialt og professionelt. Oplysningerne var allerede, mod Rakels vilje, blevet brugt imod ham. Ivar havde brugt dem til at lægge beslag på Madeleine Bard. Det var naturligvis ikke noget, Rakel Greitz brød sig om. Ivar Ögren var dum i hovedet, det var nu hendes helt private mening. Men hun havde alligevel accepteret det, fordi hun havde brug for ham og for oplysningerne for at kunne presse Leo, hvis han skulle opdage noget og finde på at ville afsløre hende.

"Daniel," sagde hun. "Hør på mig, jeg har noget vigtigt at fortælle dig, det vigtigste du har hørt i hele dit liv."

Han stirrede så bedende og fortvivlet på hende, at hun fik fornyet selvtillid. Hun talte med blid autoritet, som en læge der giver en alvorlig besked.

"Leo er færdig, Daniel. Det gør mig ondt at skulle sige det, men sådan er det. Han har beskæftiget sig med både insiderhandel og illegale transaktioner. Han ryger i fængsel."

"Hvad? Hvad snakker du om?"

Hun mærkede, at han ikke troede på det. Han strøg bare sin bror over håret og gentog om og om igen, at alting nok skulle blive godt. At det andet bare var lort og pis. Rakel blev irriteret på ham og fortsatte i et lidt skarpere tonefald:

"Hør efter, sagde jeg. Leo er ikke sådan, som du tror. Han er en forbryder. Vi har beviser for det. Han ryger i fængsel. Han er en bedrager."

Daniel så forvirret på hende.

"Hvorfor fanden skulle han gøre sådan noget? Han er jo ikke engang interesseret i penge?"

"Der tager du fejl."

"Gør jeg? Han ville give mig halvdelen af alt, hvad han ejer – bare sådan uden videre." Han slog ud med hånden, og hun bed sig i læben. Det var ikke noget, hun brød sig om at høre.

"Hvorfor nøjes med halvdelen?"

"Jeg vil overhovedet ikke have noget. Jeg vil bare ..."

Han tav. Måske forstod han, måske ikke. Men han anede noget. Panikken i hans blik vendte tilbage, og Rakel ventede sig endnu et udfald, måske vold. Hun så op mod Benjamin, han måtte holde sig klar. Men der skete ikke noget. Daniel stirrede bare på Leo med intens koncentration.

"Hvad er det egentlig, du har givet ham? Det var ikke noget beroligende, vel?"

Hun svarede ikke. Hun vidste ikke, hvordan hun skulle spille sine kort. Hun indså, at hvert ord, hver nuance i hendes tonefald kunne spille en afgørende rolle.

"Kurare," sagde hun så.

"Og hvad er det?"

"En plantegift."

"Hvorfor fanden giver du ham gift?"

Han skreg igen.

"Jeg betragtede det som en nødvendighed," svarede hun.

Daniel så op på Benjamin, som et desperat dyr, fanget i en fælde.

"Men bagefter ..."

"Ja?"

"Gav du ham noget andet."

"Fysostigmin. Det ophæver virkningen," sagde hun.

"Godt, så kører vi ham til hospitalet nu, ikke?" spurgte han.

Da hun ikke svarede, fandt han sin mobil frem. Hun overvejede, om hun skulle bede Benjamin om at tage den fra ham. Men hun lod ham fortsætte. Så længe han ikke ringede, var der ingen fare på færde. Han søgte på Google.

Hun gættede på, at han søgte på kurare, og han fik lov til at læse i fred. Men så lyste angsten op i hans øjne, og hun flåede telefonen fra ham. Han blev stiktosset og skreg og slog omkring sig, og selv Benjamin fik svært ved at holde ham i skak.

"Fald ned, Daniel."

"Gu' vil jeg ej!"

"Hold så op. Jeg vil give dig en fantastisk gave, forstår du ikke det?" sagde hun.

"Hvad fanden mener du?" brølede han.

Hun svarede, at fysostigmin-indsprøjtningen kun midlertidigt ophæver effekten af kurareforgiftningen.

"Så du kan ikke redde ham, mener du?"

Hans stemme lød næsten ikke menneskelig.

"Jeg er ked af det, men nej, det kan jeg ikke," løj hun, og derefter var Benjamin nødt til at få ham til at tie stille.

Der var ingen anden udvej. Benjamin holdt ham fast og tapede hans mund til. Hun undskyldte og forklarede ham det: "Åndedrætsmuskulaturen lammes snart igen. Leo Mannheimer vil kvæles og dø." Hun så på ham. "Vi står i en lidt vanskelig situation her, Daniel. Leo er ved at dø, vi har dine fingeraftryk på sprøjten, og vi har også et klart motiv, ikke? Jeg ser misundelsen i dit blik over alt det, han har fået. Men det gode ved det er ..."

Daniel slog vildt omkring sig for at vriste sig løs.

"Det gode ved det er, at Leo kan leve videre alligevel – på en ny måde, gennem dig, Daniel."

Hun pegede rundt i lejligheden.

"Du kan få hans liv og hans penge og muligheder. Du kan få lov til at leve dine drømme ud. Du kan tage over, Daniel. Du kan få det hele, og jeg lover, at alle de skrækkelige ting, Leo har gjort, hans modbydelige grådighed – det vil aldrig blive opdaget. Det skal vi nok sørge for. Vi vil bakke dig op på alle tænkelige måder. I er spejltvillinger, det er rigtigt, og det er et lille problem. Men i øvrigt ligner I hinanden som to dråber vand. Det er enestående, og det skal nok blive godt. Det kan jeg mærke."

Rakel hørte en lyd, som hun ikke forstod. Det var Daniel, der bed en af sine tænder i stykker.

KAPITEL 20

Den 22. juni

Leo Mannheimer var omsider kommet ud fra sit kontor, og Mikael rejste sig og trykkede hans hånd. Det var et ejendommeligt møde. Mikael havde brugt så meget tid på at efterforske Leo, og nu stod de her, ansigt til ansigt. Det stod straks klart, at der var noget uudtalt og ubehageligt mellem dem, som en skygge, et gespenst.

Leo gned sine hænder. Neglene var lange og velplejede. Han var iført en lyseblå hørlærredshabit og en grå T-shirt og gummisko. Håret var frodigt og lidt krøllet, og det var, som om han lyttede efter noget. Han så anspændt ud og bød ikke Mikael indenfor på kontoret. I stedet blev han stående i foyeren foran receptionen.

"Jeg kunne godt lide din samtale med Karin Laestander på Fotografiska," sagde Mikael.

"Tak," sagde Leo. "Det var ..."

"... begavet," indskød Mikael og smilede venligt. "Og sandt. Vi lever i en tid, hvor løgne og falske nyheder påvirker vores samtid mere end nogensinde. Eller burde man måske sige 'alternative fakta'?"

"*The post-truth society,*" sagde Leo og smilede usikkert.

"Sandt nok, og så leger vi også med vores identiteter, ikke? Vi lader, som om vi er nogen, vi ikke er, på Facebook og den slags."

"Jeg er ikke på Facebook."

"Det er jeg heller ikke. Jeg har aldrig forstået det. Men jeg leger alligevel lidt med roller," fortsatte Mikael. "En del af jobbet, kan man sige. Hvad med dig?"

Leo skottede nervøst til sit armbåndsur og så ud ad vinduet på torvet udenfor.

"Undskyld," sagde han. "Jeg har et håbløst stramt program i dag. Hvad ville du tale om?"

Mikael svarede:

"Ja, hvad tror du?"

"Aner det ikke."

"Så du har ikke gjort noget dumt? Noget der kunne interessere mit blad, *Millennium*?"

Leo gjorde en synkebevægelse. Han tænkte efter og sagde så med blikket vendt mod gulvet:

"Jeg har vel gjort nogle forretninger tidligere, som ikke var helt vellykkede. Det er ikke altid så enkelt."

"Det kigger jeg da gerne på," svarede han. "Den slags er jo mit speciale. Men lige nu og her er jeg mere interesseret i det personlige, i nogle små uregelmæssigheder."

"Uregelmæssigheder?"

"Netop."

"Som hvad da?"

"Som at du er blevet højrehåndet."

Leo, hvis det ellers var Leo, syntes atter at lytte efter noget. Han lod hånden glide gennem håret.

"Det er jeg sådan set heller ikke. Jeg har bare byttet hånd. Jeg har altid været ambidekstral."

"Så du skriver lige godt med højre og venstre?"

"Stort set."

"Vil du ikke vise mig det?"

Mikael fandt pen og papir frem.

"Helst ikke."

Sveden piblede frem på Leos overlæbe, og blikket flakkede.

"Har du det skidt?"

"Lidt skidt."

"Det er sikkert varmen."

"Måske."

"Jeg har det heller ikke alt for fremragende," sagde Mikael. "Jeg sad oppe den halve nat og drak sammen med Hilda von Kanterborg. Jeg forstår, at I kender hinanden?"

Mikael så rædslen i mandens øjne, og han forstod, at han havde ham nu. Han anede det i blikket og i kroppen, der vred sig. Men måske – han betragtede ham nøje – anede han også noget andet, som ikke lige så let lod sig bestemme, en slags iver måske, en tvivl. Som om Leo, eller hvem det nu var, stod over for en stor beslutning.

Mikael sagde:

"Hilda fortalte mig en utrolig historie."

"Jaså."

"Den handlede om tvillinger, som forsætligt var blevet adskilt ved fødslen, og særligt om en dreng ved navn Daniel Brolin. Han måtte slide og slæbe på en gård uden for Hudiksvall, mens hans tvillingebror ..."

"Ikke så højt," afbrød manden.

"Nej?"

Mikael spillede forundret og så på manden.

"Det er måske bedre, at vi går en tur?" spurgte han.

"Jeg ved ikke ..."

"... om vi skal gå en tur?"

Manden vidste tydeligvis ikke, hvad han skulle sige. Han mumlede bare noget om toilettet og stak af. Allerede inden han var forsvundet ud af syne, fandt han sin mobil frem. Han skulle tydeligvis tale med nogen. Mikael følte sig så godt som sikker på, at han havde gættet rigtigt. Han sendte Lisbeth en sms om, at Leo formentlig var Daniel.

Samtidig blev han imidlertid også urolig for, at han var blevet narret – at fyren var smuttet ud ad en bagdør og flygtet, specielt da tiden gik, uden at han kom tilbage. Folk kom og gik hele tiden. Den unge brunette i receptionen smilede og tog imod alle og bad dem vente i sofagrupperne eller fortsætte ind i bygningen.

Det var et flot sted med højt til loftet, røde tapeter og oliemalerier af ældre herrer i jakkesæt, formentlig tidligere partnere og bestyrelsesmedlemmer. Det føltes næsten obskønt med lutter mænd på væggene.

Så ringede Mikaels telefon. Det var Annika, og han skulle lige til at tage den, da manden – hvem han nu end var – omsider kom gående hen ad gangen. Han så fattet ud. Måske havde han truffet en beslutning. Det var svært at sige. Han havde røde pletter på halsen, og han så anspændt og alvorlig ud. Han stirrede ned i gulvet og sagde ikke noget til Mikael. Han meddelte bare kvinden i receptionen, at han gik et par timer.

De tog elevatoren ned og gik ud på Norrmalmstorg. Stockholm kogte. Folk viftede sig med hænder eller aviser. Mændene bar deres jakker over skulderen. De kom ud på Hamngatan, og manden så sig nervøst over skulderen. Mikael bemærkede det og overvejede, om han skulle foreslå, at de tog en bus eller en taxa. I stedet krydsede de gaden og gik over til Kungsträdgården. De spadserede i tavshed. Det var, som om de ventede på, at noget ville vise sig eller nå til en afklaring. Mikael brød sig ikke om det; men han vidste ikke rigtig hvorfor.

Manden svedte mere, end han burde, og han blev ved med at se sig uroligt omkring. De befandt sig nu skråt over for operaen, og Mikael havde, uden at forstå hvorfor, en fornemmelse af fare. Han spekulerede på, om han havde begået en fejl, om Registrets repræsentanter allerede var et skridt foran ham. Han vendte sig om, men så ingenting. Der var snarere en stilhed, en feriefornemmelse i luften. Overalt på bænke og fortovsrestauranter sad folk med ansigtet vendt op imod solen. Måske blev han bare smittet af sin ledsagers nervøsitet, så han besluttede sig for at gå lige til sagen:

"Hvordan er det nu? Skal jeg kalde dig Leo eller Daniel?"

Manden bed sig i læben og fik noget mørkt i blikket. I næste sekund kastede han sig over Mikael, som styrtede til jorden.

RAKEL GREITZ – SOM havde ventet på en bænk på Norrmalmstorg – havde set Daniel Brolin gå ud sammen med Mikael Blomkvist. Hun indså, at der var kræfter i spil, som før eller senere ville føre til, at historien kom ud. Og egentlig var hun hverken overrasket eller rystet.

Hun havde længe vidst, at det var højt spil nu. Men denne indsigt gjorde hende ikke kun desperat, den gav hende også en slags frihed her på gravens rand. Hun fyldtes af den styrke, der kendetegner den, der ikke længere har noget at miste. Endnu en gang var Benjamin Fors med hende. Han var ganske vist ikke døende som hun, men han var bundet til hende, ikke bare gennem sin livslange loyalitet, men også gennem det unævnelige de havde gjort sammen. Benjamin ville falde lige så tungt som hun, hvis det hele kom ud, og han havde uden nogen ophævelser accepteret at sætte Blomkvist ud af spil og føre Daniel bort, så de kunne tale ham til rette.

Benjamin var derfor trods varmen iført en sort vindjakke med hætte samt solbriller. Skjult ind mod kroppen bar han en sprøjte med ketamin, et stof som hurtigt ville kunne bedøve journalisten. Rakel havde selv med en vis møje – hun havde haft ondt i maven hele morgenen – kæmpet sig frem til alléen ved Kungsträdgården. I det skarpe sollys så hun nu, hvordan Benjamin kom gående med raske skridt.

Hendes livsfølelse svulmede. Byen blev til ét eneste koncentreret øjeblik, en eneste strålende scene, og hun fulgte intenst Daniel og Blomkvist med blikket, idet de sagtnede farten. Det så ud, som om journalisten stillede Daniel et spørgsmål. Det var godt, nåede hun lige at tænke. Det gjorde dem uopmærksomme, og hun tænkte virkelig, at det hele nok skulle gå som planlagt.

Længere nede ad gaden kom en ekvipage med hest og vogn. En blå luftballon sejlede hen over himlen, og overalt gik der mennesker rundt, som ingenting vidste. Hendes hjerte hamrede forventningsfuldt, og hun hev efter vejret. Men så skete der noget. Daniel så Benjamin komme, og skubbede Blomkvist til side. Journalisten faldt til jorden, og Benjamin missede og stod og tøvede med sin sprøjte. Blomkvist fløj op. Situationen var kritisk, og Benjamin gjorde et nyt udfald, journalisten slog igen, og så tog Benjamin flugten. Kujon! Hun så rasende, hvordan Daniel og Blomkvist løb hen mod Operakällaren og sprang ind i en taxa og forsvandt bort. Varmen lagde sig som et klamt tæppe over Rakel Greitz, og hun mærkede atter, hvor syg og dårlig hun var. Alligevel rankede hun ryggen og forlod hastigt pladsen.

Lisbeth Salander lå trykket ned mod gulvet i den grå kassevogn. Nogen sparkede hende i maven og hovedet, og den ildelugtende klud blev atter anbragt over hendes næse. Hun følte sig svimmel og svag, og muligvis var hun heller ikke ved fuld bevidsthed hele tiden. Men hun havde alligevel tydeligt genkendt Benito og Bashir, og det var ikke nogen god kombination. Benito var bleg og havde hovedet og kæben viklet ind i forbindinger, og hun virkede besværet, når hun rørte på sig, så hun holdt sig mest i ro, hvilket var godt. Det var mændene, der gik løs på Lisbeth: Bashir med sit fuldskæg, svedig og iført det samme tøj som dagen før, og så en kraftig fyr i 35-årsalderen med glatraget isse, grå T-shirt og sort lædervest. En tredje mand kørte bilen.

Hun mente, at bilen rullede ned forbi Slussen, og hun forsøgte at registrere hver eneste detalje: et bundt reb, en rulle gaffatape, to skruetrækkere. Hun fik et spark til, denne gang i nakken. Nogen greb fat i hendes hænder. De bandt hende og visiterede hende og tog hendes mobil. Det var foruroligende, men nej, skaldepanden beholdt telefonen og stoppede den i lommen, og det var godt nok. Hun noterede sig hans fysik og nervøse bevægelser og tendens til jævnligt at skotte til Benito. Han var åbenbart hendes skødehund, ikke Bashirs.

Der var en bænk til venstre i kassevognen, og der satte de sig, mens hun lå nede på gulvet og mærkede den søde parfume og stanken af sygehussprit og lugten af sved fra deres gummisko. Lisbeth mente, at de kørte nordpå. Hun var ikke sikker, for hun var alt for omtåget. Der gik lang tid, uden at der blev sagt et ord i bilen. De eneste lyde, der hørtes, var selskabets åndedrag og motorstøjen samt karosseriets raslen. Kassevognen var et lig, sikkert 30 år gammel. Langsomt blev der stille. De nåede ud på en landevej, og efter 20 minutter eller sådan noget begyndte de at snakke. Det var godt, det var lige netop, hvad hun havde brug for. Bashir havde et blåt mærke på halsen, forhåbentlig efter hendes slag med bandystaven. Det så ud, som om han havde sovet dårligt. Han lignede lort.

"Hold da kæft, hvor skal du få, din lille luder," sagde han.

Lisbeth svarede ikke.

"Og bagefter skal jeg dræbe dig langsomt med min Keris," tilføjede Benito.

Lisbeth svarede stadig ikke. Det behøvede hun ikke. Hun vidste, at alt, hvad der blev sagt, blev afspillet på en hel række computere.

Det var ikke så avanceret, ikke for Lisbeth. Da hun blev overfaldet, havde hun hvisket sin kode, *Skovheks*, ind i sin modificerede iPhone. Koden havde via AI-tjenesten Siri aktiveret hendes alarm. En forstærket mikrofon var blevet slået til, og en lydoptagelse startet og sendt ud sammen med mobilens GPS-koordinater til alle medlemmer i den såkaldte Hackerrepublik.

HACKERREPUBLIKKEN bestod af en gruppe hackere på eliteniveau, og alle havde helligt svoret ikke at bruge alarmen, medmindre det drejede sig om et nødstilfælde. Derfor fulgte flere begavede unge mennesker over hele verden nu spændt med i dramaet i kassevognen. De fleste af dem forstod ganske vist ikke svensk. Men der var alligevel tilstrækkeligt mange, som gjorde, blandt andet Lisbeths uformelige ven på Högklintavägen i Sundbyberg.

Han blev kaldt Plague og var stor som et hus og vind og skæv og lignede et socialt tilfælde, men han var samtidig et digitalt geni. Nu sad han med nerverne på højkant ved sin computer og fulgte GPS-koordinaterne nordpå mod Uppsala. Bilen – det lød som en stor, gammel bil – drejede af fra hovedvej 77 mod Knivsta, østpå, og det var ikke godt. De kom længere og længere ud på landet, og GPS-koordinaterne gav mindre eksakte angivelser dér. Nu hørte han atter kvinden i bilen. Hendes stemme var hæs og mat, som om hun ikke var helt rask.

"Har du nogen som helst idé om, hvor langsomt du skal dø, din luder! Forstår du det?"

Plague kastede et desperat blik ud over sit skrivebord. Der lå papirer og dåser og krummer og Coca-Cola-flasker og madrester. Han sad i sin slidte, blå slåbrok, der var flosset både forneden og foroven. Det var længe siden, han var blevet barberet og klippet, og han havde ondt i ryggen. Han havde sukkersyge og havde taget på igen, og det var snart en uge siden, han havde været ude i sollyset. Hvad skulle han gøre? Hvis han bare havde haft en adresse, havde han kunnet hacke el- og vandsystemet og lokalisere naboer og mobiliseret et borgerværn. Men nu ... han var magtesløs. Han rystede over hele kroppen. Hjertet hamrede. Han havde ingen anelse om, hvor de var på vej hen.

Det strømmede ind med beskeder fra gruppen. Lisbeth var deres ven, deres lysende stjerne. Men ingen syntes at have nogen gode forslag eller handlingsplaner, så vidt Plague kunne se, ikke noget der ville gå hurtigt nok at gennemføre. Skulle han ringe til politiet? Plague havde aldrig ringet til politiet, og det var der gode grunde til. Der var ikke den forbrydelse i cyberspace, han ikke havde begået. Han var jaget vildt, men *alligevel*, tænkte han, *alligevel* må den lovløse indimellem søge hjælp hos loven. Han huskede, at Lisbeth – eller Wasp, som hun hed i hans univers – havde talt om en panser, der hed Bublanski. Han var okay, havde hun sagt, og okay var et temmelig stort ord for hende i den sammenhæng. Et kort øjeblik sad Plague stum og handlingslammet foran sit kort over Uppland på computerskærmen. Så fandt han et par høretelefoner frem og skruede op for volumenen og koblede lydfilen til. Han ville høre hver eneste nuance i stemmerne og motorstøjen. Det summede og skrabede i hans hørebøffer. Først var der ingen, der sagde noget. Derefter var der én, der sagde det, som Plague mindst af alt ønskede at høre:

"Har du hendes telefon?"

Det var kvinden igen, den formodentlig syge kvinde. Hun syntes at have kommandoen, hun og den der fyr, som indimellem talte et andet sprog til chaufføren, et sprog de gennem lydfilsøgninger havde defineret som bengali.

"Jeg har den i lommen," svarede en af mændene.

"Må jeg se den?"

Det skraslede og larmede. Mobilen blev overrakt. Nogen trykkede på den, undersøgte den, åndede ind i den.

"Er der noget galt med den?"

"Jeg ved det ikke," svarede kvinden. "Det ser ikke sådan ud. Men måske kan strømerne aflytte os via den her lortemobil."

"Vi burde skille os af med den."

Plague hørte ord på bengali igen. Bilen sagtnede farten. En dør knirkede. Den blev åbnet, selvom bilen stadig kørte. Vinden knitrede i lydoptagelsen, og så hørtes en susende lyd, derefter et vildt klask og flere ulideligt høje smæld. Plague flåede hørebøfferne af og hamrede hånden ned i bordet. *Hell, damn, fuck!* Eder og forbandelser strømmede ind på computerne. Kontakten med Wasp var væk.

Plague forsøgte at tænke og fokusere på situationen. Trafikovervågningskameraerne, tænkte han. Hvordan kunne han have overset det? De måtte hacke Trafikverket og få adgang til trafikovervågningskameraerne. Der var bare det, at den slags tager tid, og de havde ikke tid.

Ved nogen, hvordan man hurtigt kommer ind på Trafikverket? skrev han.

Han koblede dem alle sammen ind på et krypteret lydlink.

"Trafikovervågningen er delvist offentlig på nettet," var der en, der sagde.

"Det er ikke nok," sagde han. "Det er for uskarpt og utydeligt der. Vi må nærmere og se bilmodel og nummerplade."

"Jeg har en genvej."

Det var en ung kvindestemme, og der gik et øjeblik, inden Plague identificerede den. Men det var signaturen Nelly, et af deres nye medlemmer. "Er det sandt? Godt! Gå ind! Kobl jer på hende! Hjælp hende!" råbte han. "Vi kører! I gang! Jeg giver jer tidspunkt og koordinater."

Plague gik ind på www.trafiken.nu, som viste præcis, hvor overvågningskameraerne sad langs E4 mod Uppsala, og spolede samtidig filen fra Wasps telefon tilbage. Alarmen var gået 12.52, og det første kamera på vejen var sikkert det ved *Haga södra*. Bilen så ud til at have været der cirka 13 minutter senere, 13.05. Derefter fulgte kameraerne tæt, det var godt, tænkte han, godt. Stederne hed *Linvävartorpet* og *Linvävartorpet södra* og *Linvävartorpet norra* og *Haga norra grindar, Haga norra, Stora Frösunda, Järva krog, Mellanjärva, Ulriksdals golfbana*. Der var masser af kameraer det første stykke, og selvom der havde været meget trafik, burde de let kunne indkredse den rigtige bil, specielt da det tydeligvis drejede sig om en ældre og større bil, en kassevogn eller en lille let lastbil.

"Hvordan går det?" råbte han.

"Rolig, rolig, vi arbejder på det, der er noget kludder her, de har lavet noget nyt. Fandens, *denied*, vent! Pis, lort ... yes! Sådan ... ja ... vi kører ... inde ... nu skal vi bare finde ud af ... Hvad er det for nogen idioter, der har bygget det her *amatørshit*?!"

Det var det sædvanlige. Eder og forbandelser. Adrenalin, sved og udråb, bare værre nu, hvor det gjaldt liv og død. Men efter at de havde analyseret, listet sig ind og spolet frem og tilbage på overvågningsoptagelserne, var der til sidst ingen tvivl mulig længere. De vidste, hvilken bil det var: en gammel, grå Mercedes-kassevogn med falske nummerplader. Men hvad hjalp det dem? De følte sig bare endnu mere magtesløse ved at se køretøjet passere det ene kamera efter det andet som et ondt, blegt væsen for til slut at forsvinde væk fra overvågningssamfundet ind i skovene øst for Knivsta mod Vadabosjön.

"Digitalt mørke. Shit, shit!"

De havde aldrig før skreget og bandet så meget i Hackerrepublikken, og Plague så ingen anden udvej end at ringe til kommissær Bublanski.

KAPITEL 21

Den 22. juni

BUBLANSKI SAD PÅ sit kontor på Bergsgatan og talte med imamen Hassan Ferdousi. På det tidspunkt vidste han godt, hvordan mordet på Jamal Chowdhury var gået til. Hele familien Kazi – bortset fra faren – plus et par eksilislamister fra Bangladesh havde været involveret. Det var et virkelig omhyggeligt forberedt mord, men dog ikke mere avanceret, end at det burde have været muligt at afsløre det under den oprindelige udredning og først og fremmest uden hjælp fra udenforstående.

Det var slet og ret en skamplet på politiets gode navn og rygte. Han havde netop haft en længere samtale med Säpo-chefen, Helena Kraft, og udvekslede nu nogle tanker med imamen om, hvordan politiet i fremtiden bedre kunne foregribe og forhindre den slags forbrydelser. Men ærlig talt så var han ikke helt koncentreret. Han havde bare lyst til at komme tilbage til udredningen af Holger Palmgrens død og først og fremmest til sine mistanker mod denne professor Steinberg.

"Hvad?"

Imamen sagde noget, Bublanski ikke helt opfattede. Men han nåede ikke at tænke nærmere over det, for i det samme ringede hans telefon – og ikke kun telefonen. Samtidig kom der også en samtale ind på Skype fra en adressat, som kaldte sig *Total fucking shitstorm for Salander*, og det var jo i sig selv bemærkelsesværdigt, for hvem kalder sig sådan? Bublanski tog mobilen. I den anden ende af linjen råbte en ung mand op på temmelig upoleret svensk.

"Du bliver nødt til at præsentere dig, hvis jeg skal høre på, hvad du har at sige," udbrød Bublanski.

"Jeg hedder Plague," råbte manden. "Tænd din computer, og åbn det link, jeg har sendt dig, så skal jeg nok forklare."

Bublanski gik ind på sin mail, fandt linket og lyttede til den unge mand, som godt nok bandede og svovlede og brugte ubegribelige computerudtryk, men som alligevel var præcis i sin redegørelse. Og snart efter blev Bublanski revet ud af sin lammelse. Han udkommanderede både helikopter og biler fra politiet i Uppsala og Stockholm med retning mod Vadabosjön. Derefter styrtede han sammen med Amanda Flod ud til sin Volvo i garagen. For en sikkerheds skyld lod han hende køre, og så forsvandt de nordpå ad Uppsalavägen med det blå blink på.

MANDEN FORAN HAM havde reddet ham fra et alvorligt overfald. Mikael forstod endnu ikke, hvad det betød. Men det måtte være et godt tegn. Det var tydeligt, at de ikke længere var fanget i de samme roller som i Alfred Ögrens foyer. De var ikke bare den undersøgende reporter og hans bytte. Der var et nyt bånd mellem dem, og Mikael stod i taknemmelighedsgæld til ham.

De sad i en lille loftslejlighed på Tavastgatan med skråvinduer ud mod Riddarfjärden. Solen bagte udenfor, og foran dem stod et halvfærdigt oliemaleri af et hav og en hvid hval. Til trods for den urolige farvesammensætning var det et harmonisk billede; men Mikael vendte det om mod vinduet alligevel. Han ville ikke distraheres af noget.

Lejligheden tilhørte den aldrende kunstner Irene Westervik. Hun og Mikael var egentlig ikke nære venner; men han følte en samhørighed med hende, og det skyldtes ikke kun, at hun var klog og tillidsvækkende; men også, at hun befandt sig så langt hinsides døgnfluer og modeluner, at han i selskab med hende ofte oplevede at se verden i et større perspektiv. Han havde ringet til hende fra taxaen og spurgt, om han måtte låne hendes atelier et par timer, måske hele dagen. Hun havde mødt dem nede ved hoveddøren i en let, grå spadseredragt og overrakt ham nøglerne med et varmt smil.

Nu sad Mikael og manden, som formodentlig var Daniel, foran

det bortvendte maleri. Mobilerne var slukket og placeret ude i tekøkkenet for en sikkerheds skyld. De dryppede begge to af sved. Der var varmt, og Mikael forsøgte uden held at åbne ateliervinduerne.

"Var det en sprøjte, han havde i hånden?"

"Det så sådan ud."

"Hvad kan der have været i den?"

"I værste fald syntetisk kurare."

"Gift?"

"Ja, i lidt større doser lammer det alt, selv åndedrætsmuskulaturen. Man bliver kvalt."

"Du ved en hel del om det," sagde Mikael.

Manden så trist ud, og Mikael så hen mod vinduet og den blå himmel.

"Skal jeg sige Daniel?" spurgte han.

Manden tav lidt. Han tøvede. Så svarede han:

"Dan."

"Er det et kælenavn?"

"Nej, jeg fik et green card og blev amerikansk statsborger. Jeg gjorde mig stor umage for at slette alle spor af mit gamle navn. Nu hedder jeg Dan Brody."

"Eller snarere Leo Mannheimer."

"Ja, det er sandt."

"Det er mærkeligt, ikke?"

"Det er mærkeligt."

"Vil du fortælle mig historien, Dan?"

"Jeg skal forsøge."

"Vi har god tid. Ingen vil søge efter os her."

"Er der måske noget lidt stærkere at drikke?"

"Nu skal jeg se efter i køleskabet."

Mikael gik ud og så efter og opdagede en hel række hvidvinsflasker, Sancerre. Han tænkte galgenhumoristisk, at det var hans nye norm: at drikke sig til informationer. Han tog en flaske med skruelåg og to glas.

"Her," sagde han og hældte op.

"Jeg ved ikke, hvor jeg skal begynde. Men du sagde, at du havde truffet Hilda. Talte hun om ..."

Han tøvede igen, som over for et navn eller en oplevelse, som ikke kunne nævnes uden frygt og bæven.

"Om hvad?"

"Om Rakel Greitz."

"Hilda talte meget om hende."

Dan kommenterede det ikke. Han løftede blot glasset og drak tavst og sammenbidt. Så begyndte han langsomt at fortælle. Han indledte historien med en jazzklub i Berlin, en guitarsolo og en kvinde, der stirrede på ham.

De var kørt ind i en skov og standset. Der var ulidelig varmt i bilen, og det eneste, man hørte udefra, var fugle og fluer. Motoren kørte i tomgang. Lisbeth var tørstig. Hun hostede og havde det dårligt. Hun havde fået en eller anden form for kloroform, var blevet bundet og sparket, og hun lå stadig på gulvet. Men så rejste hun sig op på knæ, og ingen protesterede, selvom de holdt hende under opsyn. Motoren blev slukket, og de nikkede til hinanden på bænken. Benito drak lidt vand og skyllede et par tabletter ned. Hun var askegrå i ansigtet og blev siddende, mens Bashir og den anden mand rejste sig. Manden, som var tatoveret på underarmene, bar en lædervest, som Lisbeth først nu så emblemet på. Det gjorde ikke sagen bedre. Der stod *Svavelsjö MC* på vesten – samme motorcykelklub, som havde været allieret med hendes far, og som havde forbindelser med hendes søster. Var det Camilla og hendes hackere, der havde knækket hendes adresse?

Endnu en gang fikserede Lisbeth bagdøren i kassevognen og genkaldte sig bevægelsen, da den blev åbnet, og mobilen kastet ud. Med matematisk præcision erindrede hun styrken i bevægelsen, eller snarere manglen på samme. Hun kunne ikke få rebet omkring hænderne løs, men hun kunne sparke døren op. Det var godt, ligesom det var godt, at Benito havde kraniebrud, og at mændene var nervøse. Man kunne høre det på deres åndedræt og se det i deres øjne. Bashir skar ansigt, præcis som ude på Vallholmen, og sparkede hende. Hun reagerede lidt overdrevent. Ikke fordi det var nødvendigt. Sparket var voldsomt og ramte hende i ribbenene. Hun fik et til i ansigtet og spillede groggy, alt imens hun betragtede Benito nøje.

Lisbeth havde lige fra starten af haft på fornemmelsen, at det her først og fremmest var Benitos festforestilling. Det var hende, der skulle have det sidste ord, og nu bøjede hun sig også ned mod sin grå lærredstaske på gulvet og fandt et rødt fløjlsklæde frem. I det samme greb mændene Lisbeth hårdt om skuldrene, og det var svært at se det positive i situationen, specielt da Benito dernæst fandt en kniv frem fra tasken, sin Keris. Den var blank og sylespids, med et langt blad, som var forgyldt øverst oppe. Håndtaget var omhyggeligt udskåret og forestillede en dæmon med skæve øjne. Våbnet burde have ligget på et museum i stedet for i hænderne på en bleg, bandageomviklet psykopat, som betragtede kniven med sindssyg ømhed.

Benito forklarede nu med mat stemme, hvordan Kerisen skulle bruges. Lisbeth hørte ikke rigtig efter. Det var heller ikke nødvendigt. Hun hørte alligevel nok. Kerisen skulle stikkes gennem det røde fløjl, ind under kravebenet og lige ind i hjertet. Derefter skulle blodet tørres af mod klædet på vejen ud. Det ville angiveligt kræve stor finesse. Lisbeth registrerede fortsat alt derinde – hver genstand, hvert støvkorn, hvert øjeblik af uopmærksomhed eller tøven. Hun kastede et blik op mod Bashir. Han holdt hendes venstre skulder og var sammenbidt og ophidset. Hun skulle dø, og det passede ham naturligvis godt. Men han så alligevel ikke helt tilfreds ud, og det var ikke svært at regne ud hvorfor. Han var hjælperedskab for en kvinde med en djævelsk kniv, og det måtte ikke have været let for den idiot at sluge – han som kaldte kvinder for horer og ludere og betragtede dem som andenrangs mennesker.

"Kan du din Koran?" sagde hun.

Hun mærkede det straks, alene i grebet om hendes skulder: Bemærkningen generede ham. Hun fortsatte og sagde, at Profeten havde fordømt enhver form for Keris og sagt, at de tilhørte Satan og dæmonerne, og så citerede hun fra en sura, en opdigtet sura. Hun forsynede den med et nummer og opfordrede ham til at tjekke det på nettet.

"Prøv at google det, så skal du se!"

Benito rejste sig op med sin kniv og ødelagde det hele:

"Hun ævler," sagde hun. "Kerisen fandtes slet ikke på Muhammeds tid. Den er et våben for hellige krigere over hele verden."

Bashir troede hende tilsyneladende, eller ønskede at tro hende. Han svarede: "Okay, okay, kom så i gang!" Derefter tilføjede han noget på bengali til chaufføren omme foran.

Benito fik pludselig travlt, selvom det virkede, som om hun blev svimmel. Hun vaklede. Men det var ikke Lisbeths bemærkning, der havde stresset hende. Det var en lyd oven over dem, den brummende lyd af en helikopter. Det behøvede naturligvis ikke at have noget med dem at gøre. Men Lisbeth vidste, at Hackerrepublikken næppe havde siddet på hænderne. Hun betragtede lyden som både lovende og foruroligende - lovende, fordi der kunne være hjælp på vej, og foruroligende, fordi aktiviteten i kassevognen tog til, og al tøven forsvandt som dug for solen.

Nu var det nu, og Bashir og den anden mand holdt hende hårdt fast. Benito nærmede sig med sit blege ansigt og sin lange kniv og sit røde fløjlsklæde. Lisbeth Salander tænkte på Holger. Hun tænkte på sin mor og på sin drage, og hun stemte fødderne mod gulvet.

Hun måtte rejse sig, koste hvad det ville.

Mikael og Dan sad tavse sammen. De var nået til et punkt i historien, som føltes svært at tale om. Dans blik flakkede. Hans hænder bevægede sig nervøst.

"Leo lå dér på gulvet, og det virkede, som om han havde det bedre. Han havde fået en sprøjte til og så bedre ud. Jeg troede virkelig, at krisen var ovre, men så ..."

"Fortalte hun om kurare-giften?"

"Hun lod mig endda søge på nettet, måske for at jeg selv skulle læse, at fysostigmin kun virker midlertidigt. Men jeg nåede også at se noget andet."

"Hvad da?"

"Jeg vender tilbage til det. Men Rakel flåede telefonen fra mig og sagde, at hun ville sørge for, at jeg blev fængslet for mordet på min bror, hvis jeg ikke samarbejdede. Jeg følte mig paralyseret, og jeg forstod dårligt nok, hvad der skete. De gav mig solbriller og hat på. Rakel sagde, at det var en skidt idé, at folk så to Leo'er i opgangen. Hun sagde, at vi måtte få ham ud fra lejligheden, mens han stadig kunne støtte på benene, og jeg så det som en mulighed. Hvis vi bare kom ud, ville jeg kunne råbe om hjælp."

"Men det gjorde du ikke?"

"Vi mødte ikke nogen i elevatoren eller opgangen. Det var dagen før juleaften. Jeg tror slet ikke, at manden hed John, som Rakel havde sagt, for hun kaldte ham Benjamin flere gange. Det var den samme mand, som overfaldt dig. Men dengang ..."

"Ja?"

"Han baksede Leo, som kun lige akkurat kunne holde sig oprejst, ud til en sort Renault, som holdt parkeret på gaden udenfor. Det var allerede begyndt at blive mørkt, eller i det mindste føltes det sådan," sagde han. Så tav han igen.

December halvandet år tidligere

Gaden havde ligget tom og øde foran Dan, som i et forstenet, øde mareridt. I det øjeblik kunne han sikkert være stukket af og have tilkaldt hjælp. Men hvordan skulle han kunne forlade sin bror, Leo? Det kunne han jo ikke. Det var blevet varmere, og sneen var ved at blive til slud og vand. De skubbede Leo ind i bilen, og han spurgte:

"Nu kører vi ham til hospitalet, ikke?"

"Det gør vi," sagde Rakel Greitz.

Troede han overhovedet på det? Hun havde jo lige sagt, at det var meningsløst, og truet ham. Han var ikke sikker på noget. Han krøb bare ind i bilen og tænkte på én eneste ting – det, han havde nået at læse på nettet: Hvis bare åndedrættet holdes i gang, kan en patient godt komme sig over en kurareforgiftning. Han satte sig ved siden af Leo på bagsædet. På den anden side sad den mand, der nok hed Benjamin.

Han var stor og kraftig, sikkert omkring de 100 kilo. Han havde unaturligt store hænder, og trods sine måske 50 år, så han barnlig ud, med runde kinder, store blå øjne og hvælvet pande. Men det var ikke noget, Dan tænkte synderligt over. Han koncentrerede sig om, at Leo skulle trække vejret. Han forsøgte at hjælpe ham med det, og han spurgte igen, om de virkelig kørte til sygehuset. Rakel, som skulle køre, svarede mere præcist nu. De skulle til Karolinska, til den og den afdeling.

"Stol på mig," sagde hun.

Hun havde kontaktet specialister, forklarede hun. De stod klar til at tage imod Leo. De ville gøre sådan og sådan. Måske vidste han godt, det ikke passede. Måske var han for rystet til at rumme situationen. Det var svært at sige. Han fokuserede bare på at holde Leos åndedræt i gang, og ingen hindrede ham i det, hvilket altid var noget. Rakel kørte hurtigt, som hun burde. Der var ikke meget trafik, og de nåede op på Solnabron. De røde sygehusbygninger tonede frem i mørket, og et kort øjeblik tænkte han, at det hele nok trods alt ville blive godt.

Men det var bare en narresut, et forsøg på at berolige ham for en kort stund. I stedet for at standse accelererede bilen forbi Karolinska, og de kørte nordpå mod Solna. Han måtte have skreget og kæmpet. Det brændte i låret, og hans protester blev mere kraftesløse og svage. Det var ikke sådan, at raseriet eller desperationen forsvandt, men kræfterne sivede ud af ham. Han rystede på hovedet. Han glippede med øjnene. Han kæmpede for at tænke klart og holde Leo i live. Men han fik svært ved at tale og bevæge sig, og langt borte, som gennem en tåge, hørte han Rakel Greitz og manden hviske noget. Han mistede grebet om tiden. Men så hævede Rakel stemmen. Hun talte til ham nu, og der var noget hypnotisk over tonefaldet. Hvad sagde hun? Hun fortalte om alt det, han ville få – om drømme, der ville gå i opfyldelse, om rigdom. Han ville blive lykkelig, sagde hun.

"Lykkelig, Daniel, og vi vil være der for dig."

Men ved siden af ham hev Leo efter vejret, og på den anden side sad den enorme Benjamin, og så snakkede Rakel Greitz om lykke og rigdom omme foran ... det var ubeskriveligt. Han savnede ord.

*

Mikael Blomkvist havde ikke en gnist af chance for at forstå. Men Dan måtte forsøge det. Der var ingen anden udvej.

"Blev du lokket af det?" spurgte Mikael.

Vinflasken stod på det hvide sofabord, og Dan blev grebet af en pludselig trang til at knuse den mod journalistens hoved.

"Du må forstå," sagde han og forsøgte at lyde rolig, "at et liv uden Leo var fuldstændig utænkeligt."

Så tav han igen.

"Hvad tænkte du på?"

"På én eneste ting: Hvordan vi skulle klare os, Leo og jeg."

"Og hvad var din plan?"

"Min plan? Det ved jeg ikke. Men jeg antager, at det var at spille med og håbe på at finde en udvej, et halmstrå at klamre sig til. Vi kørte længere og længere ud på landet, og jeg begyndte at genvinde mine kræfter. Jeg slap ikke Leo med blikket. Han fik det værre og værre. Hans muskler gik i krampe, og han kunne ikke røre sig. Det er svært for mig at tale om det."

"Tag dig din tid."

Dan drak lidt mere vin, så fortsatte han:

"Jeg havde ikke længere nogen anelse om, hvor vi befandt os. Vi var ude på landet. Vejen blev smallere. Der var nåleskov, det var mørkt ude nu, og det regnede. I stedet for sne kom der regn, og jeg så et skilt. Der stod Vidåkra på det. Vi fortsatte ind til højre ad en skovvej, og efter ti minutter standsede Rakel Greitz, og Benjamin steg ud. Han tog noget frem fra bagagerummet. Jeg ville ikke vide hvad. Det skramlede ubehageligt, og jeg koncentrerede mig om Leo. Jeg åbnede døren og lagde ham ned på sædet og gav ham kunstigt åndedræt. Jeg havde lært det, men måske ikke så godt. Nu forsøgte jeg imidlertid. Jeg har aldrig kæmpet så desperat i hele mit liv. Jeg var omtåget, og Leo havde brækket sig, uden at jeg overhovedet havde bemærket det. Der lugtede grimt i bilen, og jeg bøjede mig ned. Det var, som om jeg bøjede mig over mig selv, forstår du? Som om jeg førte mine læber mod mit eget døende jeg, og det underlige er, at de lod mig gøre det. De var venlige mod mig nu, Rakel og denne Benjamin. Det var så underligt, selvom jeg ikke helt forstod, hvad der foregik. Jeg var helt koncentreret om Leo, og måske også om Rakel og det, hun sagde. Hun talte blidt og sagde, at Leo ville dø. Fysostigmin-effekten ville snart aftage, og der var ikke noget at stille op. Det var skrækkeligt, sagde hun. Men det gode var, at ingen ville lede efter ham. Ingen ville overhovedet undre sig over, hvor han var blevet af – hvis bare jeg tog hans plads. Hans mor lå for døden, sagde hun, og jeg kunne sige op på Alfred Ögren og sælge min andel af firmaet til Ivar. Ingen ville undre sig over det. Alle vidste, at Leo længe havde drømt om at forlade virksomheden. Det var som en højere, guddommelig retfærdighed, at jeg skulle få det, jeg altid havde fortjent. Jeg spillede med. Jeg så ingen anden udvej. 'Okay, jeg er med, det kan måske fungere,' mumlede jeg. De havde taget min telefon, men det har jeg vist fortalt, ikke? Jeg befandt mig langt ude i skoven, og jeg kunne ikke se lys fra et eneste hus, ikke fra noget overhovedet.

Benjamin vendte tilbage. Han så skrækkelig ud. Han var gennemblødt af sved og regn og havde jord og sne på bukserne. Huen sad skævt, og han var helt tavs. Der var en ubehagelig, uudtalt fælles forståelse i luften, og så slæbte Benjamin Leo ud fra bagsædet. Han var så klodset, sådan en idiot. Leo slog hovedet ned i jorden, og jeg bøjede mig ned og så til ham. Jeg tog Benjamins hue af ham, kan jeg huske, og gav Leo den på. Så knappede jeg frakken. Vi havde ikke engang klædt ham ordentligt på. Han havde ikke noget halstørklæde på. Hans hals var bar. Han havde sine sko til indendørs brug på, og de var ikke bundet, snørebåndene hang og dinglede. Det var en scene fra helvede, og jeg spekulerede på, om jeg skulle løbe efter hjælp. Løbe lige ind i skoven eller hen ad vejen og håbe, at jeg mødte nogen. Men var der tid til det? Det troede jeg ikke. Jeg var end ikke sikker på, at Leo var i live endnu. Så jeg fulgte med ind i skoven. Benjamin slæbte ham efter sig. Det så tungt og kluntet ud, selvom Leo var så let og mager, og jeg tilbød at hjælpe til. Benjamin brød sig ikke om det. Han ville have mig væk derfra. 'Gå,' sagde han. 'Skrid, det her er ikke noget for dig!' Så råbte han på Rakel. Men jeg tror ikke, hun hørte ham. Det blæste ret kraftigt. Lyden druknede i vinden. Det raslede i trækronerne, og vi rev os på buske og grene. Så nåede vi frem til en stor gran, som var syg og ældet. Ved siden af den lå der en bunke sten og jord. Der lå også en spade der, og jeg tænkte, eller forsøgte at tænke, at det var et gravearbejde, som ikke havde noget med os at gøre."

"Men det var en grav?"

"Det var et forsøg på at grave en grav. Den var ikke særlig dyb. Det måtte have været et helvede for Benjamin at grave i den frosne jord. Han så helt udmattet ud. Han lagde Leo på jorden og råbte, at jeg skulle forsvinde. Jeg sagde, at jeg måtte tage afsked, og at han var et hjerteløst svin. Så truede han mig igen og sagde, at Rakel allerede havde beviser nok til at få mig fængslet for mord. Jeg svarede: 'Jeg ved det, jeg har fattet det, jeg vil bare sige farvel, han er min tvillingebror, jeg begraver ham selv. Lad mig nu være i fred, vis lidt hensyn, forsvind, lad mig græde i fred. Jeg stikker ikke af, og Leo er allerede død. Se på ham!' skreg jeg, 'Se på ham!' Og så forlod han mig faktisk. Jeg gættede på, at han ikke gik særlig langt væk, men han forsvandt i hvert fald, og jeg blev alene med Leo. Jeg sad der på hug under granen og bøjede mig atter over ham," sagde Dan Brody.

ANNIKA GIANNINI HAVDE spist frokost i personalekantinen på Flodberga og sad nu atter i besøgsafdelingen i H-huset og deltog i kriminalassistent Sonja Modigs fortsatte afhøring af Faria Kazi.

Sonja Modig havde opført sig kompetent og effektivt efter frokosten, og hun og Annika var enige om, at det var vigtigt ikke blot at få billedet frem af den langvarige undertrykkelse af den unge kvinde, men også at undersøge, om angrebet på broren ved vinduet måske snarere var overfald og uagtsomt manddrab end mord. Forelå der virkelig hensigt til drab?

Annika syntes, at det så optimistisk ud. Det var lykkedes hende at få Faria til at granske sit eget forsæt kritisk. Men så var Sonja Modig blevet ringet op og var gået ud i gangen, og efter det var hun ikke sig selv, og det irriterede Annika.

"Drop nu for guds skyld det pokerfjæs. Jeg kan jo se, at der er sket noget. Fortæl nu!"

"Ja, jeg ved det, undskyld. Jeg kunne ikke få mig selv til at sige det," svarede Modig. "Men Bashir og Benito har bortført Lisbeth Salander. Vi har fuld udrykning på, men det ser skidt ud!"

"Så spyt dog ud!" hvæsede Annika.

Sonja fortalte, og Annika gøs. Faria krøb sammen i stolen med armene omkring benene. Men så skete der noget. Annika mærkede det først. Det var ikke bare skræk og raseri, som lyste ud af pigens blik. Det var noget andet, dybt koncentreret.

"Sagde du Vadabosjön?"

"Hvad? Ja, de sidste spor af dem er fra et overvågningskamera, hvor kassevognen svinger ind på en skovvej til området rundt omkring søen," svarede Sonja.

"Vi ..."

"Ja, Faria?" sagde Annika.

"Inden vi fik råd til at rejse til Mallorca, plejede vi at campere ved Vadabosjön."

"Okay," fortsatte Annika.

"Vi var der ret tit. Det er jo så tæt på. Vi kunne bare køre derud sådan helt spontant i weekenden. Det var, dengang mor levede, og I ved, Vadabosjön er omgivet af skov, tæt skov, og små stier og gemmesteder, og engang ..."

Faria tøvede. Hun knugede hænderne om sine knæ.

"Har du dækning på din mobil?" spurgte hun. "Prøv, om du kan finde et detaljeret kort over området, så skal jeg forsøge at forklare – forsøge at huske."

Sonja Modig søgte og bandede og søgte igen. Så lyste hun op.

Hun fik noget frem, som politiet i Uppsala havde downloadet til dem.

"Vis mig det," sagde Faria med en helt ny autoritet i stemmen.

"Her kørte de ind," sagde Sonja Modig og pegede på kortet på telefonen.

"Vent lidt ..." sagde Faria. "Jeg har svært ved at orientere mig. Men der er noget, der hedder Söderviken der ved søen, ikke? Eller Södra Viken, Södra Stranden."

"Jeg ved ikke ... jeg tjekker lige."

Sonja søgte på *Södra.*

"Kan det være Södra Strandviken?" spurgte hun og viste Faria kortet.

"Ja, netop, det må det være," sagde Faria ivrigt. "Lad mig nu se. Der er en lille grusvej, men ret bred, bred nok til en bil. Kan det være den?"

Hun pegede på kortet.

"Jeg ved ikke ..." fortsatte hun. "Men dengang var der et gult skilt lige ved indkørslen. Jeg kan huske, at der stod: *Her slutter offentlig vej.* Et stykke inde ad den vej, et par kilometer inde, er der en hule, altså ikke en rigtig hule, mere en lysning mellem en masse løvtræer. Den ligger til venstre på toppen af en bakke, og det er, som om man passerer gennem et forhæng, en port af løvhang, og så kommer man ind i en hemmelig hule. Den er helt skjult mellem buske og træer, men med et kighul ud til en slugt med en bæk i. Bashir tog mig med dertil engang, og jeg troede, det var for at vise mig noget spændende. Men det var bare for at skræmme mig. Det var lige, da jeg var begyndt at få former, og der var nogle fyre, der havde piftet efter mig på stranden. Da vi nåede frem, sagde han en hel masse lort om, at det var dér, man før i tiden plejede at føre de kvinder hen, som havde opført sig som ludere, for at straffe dem. Det er derfor, jeg husker stedet så godt, for han skræmte mig fra vid og sans. Og nu tænker jeg ..." hun tøvede, "... at det måske er dér, Bashir har kørt Salander hen."

Sonja Modig nikkede sammenbidt og takkede. Så tog hun mobilen og ringede.

Jan Bublanski modtog løbende rapporter fra helikopterpiloten Sami Hamid. Sami kredsede rundt i lav højde over Vadabosjön og de omgivende skove, men havde ikke set noget til nogen grå kassevogn. Ingen havde set nogen grå kassevogn, ingen vidner, ingen feriegæster, ingen af politifolkene i bilerne i området. Det var ganske vist heller ikke let. Søen var omgivet af vidtstrakte strande, men den omkringliggende skov var tæt og gennemskåret af stier og veje. Området syntes som skabt til at skjule sig i, og det foruroligede Bublanski. Det var længe siden, han havde bandet så meget, og han blev ved med at presse Amanda Flod til at køre hurtigere.

Der var stadig et stykke til søen, og de drønede af sted ad hovedvej 77. Stemmeidentificering havde bekræftet, at det var Benito og Bashir Kazi, de jagtede, og det lød ikke godt. Bublanski var travlt optaget. Han stod i stadig forbindelse med Uppsala-politiet og talte med alle mulige andre personer, som kunne tænkes at sidde inde med informationer. Han ringede endog til Mikael Blomkvist adskillige gange. Men journalisten havde slukket sin telefon, og Bublanski bandede over det.

Han skiftevis bandede og bad. Selvom han ikke forstod sig på Lisbeth Salander, nærede han en faderlig ømhed for hende, ikke mindst nu hvor Salander havde hjulpet dem med at opklare en alvorlig forbrydelse. Han skyndede atter på Amanda. De nærmede sig søen. Telefonen ringede. Det var Sonja Modig, og hun sagde dårligt nok hej, men bad ham bare taste Södra Strandviken på bilens GPS, og så gav hun Faria Kazi telefonen. Han forstod ikke, hvorfor han skulle snakke med hende. Hun lød anderledes, end han havde forestillet sig, langt mere målbevidst, som om hun stod over for en afgørende opgave. Bublanski lyttede koncentreret og anspændt og håbede, at de ikke ville komme for sent.

KAPITEL 22

Den 22. juni

LISBETH SALANDER HAVDE ingen anelse om, hvor hun var. Men det var varmt, og hun kunne høre fluer og myg derude, rislende vand og vinden, der raslede i træer og buske. Men først og fremmest var det sine ben, hun koncentrerede sig om.

De var spinkle og så ikke ud af meget. Men de var veltrænede, og de var det eneste, hun havde at forsvare sig med. Hun lå på knæ i kassevognen med bundne hænder. Benito nærmede sig med sin bandage over det blege ansigt. Kniven og klædet skælvede i hendes hænder, og Lisbeth så mod kassevognens dør. Mændene pressede hendes skuldre ned og råbte ad hende. Hun kiggede op. Bashirs ansigt glinsede af sved, og han stirrede tilbage på hende, som om han havde lyst til at kaste sig over hende. Det kunne han imidlertid ikke. Han var nødt til at holde hende på plads.

Lisbeth overvejede endnu en gang, om hun ikke kunne spille dem ud mod hinanden. Men tiden løb fra hende. Nu stod Benito foran hende som en ond dronning med sin lange kniv, og det var mærkbart, at stemningen forandredes derinde. Der blev andagtsfuldt og stille som lige før noget ubegribelig stort. En af mændene flængede hendes T-shirt og blottede hendes kraveben. Hun så på Benito. Benito var bleg. Den røde læbestift så grel ud mod hendes askegrå hud. Men hun virkede mere sikker på benene nu, og hun rystede ikke længere. Det var, som om det frygtelige i øjeblikket gav hende en ny skarphed. Med en stemme, der var næsten en oktav dybere end ellers, beordrede hun:

"Pres hende hårdt ned nu. Godt, godt. Dette er stort. Det er hendes død. Mærker du, hvordan min Keris rettes mod dig? Nu skal du lide. Nu skal du dø."

Benito vendte sig mod hende og smilede. Hun smilede med et blik, der var hinsides enhver nåde og menneskelighed, og et kort øjeblik så Lisbeth ikke andet end knivbladet og det røde klæde, der blev rakt frem mod hendes nøgne bryst. Men i næste øjeblik vældede indtrykkene ind over hende. Hun noterede, at Benito havde tre nåle i sin bandage, at hendes højre pupil var større end den venstre, og at der sad et skilt fra Bagarmossens Dyrehospital til højre på kassevognens dør. Hun så tre gule papirclips og en hundesnor på gulvet. Hun så en blå tuschstreg på væggen ovenover. Men først og fremmest så hun det røde fløjlsklæde. Det lå ikke særlig godt i Benitos hånd, og det var godt. Klædet var bare rituel staffage, og uanset hvor selvsikker Benito fremstod med kniven, var klædet fremmed for hende. Det virkede ikke, som om hun vidste, hvad hun skulle stille op med det, og præcis som Lisbeth havde forudset, smed hun det nu fra sig på gulvet.

Lisbeth stemte tæerne imod gulvet. Bashir brølede til hende, at hun skulle sidde stille, og hun bemærkede nervøsiteten i hans stemme. Hun så Benito blinke og kniven, der blev hævet og strakt frem og rettet mod et punkt lige under Lisbeths kraveben, og hun gjorde sig klar. Hun spændte kroppen og overvejede, om det overhovedet kunne lade sig gøre. Hun lå på knæ, og hendes hænder var bundet, og de havde godt fat i hende. Men hun ville forsøge. Hun lukkede øjnene og lod, som om hun forligede sig med sin skæbne, mens hun lyttede til stilheden og åndedragene i lastrummet. Hun mærkede en ophidselse i luften, blodtørst, men også rædsel, en skrækblandet fryd. Selv i et selskab som dette var en henrettelse ikke nogen ukompliceret sag og ... Hvad nu?

Hun hørte noget. Det var svært at afgøre hvad. Det var langt borte, men det lød som lyden af ikke bare én, men flere bilmotorer.

I det samme tog Benito sigte for at dræbe, og det var tid, det var på høje tid. Lisbeth fløj op i en voldsom eksplosion og kom på benene, men nåede ikke at undvige kniven.

AMANDA FLOD OG Jan Bublanski drønede hen ad den smalle grusvej ved Vadabosjön og fik øje på det gule skilt, hvor der stod *Her slutter offentlig vej.* Amanda bremsede så brat op, at hun skred ud, og kastede et vredt blik på Bublanski, som om det var hans fejl. Kommissæren opfattede intet af det. Han talte i telefon med Faria Kazi og skreg:

"Jeg kan se skiltet, jeg kan se det!" Muligvis bandede han også, da bilen skred ud.

Amanda genvandt kontrollen over bilen og drejede ind ad vejen, eller hvad man nu skulle kalde den. Det var et pløret ælte med dybe hjulspor i. Det uafbrudte regnvejr, der havde hærget inden hedebølgen, havde gjort vejen næsten umulig at køre på, og bilen hoppede og dansede. Bublanski skreg:

"Langsommere for syv sytten! Vi må ikke misse det!"

De måtte ikke misse det. Stedet, som ifølge Faria var skjult bag et forhæng af løvhang, skulle ligge oppe på en bakketop, men Bublanski så ikke skyggen af nogen bakke, og ærlig talt troede han ikke på det. Det var et skud i blinde, ikke kun fordi kassevognen kunne stå skjult hvor som helst i skoven, eller mere sandsynligt være på vej et helt andet sted hen. Det var også tiden, som var gået, og først og fremmest: Hvordan kunne Faria være så sikker på, hvor stedet var? Hvordan kunne hun huske så mange specifikke detaljer fra sin barndoms rædselsoplevelse eller overhovedet have en forestilling om afstanden efter så mange år?

I hans øjne så skoven ens ud over det hele, med tæt vegetation uden nogen særlige kendemærker, og han var lige ved at opgive det hele. Oven over ham lukkede træerne sig så tæt, at det blev mørkere. Bag dem kunne de høre andre politibiler nu, og det var selvfølgelig godt, hvis de tilfældigvis skulle være på rette spor. Men han forstod ikke, hvordan de skulle kunne finde noget. Skoven så uigennemtrængelig ud, og han sank hen i sine egne tanker. Men så, derhenne ... der var, ikke ligefrem en bakke, men terrænet skrånede faktisk lidt. Amanda speedede op og skred ud igen og nærmede sig toppen, og Bublanski fortsatte med at beskrive, hvordan der så ud omkring ham. Han bemærkede specielt et stort, kugleformet klippestykke ved vejkanten, som Faria måske kunne huske. Men hun huskede det ikke, og længere nåede han ikke. Han hørte en lyd. Noget smældede mod blik eller metal, og så fulgte skrig og stemmer, oprevne stemmer. Han så på Amanda. Hun bremsede op og standsede, og han trak sit tjenestevåben og styrtede ud. Han tumlede ind i skoven under løvet mellem træerne og buskene og forstod i et svimlende nu, at han virkelig havde fundet stedet.

December halvandet år tidligere

Dan Brody befandt sig i en anden skov på en anden årstid. Han lå på knæ i snesjappet under det gamle grantræ lillejuleaften, ikke langt fra byen Vidåkra, og stirrede på Leo, som lå under ham med sit blånende ansigt og sine grå øjne, som syntes at være uden liv. Det var et grufuldt øjeblik. Men det varede ikke længe.

Han gik straks i gang med at give Leo kunstigt åndedræt. Leos læber var lige så kolde som sneen under dem, og Dan fik ingen reaktion fra hans strube og lunger. Hvert øjeblik troede han, at han hørte skridt, der vendte tilbage. Snart ville det være forbi, og han ville blive tvunget til at vende tilbage til bilen som et halvt menneske. Gang på gang tænkte han, som et mantra eller en bøn: *Vågn op, Leo, vågn op!* Ikke fordi han troede på sin plan længere, selv ikke hvis han fik liv i broren.

Benjamin måtte være lige i nærheden. Måske stirrede han på ham nu i mørket gennem en sprække mellem træerne. Han måtte være utålmodig og nervøs og bare ønske at få Leo begravet og komme væk. Det var håbløst. Alligevel fortsatte Dan stadigt mere desperat. Han holdt om Leos næse og åndede ind i hans luftveje, så hårdt og voldsomt, at han blev svimmel og dårligt nok ænsede, hvad det var, han lavede. Han huskede, at han hørte en bil i det fjerne, en afsides lyd af en motor, som døde bort.

Det raslede i skoven som af et skræmt dyr. Nogle fugle flaksede op og fløj bort, og der blev stille, skræmmende stille.

Det var, som om livet selv var flygtet bort fra ham, og han var nødt til at tage en pause og få vejret.

Han havde ikke mere ilt i lungerne. Han hostede, og der gik et sekund eller to, før han indså, at der var noget, der var underligt. Det var, som om hans hoste gav genlyd og forplantede sig til jorden. Langsomt forstod han, at det var Leo, der stønnede og prustede. Et kort øjeblik var det næsten ubegribeligt. Dan stirrede bare på ham og følte, hvad? Glæde, lykke? Nej, bare stress.

"Leo," hviskede han. "De vil dræbe dig. Du må flygte ind i skoven. Nu. Rejs dig og løb!"

Leo så ikke ud til at forstå ham. Han kæmpede for at få luft og orientere sig. Dan hjalp ham op at stå. Derefter skubbede han ham ind mellem træerne. Han puffede ham så hårdt, at Leo faldt og slog sig, men han kom op igen og tumlede vaklende ind i skoven. Mere vidste Dan ikke. Han så ikke efter.

Han begyndte at kaste jord på graven. Han skovlede med rasende energi, og så hørte han det, han hele tiden havde ventet på, Benjamins skridt. Han så ned i graven, indså, at han ville blive afsløret, og fortsatte endnu mere frenetisk. Han skovlede og bandede og søgte beskyttelse i arbejdet og i sine eder og forbandelser, og han hørte Benjamins åndedræt. Han hørte buksebenene blafre, og fodtrinene i snesjappet, og han ventede på, at Benjamin skulle kaste sig over ham eller styrte ud efter Leo. Men han var stille. Længere borte hørtes endnu en bil. Nye fugle flaksede væk.

"Jeg kunne ikke holde ud at se på ham. Jeg begravede ham," sagde han.

Han syntes selv, det lød hult, og han fik heller intet svar. Han forberedte sig på noget forfærdeligt og lukkede øjnene. Men det eneste, han hørte, var langsomme, tøvende bevægelser. Benjamin lugtede af tobak, og han kom nærmere.

"Lad mig hjælpe dig," sagde han.

De fyldte den sidste jord over den grav, som ikke indeholdt noget lig. De brugte en del tid på at lægge sten og tørv ovenpå. Så vendte de tilbage til bilen og til Rakel Greitz. De gik langsomt og med bøjede hoveder. På vejen tilbage til Stockholm sad Dan og lyttede tavst sammenbidt til alle Rakels forslag og planer.

*

LISBETH SKØD OP som en kanonkugle og blev hugget i siden. Men hun vidste ikke, hvor alvorligt skadet hun var, og hun havde heller ikke tid til at tænke over det. Benito vaklede og huggede nu vildt i luften med sin kniv. Lisbeth trådte et skridt til siden, nikkede hende en skalle og styrtede hen mod døren. Hun hamrede den op med hovedet og kroppen og væltede ned i græsset med bundne hænder og adrenalinet pumpende i årerne. Selvom hun kom ned på fødderne, faldt hun alligevel og rullede rundt og trillede fra en skrænt ned til en lille bæk. Hun nåede lige netop at se vandet blive blodfarvet, inden hun rejste sig op og løb ind i skoven. Bag hende hørtes stemmer og biler. Men hun overvejede ikke et sekund at blive. Hun ville bare væk.

JAN BUBLANSKI SÅ ikke Lisbeth, kun to mænd i lysningen, som var på vej ned ad en skråning. Lige ved siden af stod en grå kassevogn med næsen vendt mod vejen og løvhanget. Han var ikke helt sikker på, hvad han skulle gøre. Han råbte: "Stop! Politi! Stå stille!" og rettede sit tjenestevåben mod dem.

Der var ulidelig varmt mellem træerne, og han følte sig tung i kroppen. Han stønnede, og mændene foran ham var yngre og kraftigere og helt sikkert mere skånselsløse. Men da han så sig omkring og lyttede ud mod vejen, tænkte han alligevel, at situationen var under kontrol. Amanda Flod stod ikke så langt væk i samme position som han, og flere politibiler var på vej. Mændene virkede ubevæbnede og overraskede, og han sagde:

"Nu ingen dumheder. I er omringede. Hvor er Salander?"

Mændene svarede ikke, men kiggede bare nervøst mod kassevognen, hvis bagdøre stod åbne. Bublanski anede allerede da, at noget ubehageligt var på vej ud, noget som kun bevægede sig uendelig langsomt og besværet. Til sidst stod hun der, knap og nap oprejst, ligbleg og med den blodige kniv i hånden: Benito Andersson. Hun vaklede og tog sig til hovedet og hvæsede ad ham, som om det var hende, der havde magten her:

"Hvem er du?"

"Jeg er kommissær Jan Bublanski. Hvor er Lisbeth Salander?"

"Den lille jøde?" svarede hun.

"Hvor er Lisbeth Salander, sagde jeg."

"Mon ikke hun er død?" hvæsede hun, viste sin kniv frem og nærmede sig ham. Han råbte, at hun skulle standse, stoppe.

Benito fortsatte bare, som om hans våben intet betød, og endnu en gang hvæsede hun noget antisemitisk. Han tænkte, at hun ikke fortjente at blive skudt. Hun skulle ikke få lov til at nyde martyriet i de helvedeskredse, hvor hun levede. Derfor blev det i stedet Amanda Flod, som affyrede skuddet. Hun skød Benito i venstre ben og kort efter stormede kollegerne ind, og det var slut. Men Lisbeth Salander fandt de ikke, kun hendes blodpletter i kassevognen.

Hun var og blev opslugt af skoven.

"SÅ HVAD SKETE der med Leo?" spurgte Mikael.

Dan hældte mere hvidvin op og stirrede på det bortvendte maleri og ud ad ateliervinduet.

"Han tumlede rundt," sagde han.

"Lever han?"

"Han vaklede rundt," gentog Dan. "Han vaklede rundt blandt træerne og gik i cirkler. Han tumlede rundt og faldt og havde det dårligt, og han smeltede sne i sine hænder. Han spiste sne. Han drak sne, og det blev sent, og han råbte. Han råbte: 'Hallo, hjælp, er der nogen?' Men ingen hørte ham. Efter flere timer kom han til en brat skrænt. Han rutsjede ned ad den og havnede på en eng, en åben plads, som forekom ham vagt bekendt, som om han havde været der for længe siden eller drømt om stedet. Længere borte ved skovbrynet lyste det fra et hus med en stor veranda. Leo vaklede frem og ringede på. Der boede et ungt par i huset – de hedder Stina og Henrik Norebring, hvis du vil kontrollere historien. De var ved at gøre klar til juleaften. De pakkede gaver ind til deres to små drenge, og først blev de formentlig skræmt fra vid og sans. Leo må have set helt forfærdelig ud. Men han beroligede dem og sagde, at han var kørt ind i et træ, havde mistet sin mobil og sikkert havde fået hjernerystelse. Han havde flakket om, fortalte han, og jeg tænker, at det lød troværdigt.

Parret hjalp ham og lod ham tage et varmt bad. Han fik tørt tøj, Janssons fristelser, juleskinke, gløgg og snaps, og kræfterne vendte tilbage. Men han var ikke sikker på, hvad han skulle gøre. Det eneste, han havde lyst til, var at kontakte mig, men han huskede, at Rakel havde taget min telefon, og han var bange for, at min mail også blev overvåget, så til en start vidste han ikke, hvad han skulle gøre. Men Leo er smart. Han tænker et skridt videre end alle os andre, så han overvejede, om han ikke kunne sende mig en kodet besked, som virkede helt uskyldig, noget som jeg godt kunne tænkes at modtage dagen før juleaften."

"Hvad gjorde han så?"

"Han lånte fyrens telefon og skrev til mig:

Congrats Daniel, Evita Kohn wants to tour with you in US in February. Please confirm. Django. Will be a Minor Swing. Merry Christmas."

"Okay," sagde Mikael. "Jeg tror nok, jeg forstår det, men forklar mig det alligevel ..."

"Han brugte ikke mit nye navn, og han valgte en kunstner, jeg aldrig spillede med, så ingen kunne spore mig ad den vej, men først og fremmest underskrev han sig med ..."

"Django."

"Med Django, ja, og alene det ville have været nok til, at jeg havde forstået det, men så tilføjede han: **Will be a Minor Swing**."

Dan tav og sank hen i sine egne tanker.

"*Minor Swing* er et nummer med sådan en enestående livsglæde. Eller livsglæde er nok forkert. Det har også et anstrøg af mørke. Django og Stéphane Grappelli skrev det sammen. Leo og jeg havde spillet det en fire-fem gange sammen. Vi elskede det. Men der var bare det ..."

"Ja?"

"Efter at Leo havde sendt beskeden, fik han det dårligere igen. Han faldt sammen, og parret lagde ham i deres sofa. Han fik svært ved at få vejret og blev blå om læberne igen. Men det vidste jeg ikke noget om. Jeg sad i Leos lejlighed, og det var allerede blevet sent. Vi var der alle tre: Benjamin og mig og Rakel Greitz. Jeg drak også vin den aften. Jeg hældte det i mig, mens Rakel gennemgik det hele, hele den modbydelige plan, hun havde brygget sammen. Jeg spillede med, modvilligt og chokeret spillede jeg med. Jeg sagde, at jeg herefterdags ville være Leo og gøre, som hun sagde. Derefter gennemgik hun det hele i alle detaljer; hvordan jeg skulle bestille nye kreditkort og få nye koder og besøge Viveka, der lå for døden, og lade, som om jeg var Leo, og hvordan jeg skulle tage orlov og rejse bort og læse om finansmarkederne og aflægge min amerikanske og min nordlandske dialekt. Vi gennemgik det hele. Rakel fløj omkring og fandt Leos pas og papirer frem og lod mig øve mig i at forfalske hans underskrift, og jeg fik formaninger om så det ene og så det andet. Det var uudholdeligt, og hele tiden hang denne trussel i luften – truslen om, at jeg som Daniel ville kunne blive fængslet for mordet på min bror, og truslen om, at jeg som Leo risikerede fængsel for insiderhandel og skattefusk. Jeg sad som paralyseret og stirrede på hende. Eller jeg forsøgte at se på hende, men meget af tiden magtede jeg det ikke. Jeg lukkede øjnene og så for mig, hvordan Leo var vaklet bort ude i skoven og forsvundet i mørket og kulden. Jeg kunne ikke forestille mig, hvordan han skulle have klaret sig. Jeg fantaserede om, at han lå i sneen og frøs ihjel, og jeg har svært ved at tro på, at Rakel for alvor kunne tro på sin egen plan i det øjeblik. Hun må have kunnet se på mig, at jeg ikke ville kunne klare det – at jeg ville bryde sammen ved mindste mistanke, og jeg husker, at hun hele tiden hundsede rundt med Benjamin eller gloede på ham.

Og så ordnede hun. Hun ordnede uafbrudt – lagde kuglepenne på plads, tørrede borde og stole af, sorterede, ledte, gjorde rent. På et eller andet tidspunkt tog hun min mobil frem fra lommen og så Leos sms. Hun kiggede på den og spurgte mig ud om mine venner og arbejdskontakter og musikerkolleger, og jeg svarede, så godt jeg kunne, en del sandheder tror jeg, men mest halve sandheder og løgne. Jeg ved ikke rigtig, jeg kunne knap nok tale, og alligevel ... Du ved, for at spare penge havde jeg anskaffet mig et svensk simkort, og der var ikke mange, der havde fået det nummer, så jeg blev straks nysgerrig. 'Hvad er det for en sms?' spurgte jeg, så ligegyldigt jeg kunne. Rakel viste mig den, jeg kiggede på den og læste, og hvordan skal jeg kunne beskrive det? Det var, som om livet vendte tilbage. Men jeg må have været rigtig dygtig. Jeg tror ikke, at Rakel bemærkede noget. 'Det er et job, eller hvad?' sagde hun. Jeg nikkede, og hun forklarede, at jeg blev nødt til at sige nej til al den slags nu. Så tog hun min telefon igen og tilføjede nogle flere formaninger. Men jeg lyttede ikke længere. Jeg nikkede bare og spillede komedie, og det lykkedes mig endda at lyde grådig: 'Hvor mange penge får jeg egentlig?' spurgte jeg. Hun svarede med en vældig eksakt sum, som jeg senere forstod, var en overdrivelse, som om min beslutning afhang af et par millioner fra eller til. Klokken nærmede sig midnat. Vi havde været i gang i timevis, og jeg var dødtræt og formentlig ret fuld. 'Jeg orker ikke længere,' sagde jeg. 'Jeg bliver nødt til at sove!' Jeg husker, at Rakel tøvede – turde hun monstro efterlade mig alene? Men til sidst virkede det, som om hun nåede frem til, at hun var nødt til at stole på mig, og jeg blev så bange for, at hun skulle fortryde, at jeg ikke turde bede om at få min telefon tilbage. Jeg stod bare som lammet og nikkede til hendes trusler og løfter og sagde: 'Ja, ja,' og 'nej, nej,' på de rigtige steder."

"Men de gik."

"De gik, og jeg fokuserede bare på én eneste ting – at huske de tal, jeg havde set på displayet. Jeg kunne huske de sidste fem tal; men jeg var usikker på resten, og jeg rodede i skuffer og frakkelommer, og til sidst fandt jeg Leos private mobil, som så typisk for ham ikke havde nogen kode. Jeg prøvede alle mulige varianter, vækkede en del mennesker og ringede til ikke-eksisterende numre. Men jeg fik ikke noget ud af det, og jeg bandede og græd og var sikker på, at Rakel snart ville modtage endnu en sms fra ham, og at alting så ville gå ad helvede til. Men så huskede jeg det der skilt, vi havde passeret, lige inden vi standsede med bilen. Der havde stået Vidåkra på det, og så tænkte jeg, at Leo sikkert måtte have fået hjælp i nærheden, og derfor ..."

"Søgte du på Vidåkra og dine tal?"

"Jeg søgte på dem, og Henrik Norebring kom op som den første. Nettet er så underligt, ikke? Der var sågar et billede af hans hus. Der var både hans alder, ejendomsvurderingerne i området og alt muligt andet, og jeg kan huske, at jeg tøvede – at mine hænder rystede."

"Men så ringede du?"

"Jeg ringede. Er det okay, at vi tager en pause?"

Mikael nikkede sammenbidt og lagde en hånd på Dans skulder. Så gik han ud i tekøkkenet, tændte mobilen og ryddede op på opvaskebordet. I næste øjeblik begyndte telefonen at brumme, og han tjekkede, hvad det var. Han bandede og gik tilbage. Han vejede sine ord nøje:

"Uanset hvad der er sket, Dan, så håber jeg, at du forstår, at vi må offentliggøre det her hurtigst muligt – også for din egen skyld," sagde han. "Alting taget i betragtning tror jeg, du skal blive her i atelieret. Jeg skal sørge for, at du får selskab af min kollega og chef, Erika Berger. Er det okay? Hun er et godt og ansvarsbevidst menneske. Du vil kunne lide hende. Jeg bliver nødt til at smutte."

Dan Brody nikkede forvirret og så et øjeblik så hjælpeløs ud, at Mikael gav ham et hurtigt bjørnekram. Han gav ham ateliernøglerne og sagde tak.

"Det var modigt af dig at fortælle din historie. Jeg glæder mig til at høre resten."

Derefter gik han, og allerede på vej ned ad trappen ringede han til Erika over en krypteret linje. Erika lovede, præcis som han havde forudset, at komme med det samme. Så forsøgte han om og om igen at få fat i Lisbeth, men uden held. Han bandede igen og ringede til Jan Bublanski.

KAPITEL 23

Den 22. juni

JAN BUBLANSKI BURDE være glad. Han havde fanget både Bashir og Razan Kazi samt Benito Andersson og et berygtet medlem af motorcykelklubben Svavelsjö MC. Men han var overhovedet ikke glad, ikke spor glad. Politibetjente fra både Uppsala og Stockholm havde gennemsøgt skoven omkring Vadabosjön, men uden at finde andre spor af Salander end blodpletter i kassevognen og så et fritidshus længere oppe på bakken, hvor nogen var brudt ind og havde efterladt sig blodpletter og aftryk fra nogle ikke særlig store gummisko. Det var ubegribeligt, syntes han. Lisbeth kunne have fået lægehjælp. Der havde været ambulancer på vej. Ikke desto mindre var hun styrtet ind i en uigennemtrængelig skov, hvor der var langt til landevejen og civilisationen. Måske havde hun ikke nået at forstå, at hjælpen var på vej, men var bare flygtet for livet. Det var ikke let at vide. Men hvis Benitos kniv havde ramt et eller andet vitalt organ, var Salander ilde faren og måske døende. Hvorfor var hun ikke som andre mennesker?

Bublanski var netop nået tilbage til politistationen på Bergsgatan og var på vej ind på kontoret, da mobilen ringede. Det var Mikael Blomkvist, der omsider ringede, og kommissæren beskrev hændelsesforløbet i korte træk. Det var tydeligt, at historien gjorde indtryk. Mikael stillede en lang række spørgsmål, og først bagefter fortalte han lidt kortfattet, at han var begyndt at forstå, hvorfor Holger Palmgren var blevet myrdet. Han sagde, at han ville vende tilbage hurtigst muligt, men at han lige var nødt til at ordne noget først. Bublanski så ingen anden udvej end at sukke og acceptere det.

December halvandet år tidligere

Det var lidt over midnat og dermed juleaftensdag. Vindueskarmen udenfor var hvid af tung, våd sne. Himlen var sort og grå, og byen lå stille hen. Kun enkelte biler hørtes fra Karlavägen. Dan sad i sofaen med Leos mobil i hånden og trykkede med rystende hænder Henrik Norebrings nummer i Vidåkra.

Telefonen ringede og ringede, men ingen tog den. En ung mands telefonsvarer gik i gang og afsluttede med et: "Hej, hej, ha' det godt." Dan stirrede desperat ud over lejligheden. Der var ikke længere et eneste spor efter det drama, der havde udspillet sig derinde. Tværtimod herskede der en ny klinisk renhed i hjemmet, som gjorde ham ilde til mode. Der stank af desinfektionsmiddel, og han flygtede ind på gæsteværelset, hvor han havde sovet ugen igennem, og ringede igen. Han bandede fortvivlet og lod blikket glide rundt i værelset.

Selv herinde var der spor af Rakel Greitz' virke. Hvordan havde hun båret sig ad? Hun havde ordnet og ryddet op og gjort rent også i gæsteværelset, og han havde mest af alt lyst til at rode og skabe kaos, flå sengetøjet op, rode hendes nærvær væk og kyle bøgerne ind i væggen. Men han orkede ikke. Han stirrede bare ud ad vinduet og lyttede til musikken fra en radio lidt længere nede i huset. Der gik måske et minut eller to, inden han atter greb telefonen. Han nåede imidlertid ikke at ringe op, før den selv ringede. Han svarede hidsigt og forventningsfuldt og blev mødt af den samme stemme som på telefonsvareren, men nu lød den ikke længere lige så hurtig, men alvorlig og fattet, som om der var sket noget frygteligt.

"Er Leo der?" udbrød han; men han fik intet svar. Han kunne dårligt nok høre noget åndedræt, ingenting. Der var en ildevarslende stilhed i røret, og skrækken fra skoven vendte tilbage. Han huskede Leos kolde læber, brustne øjne og lammede lunger.

"Er han der? Lever han?"

"Vent lidt," sagde stemmen.

Det raslede i telefonen, et barn skreg i baggrunden, og noget blev sat ned på et bord. Der var larm og spektakel, og tiden gik, uden at noget skete. Men så vendte livet pludselig tilbage som ud af det blå, og verden fik farver igen.

"Dan?" sagde en stemme, som kun kunne være hans.

"Leo," brast det ud af ham. "Du lever."

"Jeg lever. Jeg fik det skidt og fik kramper igen; men Stina her er sygeplejerske, og hun hjalp mig."

Han lå på en sofa med to tæpper over sig, fortalte han. Han talte med en mat, men dog fattet stemme, og det lød, som om han var tilbageholdende for ikke at forurolige parret i baggrunden. Men han nævnte Django og "Minor Swing".

"Du reddede mit liv," sagde Leo.

"Det gjorde jeg vist."

"Det er stort."

"Det swinger."

"Det swinger totalt, brormand."

Dan tav, ramt af øjeblikkets højtidelighed.

"Contra mundum," fortsatte Leo.

"Hvad?" sagde Dan.

"Vi to mod verden, kammerat. Dig og mig."

De besluttede sig for at mødes på Hotell Amaranten på Kungsholmsgatan, ikke så langt fra Rådhuset, hvor Leo tænkte, at han var sikker på ikke at møde nogen, han kendte. Brødrene tilbragte de tidlige morgentimer juleaftensdag i et værelse på tredje sal med at snakke og planlægge med gardinerne trukket for. De fornyede deres bånd og pagt, og om formiddagen i den sidste juletravlhed købte Dan to mobiler med kontantkort, som de kunne kommunikere via.

Han vendte tilbage til Floragatan, og da Rakel Greitz ringede på den faste linje, sagde han endnu en gang alvorstungt, at han havde besluttet at gøre, som hun sagde. Han talte også med en sygeplejerske på Stockholms Sjukhem, som forklarede, at hans mor lå dybt bevidstløs hen og næppe havde langt igen. Han ønskede dem god jul på afdelingen og bad dem kysse Viveka på panden og lovede snart at komme og se til moren.

Senere juleaftensdag om eftermiddagen vendte han tilbage til Amaranten og fortalte så meget, han nu kunne, om den mappe, Rakel Greitz sagde, hun havde med insiderhandel og skattefusk, som Ivar Ögren skulle have foretaget i Leos navn, og som angivelig kunne bringe Leo i fængsel. Han så en bundløs vrede og et skræmmende had i brorens blik, og han sad tavs, mens Leo kørte løs om, hvordan de skulle hævne sig på Ivar Ögren og Rakel Greitz og samtlige andre involverede. Han lagde en medfølende hånd på Leos skulder. Selv tænkte han imidlertid ikke på hævn, men kun på bilturen i mørket, graven ved den gamle gran i skoven og på Rakels bemærkninger om de mægtige kræfter, der stod bag hende. Han mærkede i hele kroppen, at han ikke turde tage hævn nu, ikke lige nu, og måske – kom han senere til at tænke på – havde det noget med hans klassebaggrund at gøre. Han troede ikke på samme måde som Leo, at det var muligt at vinde over øvrigheden, eller også skyldtes det, hvad han netop havde set og oplevet: Den skånselsløshed de var faret frem med.

"Absolut," sagde han, "vi hævner os. Men vi bliver nødt til at forberede os, ikke? Vi må have beviser. Vi må gøde jorden. Kan vi ikke se det her som en chance for noget nyt?"

Han vidste ikke rigtig, hvad han ville sige. Han prøvede sig bare frem. Men langsomt fæstnede idéen sig, og efter en længere diskussion begyndte de – først nølende, så mere og mere alvorligt – at planlægge. De indså straks, at de måtte handle hurtigt. Ellers ville Rakel Greitz og hendes organisation snart forstå, at de var blevet narret.

Allerede første juledag overførte Leo penge til Dan Brodys konto. Han ville overføre mere senere. Derefter bookede han en billet til Boston i Dans navn. Men det var ikke Dan, der rejste, det var Leo, klædt som Dan og med Dans amerikanske pas og papirer. Dan selv blev i Leos lejlighed, hvor han anden juledag tog imod Rakel Greitz og trak retningslinjerne for sit nye liv op. Han spillede sin rolle godt, og hvis han lejlighedsvis ikke så helt så fortvivlet ud, som han burde, så tolkede Rakel Greitz det tilsyneladende som, at han allerede var begyndt at trives med sin nye tilværelse. "Man ser sin egen ondskab i andre," som Leo senere sagde i telefonen.

Dan sad hos Leos mor på Stockholms Sjukhem den 28. december, og der var tilsyneladende ingen, der fattede mistanke. Det gav ham fornyet mod. Han var pænt klædt og sagde ikke meget. Han forsøgte at se rystet og dog fattet ud, og indimellem blev han virkelig grebet, selvom han sad over for et menneske, han aldrig før havde mødt. Viveka Mannheimer var afmagret og bleg. Nogen havde ordnet hendes hår og lagt lidt makeup på hende. Hovedet var placeret højt oven på to puder. Hun var lille og fugleagtig, og hun sov. Munden stod åben, og hun åndede roligt. På et tidspunkt strøg han hende over skulderen og armen. Det tænkte han, man forventede af ham. Hun slog øjnene op, og han blev ubehageligt til mode, men egentlig ikke urolig. Hun var stærkt morfinpåvirket, og man kunne altid hævde, at hun talte i vildelse.

"Hvem er du?" spurgte hun.

Der var noget hårdt og fordømmende i hendes spidse, skrøbelige ansigt.

"Det er mig, mor, Leo," svarede han.

Det virkede, som om hun funderede over det. Så gjorde hun en synkebevægelse og fik tilsyneladende fornyede kræfter.

"Du blev aldrig, hvad vi håbede på, Leo," sagde hun. "Du skuffede både far og mig."

Dan lukkede øjnene og huskede alt det, Leo havde fortalt

ham om moren. Han svarede – og det gik ejendommeligt let – måske netop fordi kvinden var fremmed:

"Du var heller aldrig, hvad jeg havde håbet på. Du forstod mig ikke. *Du* svigtede *mig*."

Hun så overrasket og omtåget på ham. Så tilføjede han:

"Du svigtede Leo. Du svigtede os – ligesom alle andre gjorde."

Han rejste sig og gik hjem gennem Stockholm. Dagen efter, den 29. december, døde Viveka Mannheimer. Dan meddelte i en mail, at han ikke orkede at deltage i begravelsen. Han råbte til Ivar Ögren, at han ville tage orlov, og fik en del forbandelser og skældsord om ansvarsløshed i hovedet, men svarede ikke. Den 4. januar forlod også han landet efter at have fået Rakels godkendelse.

Han fløj til New York og mødtes med sin bror i Washington. De var sammen og snakkede i en hel uge. Leo blev introduceret til jazzkredse i Boston. Han forklarede, at han var begyndt at spille klaver, men han holdt sig længe for sig selv og vovede ikke at optræde offentligt. Han var stadig urolig for sin svenske accent og længtes hjem, indtil han besluttede sig for at flytte til Toronto, hvor han mødte Marie Denver. Hun var en ung indretningsarkitekt, som drømte om at blive kunstner, og som netop på det tidspunkt overvejede at starte eget firma sammen med sin søster, men hun var usikker på, om hun turde tage springet. Leo – eller Dan, som han kaldte sig nu – skød kapital i foretagendet og blev aktivt bestyrelsesmedlem, og ikke længe efter købte parret et hus i Hoggs Hollow i Toronto. Han spillede ofte klaver sammen med en lille håndfuld dygtige amatørmusikere, som alle var læger.

Dan flakkede omkring i Europa og Asien og spillede guitar og læste om finansmarkederne med glubende videbegærlighed. Han følte – eller troede – at han som udenforstående kunne anlægge et nyt metaperspektiv på markedet, og han besluttede at indtage Leos plads hos Alfred Ögren, blandt andet for at finde ud af, hvad det var for beviser, Rakel og Ivar Ögren havde mod broren. Det var ikke så nemt at slippe ud af, forstod han. Da han talte med en af Stockholms bedste erhvervsadvokater Bengt Wallin og forstod rækkevidden af, hvad der var foregået i Leos navn via Mossack Fonseca i Panama, fik han det udtrykkelige råd ikke at foretage sig noget overhovedet.

*

TIDEN GIK, OG livet normaliseredes, som livet nu engang har for vane. Han og Leo afventede det rette øjeblik og holdt i al hemmelighed kontakt. Det var også Leo, Dan havde ringet til, da han forsvandt fra foyeren hos Alfred Ögren. Leo havde tænkt sig længe om og sagt til ham, at han selv måtte bedømme, om det var på tide at fortælle historien, og han havde tilføjet, at de næppe kunne finde nogen bedre end Mikael Blomkvist. Og Dan havde virkelig også fortalt, selvom han stadig ikke havde fortalt om Leos nye liv. Han drak lidt mere vin og ringede endnu en gang til Toronto og snakkede længe med broren. Først da han hørte et par diskrete bank på døren, afbrød han samtalen. Det var Erika Berger.

RAKEL GREITZ VAR tidligere på dagen, med stort besvær og kvalme, vandret tilbage til Hamngatan, hvorfra hun havde taget en taxa til Karlbergsvägen for at gå i seng. Men halvvejs hjemme blev hun vred på sig selv. Det lignede hende ikke at opgive ævred på grund af sygdom eller modgang i det hele taget. Hun besluttede sig for at fortsætte kampen og bruge alle sine kontakter og forbundsfæller (undtagen Martin Steinberg, som var brudt sammen, efter at han havde været udsat for gentagne opringninger fra politiet) for at finde Blomkvist og Daniel Brolin. Hun sendte Benjamin hen til *Millennium*'s lokaler på Götgatan og til Mikaels dør på Bellmansgatan. Men Benjamin mødte kun låste døre, og til sidst opgav hun og lod ham køre sig fra kontoret i Alvik til lejligheden på Karlbergsvägen. Hensigten var ikke kun omsider at hvile, men også at tilintetgøre de hemmelige dokumenter fra projektet, som hun opbevarede i pengeboksen bag garderobeskabet hjemme i soveværelset.

Klokken var halv fem om eftermiddagen. Det var stadig uudholdelig varmt, og hun lod Benjamin hjælpe sig ud af bilen. Hun havde virkelig brug for ham, og ikke kun som livvagt. Hun havde brug for støtte til at gå. Hun var bleg og omtåget efter dagens anspændelse og koncentration. Den sorte rullekravebluse var gennemblødt af sved, og hun havde det skidt. Byen sejlede for hendes blik. Alligevel rankede hun ryggen og så op mod himlen med et blik, som et kort øjeblik syntes sejrsbevidst. Ja, hun ville måske blive afsløret og fornedret. Men hun havde ifølge sin egen overbevisning kæmpet for noget, som var større end hende selv, nemlig for videnskaben og for fremtiden, og hun var fast besluttet på at gå ned med værdighed. Hun svor, at hun ville forblive stolt og stærk til det sidste, uanset hvor syg hun var.

Da de var kommet ind i opgangen, bad hun Benjamin om den appelsinjuice, han havde købt til hende på vejen, og selvom hun betragtede det som ukultiveret, drak hun direkte af flasken, og det gav hende lidt fornyede kræfter. Derefter tog de elevatoren op til femte sal, hvor hun låste sikkerhedslåsen op og bad Benjamin om at slå tyverialarmen fra. Hun skulle lige til at træde ind, da hun stivnede og kastede et blik på trappeafsatsen nedenfor. En bleg gestalt var på vej op – en ung kvinde, som så ud, som om hun var steget op fra underverdenen.

LISBETH SALANDER HAVDE endda nettet sig. Hun var godt nok noget bleg i ansigtet, øjnene var blodsprængte, hun havde rifter efter grene og buske på kinderne, og det var tydeligt, at hun bevægede sig besværet. Men hun havde trods alt en times tid tidligere købt sig en ny T-shirt og et par jeans i en genbrugsbutik på Upplandsgatan og smidt det blodplettede tøj i en skraldespand.

Inde i Telenors butik havde hun købt en mobil, og på et nærliggende apotek havde hun fået fat i gazebind og noget at skylle såret med. Stående midt på gaden havde hun fjernet den brune pakketape, som hun havde stoppet blodet med i et sommerhus, og lagt en ny og bedre bandage. En kort overgang havde hun ligget besvimet i terrænet ude ved Vadabosjön. Da hun kom til sig selv igen, rejste hun sig op og filede rebet om hænderne af mod en skarp sten. Fremme ved hovedvej 77 fik hun et lift med en ung pige i en gammel Rover, som kørte hende til Vasastan, hvor hun vakte en del opmærksomhed. Ifølge vidnet Kjell Ove Strömgren havde hun set syg og farlig ud, da hun gik ind i opgangen på Karlbergsvägen. Hun så sig ikke i elevatorspejlet. Hun tænkte, at det ikke ville virke opbyggeligt. Hun havde det skidt. Ikke fordi hun troede, at kniven havde skadet nogen vitale dele, men hun havde mistet en del blod og følte sig svimmel.

Der var ingen hjemme hos Greitz, eller Nordin, som der vildledende stod på døren, og Lisbeth havde sat sig på gulvet på trappeafsatsen nedenfor og sendt en sms til Blomkvist. Hun havde fået en masse formaninger og vrøvl tilbage. Hun ville bare vide, hvad han havde fundet frem til. Han gav hende en kort sammenfatning, og hun læste og nikkede. Så lukkede hun øjnene og mærkede smerten og svimmelheden tage til. Det krævede en umenneskelig kraftanstrengelse at modstå trangen til at lægge sig på gulvet og bare stønne. Et øjeblik føltes det, som om hun umuligt ville kunne samle sig til at gøre noget. Men så tænkte hun på Holger.

Hun tænkte på, hvordan han var kommet trillende ind på Flodberga i sin kørestol, og det slog hende endnu en gang, hvor meget han havde betydet for hende gennem alle årene. Men først og fremmest tænkte hun på, hvad Mikael havde sagt om hans død, og hun forstod nu for alvor, at det måtte være rigtigt: Kun Rakel Greitz kunne have myrdet den gamle mand, og tanken gav hende fornyede kræfter. Hun vidste, at hun måtte hævne Holger. Hun vidste, at hun var nødt til at slå til med fuld styrke, uanset hvor slemt hun havde det, så hun rankede sig og rystede på hovedet, og omsider, efter et kvarters tid, standsede den raslende elevator ved lejligheden ovenover. Døren gik op, og en velvoksen mand i 50-årsalderen samt en ældre kvinde i sort rullekravebluse trådte ud. Det ejendommelige var, at Lisbeth allerede genkendte Greitz på kropsholdningen, som om den ranke ryg førte Salander lige direkte tilbage til barndommen.

Men hun gav sig ikke tid til at tænke over det. Hun sendte i stedet en hurtig besked til Bublanski og Modig, og så gik hun op – ikke helt sikker på benene og heller ikke særlig stille. Greitz hørte hende og vendte sig om. Hun så Lisbeth i øjnene, først med forundring, og så, da hun genkendte hende, med både skræk og had i blikket. Der skete imidlertid ikke noget. Lisbeth standsede bare op og pressede hånden ind mod såret i siden.

"Så ses vi igen," sagde hun.

"Det var du længe om."

"Men det føles alligevel, som om det var i går, ikke?"

Rakel Greitz svarede ikke på spørgsmålet. I stedet hvæsede hun: "Benjamin! Kom med hende!"

Benjamin nikkede og troede tilsyneladende ikke, at det var noget at snakke om, specielt ikke efter at have målt Lisbeth med blikket og indset, at han var en halv meter højere og dobbelt så bred. Men han nærmede sig hende alligevel med stor beslutsomhed og blev båret fremad ikke blot af kraften i sin krop, men også af trappens skrå fald. Lisbeth trådte hastigt et skridt til siden. Hun fik fat i mandens venstre arm og trak til, og i det øjeblik holdt Benjamins målbevidsthed op med at tjene sit formål. Han tumlede ned ad trappen og ramte stengulvet med albuen og hovedet forrest. Men Lisbeth så det ikke. Hun vendte sig opad i en hurtig bevægelse, puffede Rakel Greitz ind i entreen og låste døren. Snart efter hørtes der dundrende slag udefra.

Rakel trådte et skridt baglæns, greb sin brune lægetaske og fik hurtigt overtaget. Det havde imidlertid intet med tasken eller dens indhold at gøre. Lisbeth var ved at besvime nu. Kraftanstrengelsen ude i opgangen havde fået svimmelheden til at vende tilbage med foruroligende styrke, og hun så sig om i lejligheden med sammenknebne øjne. Trods sit svømmende blik indså hun, at hun aldrig havde set noget lignende. Det var ikke kun, fordi der ingen farver var, og alt var sort eller hvidt. Der var også så skinnende rent, som om der ikke boede et menneske derinde, men en robot, en rengøringsmaskine. Der var ikke et støvfnug nogen steder; det var, som om hele hjemmet var desinficeret. Lisbeth vaklede og støttede sig til en sort kommode. Hun troede, at hun skulle besvime. Så fik hun øje på noget ud ad øjenkrogen: Rakel Greitz nærmede sig hende med et eller andet i hånden, og hun bakkede, indtil hun forstod, at det var en kanyle. Så standsede hun og samlede kræfterne.

"Jeg har godt hørt, at du plejer at hugge sprøjter i folk," sagde hun og kastede sig over Rakel. Hun sparkede til sprøjten, som faldt ned på det hvide, skinnende gulv og trillede væk, og selvom hun blev svimmel, holdt hun sig på benene, og fokuserede på Rakel. Hun forbløffedes over, hvor rolig kvinden virkede.

"Dræb mig bare. Jeg dør med stolthed," sagde Greitz.

"Med stolthed?"

"Netop!"

"Det bliver der ikke noget af."

LISBETH SÅ DÅRLIG UD, og hun lød træt og medtaget. Alligevel forstod Rakel Greitz, at det var slut. Hun stirrede ud til venstre mod Karlbergsvägen og tøvede et kort øjeblik. Så indså hun, at der ikke var noget alternativ. Hvad som helst var bedre end at havne i Lisbeth Salanders kløer. Hun løb derover, vred døren til altanen op og nåede netop at mærke den skrækfyldte længsel efter at kaste sig ud og styrte ned, inden hun blev stoppet. Det var ikke, hvad nogen af dem havde forestillet sig.

Rakel Greitz' liv blev reddet af en person, som hun havde frygtet mere end nogen anden. Hun blev ført tilbage til sin klinisk rene lejlighed og holdt fast.

"Du *skal* dø, Rakel," hviskede hun. "Bare rolig."

"Det ved jeg," svarede hun. "Jeg har kræft."

"Det er ikke nok."

Lisbeth udtalte ordene med en så isnende kulde, at angsten slog kløerne i hende, og hun kunne ikke lade være med at spørge:

"Hvad mener du?"

Lisbeth så ikke på hende. Hun kiggede bare ned i gulvet.

"Holger betød meget for mig," sagde hun og greb så hårdt om Rakels håndled, at det føltes, som om blodet stivnede.

"Så det jeg mener er, at det ikke er nok med kræften, Rakel. Du skal også dø af skam, og jeg lover dig, at det bliver det værste. Jeg skal sørge for, at der bliver gravet så meget skidt frem om dig, at du ikke vil blive husket for noget som helst andet end alt det onde, du har gjort. Du vil blive begravet i dit eget lort," fortsatte hun med en sådan overbevisning, at selv Rakel troede hende, især fordi Salander ikke længere optrådte som et blegt spøgelse fra underverdenen. Tværtimod gik hun målbevidst og fattet hen og åbnede døren og lukkede en flok politifolk ind, som holdt Benjamin i et fast greb mellem sig.

"Godeftermiddag, Rakel Greitz. Vi har en del at tale om, du og jeg. Vi har lige anholdt din kollega professor Steinberg," sagde en mørk, smilende ældre herre, som præsenterede sig som kriminalkommissær Jan Bublanski.

Det tog ikke hans kolleger mere end 20 minutter at finde pengeboksen bag garderobeskabet. Det sidste, hun så af Lisbeth, var hendes ryg, da nogle sygeplejere førte hende bort. Salander vendte sig ikke om. Det var, som om Rakel ikke eksisterede for hende længere.

KAPITEL 24

Den 30. juni

MIKAEL BLOMKVIST SAD i køkkenet på redaktionen på Götgatan og havde netop afsluttet sin lange reportage om Registret og Projekt 9. Det var som sædvanlig en varm sommerdag. Der var ikke faldet en dråbe regn i flere uger. Han strakte ryggen og drak lidt vand og så over mod den himmelblå sofa i kontorlandskabet.

I sofaen lå Erika Berger udstrakt med højhælede sko på og læste hans artikel. Han var måske ikke ligefrem nervøs. Han var sikker på, at det var rystende læsning og et scoop, og at det ville være skidegodt for bladet. Men han vidste ikke, hvordan Erika ville reagere, og det skyldtes ikke kun, at reportagen visse steder var etisk problematisk. Det skyldtes også deres skærmydsler.

Han havde sagt, at han ikke ville med ud i skærgården og fejre midsommer – at han overhovedet ikke havde tænkt sig at fejre noget, fordi han ville koncentrere sig om historien og gennemgå de dokumenter, han havde fået af Bublanski, og fortsætte med at interviewe Hilda von Kanterborg, Dan Brody og Leo Mannheimer, som i al hemmelighed var kommet til Stockholm med sin kæreste fra Toronto. Der var heller ingen, der kunne sige, at Mikael ikke havde slidt i det. Han havde mere eller mindre arbejdet i døgndrift – ikke kun med reportagen om Registret, men også med historien om Faria Kazi. Det var godt nok ikke ham, der skrev den. Det var Sofie Melker. Alligevel blandede han sig hele tiden og diskuterede den juridiske proces med sin søster, som arbejdede hårdt for, at Faria skulle blive løsladt og få et nyt liv under beskyttet identitet.

Han holdt også kontakt med Sonja Modig, som ledede den nye efterforskning af det, som nu blev betragtet som mordet på Jamal

Chowdhury, hvor Bashir og Razan og Khalil Kazi og yderligere to personer sad varetægtsfængslet, mens man afventede retssagen. Benito var blevet overført til Hammerforsanstalten i Härnösand, og også hun havde udsigt til nye anklager. Mikael brugte timevis på at tale med Bublanski, og han gjorde sig mere umage end nogensinde med det rent sproglige.

Til slut orkede selv han dog ikke mere. Han havde brug for en pause og et pusterum. Han så nærmest dobbelt, og det var kvælende varmt og uudholdeligt hjemme ved computeren i Bellmansgatan. En eftermiddag følte han et stik af længsel og ringede til Malin Frode.

"Kære ven," sagde han, "kan du ikke komme?"

Malin var så sød at stille op og arrangere barnepige, hvis Mikael bare lovede at købe jordbær og champagne og fjerne sengetæppet og ikke være en distræt og håbløs skide Kalle Blomkvist. Han syntes, vilkårene lød rimelige, og derfor tumlede de rundt i sengen og var lykkelige og berusede og fuldstændig tabt for omverdenen, da Erika Berger kom på spontant besøg med en flaske dyr rødvin i hånden.

Erika havde aldrig forestillet sig, at Mikael var noget dydsmønster, og selv var hun gift og ikke overdrevent nøjeregnende med amourøse sidespring. Alligevel gik det galt, og hvis han havde haft tid og lyst, kunne han naturligvis have analyseret sig frem til hvorfor. Men en af årsagerne var klart nok Malins hidsige temperament, og at Erika blev såret og forlegen – at de alle sammen blev forlegne. Kvinderne begyndte at skændes med hinanden og dernæst med ham. Erika skældte ud og gik sin vej og smækkede med døren.

Siden da havde hun og Mikael kun talt temmelig afmålt sammen og kun om det professionelle på bladet. Men nu lå Erika der og læste, og Mikael tænkte på Lisbeth. Lisbeth var blevet udskrevet fra sygehuset og var straks rejst til Gibraltar – i forretningsøjemed, som hun sagde. De havde imidlertid daglig kontakt og talte om Faria Kazi samt selvfølgelig om sagen mod de ansvarlige på Registret.

Indtil videre kendte offentligheden ikke til baggrunden og sammenhængen, og de mistænktes navne var endnu ikke blevet nævnt i nogen større medier. Erika havde derfor foreslået, at de skulle skynde sig at få en ekstraudgave af bladet på gaden, før nogen nåede at opsnappe historien. Måske var det også derfor, hun blev så oprørt over, at Mikael lå i sengen og drak champagne, som om der ikke stod noget på spil.

I virkeligheden kunne han ikke have taget opgaven mere alvorligt, og nu skottede han over mod Erika, som endelig tog læsebrillerne af, rejste sig op og kom hen mod ham i køkkenet. Hun var iført jeans og en blå bluse, der stod åben i halsen. Hun satte sig ved siden af ham ved køkkenbordet, og hun kunne naturligvis have indledt med lidt ros eller en kritisk kommentar; i stedet sagde hun bare:

"Jeg forstår det ikke."

"Det lyder da bekymrende," svarede han. "Jeg håbede i det mindste at bringe lidt klarhed i historien."

"Jeg forstår ikke, hvorfor de holdt det hemmeligt så længe."

"Leo og Dan?"

Hun nikkede.

"Der fandtes, som jeg skriver, beviser for, at Leo havde begået økonomisk kriminalitet via stråmænd, og selvom det nu står klart, at det var Ivar Ögren og Rakel Greitz, der stod bag, kunne Leo og Dan ikke finde nogen måde at bevise det på. Desuden begyndte de også at synes om deres nye roller – hvilket jeg da også håber fremgår – og ingen af dem manglede jo ligefrem penge. Der blev hele tiden overført betydelige beløb, og jeg tror, at de begge to oplevede en ny frihed, skuespillerens frihed på sin vis. De kunne begynde på en frisk. Jeg forstår det godt."

"Og så blev de forelskede."

"I Julie og Marie."

"Billederne er vidunderlige."

"Det er da altid noget."

"Ja, vi er heldige, at vi i det mindste har gode fotografer," sagde hun. "Men du forstår vel, at Ivar Ögren kommer til at sagsøge os herfra og til helvede."

"Jeg tror, vi er velforberedte, også hvad det angår, Erika."

"Og så er jeg bange for bagvaskelse af afdøde – det er den her gamle skudepisode under elgjagten."

"Det har jeg helt styr på, mener jeg, og jeg skriver faktisk bare om uklare omstændigheder omkring dødsfaldet."

"Jeg ved ikke, om det er godt nok. Det er temmelig kompromitterende."

"Okay, jeg kigger på det igen. Er der noget, som *ikke* foruroliger dig, eller som du måske ligefrem ... forstår?"

"At du er en stor lort."

"Lidt måske. Mest om aftenen."

"Skal du så til at være monogam fremover, eller bliver der tid til andre også?"

"I værste fald kunne jeg vel også drikke et glas champagne med dig."

"Det kan du blive nødt til!"

"Er det en trussel?"

"Hvis det er det, der skal til, så ja, for den her tekst – altså den del af den, vi ikke bliver sagsøgt for – den er ..."

Hun tav et øjeblik.

"Okay?" forsøgte han.

"Det var lige det ord, jeg ledte efter," lo hun. "Tillykke," fortsatte hun og slog ud med armene for at omfavne ham.

Men de fik andet at tænke på, og bagefter var det svært at rekonstruere kronologien. Det var vistnok Sofie Melker, der reagerede først. Hun sad ved sin computer inde på redaktionen og råbte noget, som ikke kunne høres, men som tydede på chok eller overraskelse. Straks efter – eller samtidig – modtog Erika og Mikael nyhedsflashs på deres telefoner, men ingen af dem blev særlig urolige eller oprevne. Det var ikke et terrorangreb, ingen krigstrussel. Det var bare et børskrak. Alligevel blev de alle sammen opslugt af begivenhedernes gang. Skridt for skridt blev de trukket ind i dette intense nærvær, som indtræffer på alle redaktioner ved store og omvæltende nyhedsbegivenheder.

De var fuldstændig opslugte og råbte og skreg frem og tilbage til hinanden om, hvad de så eller noterede sig på computerne, og der var hele tiden nyt om krakket. Tæppet blev trukket væk under finansmarkederne. Stockholmbørsens aktieindeks gik ned fra minus seks til minus otte, ni og fjorten procent, og rekylerede op, men fortsatte så atter nedad som i et sort hul. Det var et ægte krak, galoperende panik, og det virkede ikke, som om nogen forstod, hvad det var, der foregik.

Der var ikke noget konkret, ingen udløsende faktor. Der blev bare mumlet og brummet: "Ubegribeligt, vanvittigt, hvad er det, der foregår?" Kort efter, da eksperterne blev kaldt ind, talte man om alt det sædvanlige - om en overophedet økonomi og om for lave renter og om høje vurderinger og politiske trusler fra Øst og Vest, et ustabilt Mellemøsten og fascistiske og antidemokratiske strømninger i Europa og i USA, om en politisk heksekedel, som mindede om 30'erne. Men det var alt sammen gammel vin på nye flasker, og der var ikke sket noget nyt - ikke noget i en størrelsesorden, der kunne foranledige sådan en katastrofe.

Panikken kom ud af det blå og blev drevet fremad ved egen kraft, og der var også andre end Mikael Blomkvist, der tænkte på hackerangrebet mod Finance Security i april. Han gik på de sociale medier og blev egentlig ikke overrasket over, at der var fuldt af rygter og løse påstande derude, og - som så alt for ofte - vandt de også indpas i de seriøse medier.

"Det er ikke kun børsen, der krakker nu," sagde han højt, selvom det mest lød, som om han talte med sig selv.

"Hvad mener du?" spurgte Erika.

"Det er også sandheden," sagde han.

Det var sådan, han oplevede det. Det var, som om net-troldene havde overtaget magten og ikke bare havde skabt en falsk balance, hvor løgnen og sandheden stod over for hinanden som ligeværdige størrelser, de havde også lagt en storm af konspirationsteorier og løgne som en uigennemtrængelig tåge over verden. Indimellem var det ganske dygtigt gjort, andre gange ikke, for eksempel sagde man, at finansmanden Christer Tallgren havde skudt sig i sin lejlighed i Paris, fortvivlet over sine millioner eller milliarder, som var gået op i røg. Den nyhed var ikke bare sær, fordi Tallgren selv dementerede den på Twitter. Der var også noget arketypisk over historien, en slags ekko af Ivar Kreugers død for egen hånd i 1932.

I det hele taget lignede det en blanding af den nye og den gamle tids myter og vandrehistorier. Der blev talt om robothandel, der gik amok, og om finanscentre og mediehuse og hjemmesider, der var blevet hacket. Men også om, at folk var ved at springe ud fra altaner og tage på Östermalm, og det lød ikke bare overdrevent melodramatisk; det gav også mindelser om børskrakket i 1929, da tagarbejdere på Wall Street efter sigende blev forvekslet med ulykkelige investorer og blot ved deres fysiske tilstedeværelse deroppe skulle have bidraget til krakket.

Nogle påstod, at Handelsbanken havde indstillet sine betalinger, og at Deutsche Bank og Goldman Sachs var på randen af fallit. Overalt og fra alle sider tikkede informationer ind, og selv ikke for så trænet et øje som Mikaels var det let at afgøre, hvad der var op og ned, hvad der var virkelig uro, og hvad der var fabrikeret og automatiseret fra troldefabrikkerne i Øst.

Han noterede derimod med sikkerhed, at Stockholm var værst ramt, og at faldet ikke var lige så stort i Frankfurt, London og Paris, selvom panikken også tog til dér. Der var stadig flere timer, til USA-børserne åbnede. Alligevel var der tegn på, at der ville komme ekstreme kursbevægelser i nedadgående retning på Dow Jones og Nasdaq, og der var tilsyneladende intet, der hjalp – slet ikke, at nationalbankdirektører og ministre og økonomer og guruer trådte frem og talte om en "overreaktion" og om at "tage det roligt". Alt og alle blev fortolket negativt og forvredet. Lemmingerne havde sat sig i bevægelse og løb for livet, uden at nogen forstod, hvem eller hvad der havde skræmt dem. Det blev besluttet at lukke børsen i Stockholm, lidt ulykkeligt måske, for netop lige inden var kurserne begyndt at stige igen. Men det var sikkert rigtigt, at der var brug for analyser og udredninger af, hvad det egentlig var, der foregik, inden handelen blev genoptaget.

"Det var synd for din tvillingehistorie. Den kommer til at forsvinde helt i den her suppedas."

Mikael hævede blikket fra computeren og så trist på Erika, der stod lige ved siden af.

"Tak, fordi du tænker på min journalistiske forfængelighed, mens verden går amok," sagde han.

"Jeg tænker på *Millennium*."

"Det forstår jeg. Men vi bliver nødt til at vente med det nummer nu, ikke? Vi kan ikke udgive et nyt nummer uden at grave i det her også."

"Jeg er enig med dig i, at vi ikke behøver styrte til trykkeriet, men vi må lægge det ud på nettet. Ellers er der risiko for, at nogen stjæler historien."

"Okay," sagde han. "Gør som du vil."

"Orker du at starte forfra?"

"Selvfølgelig gør jeg det."

"Godt," sagde hun. De nikkede til hinanden.

Det ville blive en ulideligt varm og tung sommer, og Mikael Blomkvist besluttede at gå en tur, inden han kastede sig ud i den næste historie. Han gik ned ad Götgatan mod Slussen og tænkte på Holger Palmgren og hans knyttede næve i sengen på Linjeholmen.

Epilog

DET VAR IKKE BARE det, at det foregik i Storkyrkan. Der var myldrende fuldt af mennesker derinde, selvom det ikke ligefrem var nogen statsmand, der skulle begraves, men bare en gammel advokat, som aldrig havde haft nogen af de store, spektakulære sager, men derimod altid havde kæmpet for unge mennesker, som var kommet ud på et skråplan. *Millennium*'s offentliggørelse af den såkaldte "Tvillingeskandale" havde sikkert spillet en vis rolle, samt naturligvis det faktum, at det handlede om en meget omtalt mordsag.

Klokken var to om eftermiddagen, og begravelsen havde været både værdig og gribende. Præsten havde ikke talt meget om Gud og Jesus, men derimod tegnet et fint portræt af den afdøde. Præstens tale var dog blevet noget overskygget af den følelsesladede tale, Holgers halvsøster, Britt-Marie Norén, netop havde holdt, og som gjorde, at mange nu sad stærkt grebne tilbage på bænkerækkerne. En rank, afrikansk kvinde ved navn Lulu Magoro hulkede nærmest ukontrolleret.

Nogle stirrede tårevædet frem for sig, andre sad med ærbødigt sænkede hoveder. Der var slægtninge, venner, gamle kolleger, naboer samt en del klienter, som så ud til at have klaret sig godt i tilværelsen. Og så var der selvfølgelig Mikael Blomkvist og hans søster, Annika Giannini, kriminalkommissær Jan Bublanski og hans kæreste, Farah Sharif, samt kriminalassistenterne Sonja Modig og Jerker Holmberg og så Erika Berger. Kort sagt alle mulige mere eller mindre nærtstående. Men der var også en del, som mest så ud til at være kommet af nysgerrighed. Folk der stirrede næsten lystent omkring sig, hvilket tydeligvis generede præsten, som var en høj, slank kvinde i tresårsalderen med kridhvidt hår og skarpe ansigtstræk. Ikke desto mindre trådte hun nu atter frem med al sin naturlige autoritet og nikkede til en mand i sort hørjakke på anden række til venstre. Manden, som hed Dragan Armanskij og ejede sikkerhedsfirmaet Milton Security, rystede på hovedet.

Det var hans tur til at tale; men nu ville han alligevel ikke. Det var ikke godt at vide hvorfor; men præsten accepterede hans afvisning, gjorde klar til udbæringen og gav tegn til musikerne.

I det samme rejste en ung kvinde sig fra en af bænkerækkerne bagerst og råbte: "Stop, vent lidt." Af en eller anden grund gik der lidt tid, inden det gik op for de tilstedeværende, at det var Lisbeth Salander, og det kunne naturligvis skyldes, at hun var iført en sort, skræddersyet habit, som fik hende til at ligne en ung mand, selvom hun trods al sin nyerhvervede omhu havde glemt at gøre noget ved håret. Det stod lige så vildt strittende ud til alle sider som altid. Hendes bevægelser var heller ikke blevet blødere eller mere tilpassede situationen. Der var noget aggressivt over hendes gang, men alligevel virkede hun paradoksalt nok mærkeligt ubeslutsom. Da hun var nået op til alteret, kiggede hun ned i gulvet uden at møde nogens blikke, og et øjeblik virkede det, som om hun ville gå tilbage til sin plads igen.

"Ville du sige noget?" spurgte præsten.

Hun nikkede.

"Værsgo. Jeg forstår, at du og Holger stod hinanden nær."

"Det er rigtigt," svarede hun.

Så tav hun igen. Hun sagde ikke et ord, og der opstod en nervøs mumlen rundtomkring i kirken. Det var ikke let at tolke hendes kropssprog, men de fleste opfattede hende som enten vred eller paralyseret. Da hun omsider åbnede munden, var det næsten umuligt at høre, hvad hun sagde.

"Højere," råbte en eller anden.

Hun løftede hovedet og så forvirret ud.

"Holger var ... besværlig," sagde hun. "Bøvlet. Han accepterede ikke, at nogle mennesker bare ønskede at holde kæft og lukke døren i. Han forstod ikke, hvornår han skulle give op. Han kørte bare på og fik alle mulige forstyrrede hoveder til at tale og åbne sig. Han var så forstokket, at han tænkte det bedste om alle, selv mig, og det var ikke en holdning, han ligefrem delte med nogen andre. Han var et stolt, gammelt fjols, som nægtede at tage imod hjælp, uanset hvor ondt han havde, og som altid gjorde sit bedste for at grave og rode og finde frem til sandheden, uden tanke for sig selv. Så selvfølgelig ..."

Hun lukkede øjnene.

"... lykkedes det dem at myrde ham. De myrdede en forsvarsløs, gammel mand i sengen, og det gør mig ærlig talt rasende, specielt eftersom Holger og jeg ..."

Hun afbrød sig selv. Det virkede, som om hun ikke vidste, hvad hun skulle sige. Hun stirrede tomt ud til siden. Så rettede hun sig op og så lige frem, ud over forsamlingen.

"Sidste gang vi sås, talte vi om den statue derovre," fortsatte hun. "Han undrede sig over, at den optog mig sådan, og jeg sagde, at jeg aldrig har betragtet den som et monument over en heltedåd, men som en afbildning af et grufuldt overgreb på en drage, og han forstod, hvad jeg mente, og spurgte om ilden. Hvad er der med den der ild, som dragen udspyer? Jeg sagde, at det var den samme ild, som brænder i alle, der bliver trampet på. Samme ild som kan forvandle os til aske og slagger, men som nogle gange ... hvis sådan et fjols som Holger ser os og spiller skak og snakker med os og i det hele taget interesserer sig for os, kan blive til noget helt andet – til en kraft som gør, at vi kan slå fra os. Holger vidste, at det var muligt at rejse sig igen, selv med et spyd gennem kroppen, og det var derfor, han var så besværlig og bøvlet," sagde hun og tav atter.

Så vendte hun sig om, bukkede stift og kantet for kisten og sagde tak og undskyld. Hun bemærkede, at Mikael Blomkvist smilede til hende, og måske smilede hun tilbage. Det var svært at afgøre.

Kirken fyldtes af mumlen og hvisken, og præsten havde svært ved at genetablere ro og orden til udbæringen. Derfor var der heller ikke rigtig nogen, der lagde mærke til, at Lisbeth Salander forsvandt mellem bænkerækkerne, ud ad kirkedøren mod torvet og Gamla Stan.

Tak til

AF HJERTET TAK til min agent, Magdalena Hedlund, og mine forlæggere, Eva Gedin og Susanna Romanus.

Stor tak også til min redaktør, Ingemar Karlsson, Stieg Larssons far og bror, Erland og Joakim Larsson, mine venner Johan og Jessica Norberg samt til David Jacoby, der er it-sikkerhedsforsker på Kaspersky Lab.

Tak også til min britiske forlægger, Christopher MacLehose, Jessica Bab Bonde og Johanna Kinch på Hedlund Agency, professor i genetisk epidemiologi på Svenska Tvillingregistret Nancy Pedersen, kriminalforsorgsinspektør på Hallanstalten Ulrica Blomgren, overlæge og docent på Karolinska Universitetssjukhuset Svetlana Bajalica Lagercrantz, professor i datalogi på Kungliga Tekniska Högskolan Hedvig Kjellström, viceafdelingschef på Stockholms Stadsarkiv Agneta Geschwind, vicedirektør på Svensk Försäkring Mats Galvenius, min nabo Joachim Hollman, professor i datalogi på Kungliga Tekniska Högskolan Danica Kragić Jensfelt, Nirjhar Mazumder og Sabikunnaher Mili samt naturligvis til Linda Altrov Berg og Catherine Mörk fra Norstedts Agency.

Og altid, altid tak til min elskede Anne.